隐蔽战线春秋书系·传记卷

冷月无声 吴石传

郑 立◎著

中共党史出版社

图书在版编目（CIP）数据

冷月无声：吴石传 / 郑立著．-- 北京：中共党史出版社，2018.4
（2025.12 重印）
（隐蔽战线春秋书系．传记卷）
ISBN 978-7-5098-4583-7

Ⅰ．①冷… Ⅱ．①郑… Ⅲ．①吴石（1894—1950）—传记
Ⅳ．① K825.2

中国版本图书馆 CIP 数据核字（2018）第 046356 号

书　　名：冷月无声——吴石传
作　　者：郑立

出版发行：中共党史出版社
责任编辑：庄涵莉
责任校对：申宁
责任印制：段文超
社　　址：北京市海淀区芙蓉里南街 6 号院 1 号楼　**邮编**：100080
网　　址：www.dscbs.com
经　　销：新华书店
印　　刷：北京盛通印刷股份有限公司
开　　本：720mm × 1000mm　1/16
字　　数：349 千字
印　　张：23.25
版　　次：2018 年 4 月第 1 版
印　　次：2025 年 12 月第 12 次印刷
书　　号：ISBN 978-7-5098-4583-7
定　　价：58.00 元

此书如有印装质量问题，请联系中共党史出版社读者服务部　电话：010-83072535

吴石（1894—1950）

他是中共隐蔽战线杰出的无名英雄，1950年6月10日在台北马场町刑场壮烈牺牲。因为历史的特殊原因，直到1973年他才被追认为革命烈士。经过数十年的尘封，拨云见日，他的名字、他的事迹今天终于流传。

本书为台湾“国防部”参谋次长吴石的传记。吴石原系国民党高级军事人员，在中国共产党的影响下，1947年开始秘密为中共工作，后按组织意图赴台执行任务。1950年春因中共台湾省工委遭敌破坏，吴石受牵连而被捕，该年夏天英勇殉难，后被人民政府追赠革命烈士。

他是这样的人——无悔地爱着自己的国家——痴迷于源远流长的中华文化——为着新中国的诞生而捧出一颗烛照世间的心的殉道者。

‖丛书前言‖

章百家

中国共产党领导的新民主主义革命，既有公开战场的博弈，又有隐蔽战线的较量。公开战场和隐蔽战线相互配合，相互支持，相得益彰，奏响了中国革命的一曲曲凯歌。正如毛泽东指出的：要战胜敌人必须打两种战争，一种是公开战争，一种是隐蔽战争。隐蔽战争有战略进攻，派人打入敌人的内心；也有战略防御，保卫自己。要打败敌人须内外夹攻，所以两者都有同样的意义。

党的隐蔽战线随着党的发展而发展，随着党的壮大而壮大。在白色恐怖笼罩的危急关头，周恩来领导创建了党的第一个专门情报保卫机构——中央特科，培养和造就了一批隐蔽战线的杰出领导人和业务骨干，为保卫党中央机关和领导人的安全作出了特殊贡献。中央苏区时期，在中央和各主要苏区创立的政治保卫工作，对配合苏区工农红军粉碎敌人的“围剿”，发展和巩固苏维埃政权，纯洁红军队伍作出了特殊贡献。长征途中，红军情报侦察部门及时获取敌人往来的电报，使中央指挥机关能够及时了解敌人的军事行动部署，避实就虚，屡出奇兵，摆脱围追堵截，胜利实现了伟大战略转移。红军到达陕北后，在争取西安事变和平解决，促成抗日民族统一战线形成的过程中，隐蔽战线发挥了关键作用。抗日战争时期，中央先后成立了中央社会部和中央情报部，隐蔽战线斗争进入了专业化的成熟期。我情工人员深入日伪党政机构，获取了日伪大量军政战略情报和国民党消极抗日积极反共的情报，对配合抗日战争的胜利起了重要作用。解放战争时期，我党我军的情报保卫工作得到了更加深入广泛的发展。我情工人员深入到国民党机密决策指挥机关内，及时准确地供给了党中央和军委及各地区战略性和动向性的重要军政情报，为中央制定解放战争的战略方针提供了重要依据，使我军在解放战争中对敌人的主要情况了如指掌，始终掌握了战争的主动权。毛泽东评价这个时期“我们的情报工作是最成功的”。

艰苦卓绝的隐蔽战线斗争造就了一大批无名英雄。他们有的大智大勇，运筹帷幄，决胜千里；有的深入虎穴，与敌周旋，获取情报；有的舍生取义，面对严刑，视死如归；有的潜伏敌营，长期经营，率部起义；有的忠诚可靠，周密安排，确保党中央安全；有的巧妙应对，冲破封锁，保证交通线畅通。一代代无名英雄赤胆忠心，赴汤蹈火，用忠诚与信仰铸就了中华民族的无名丰碑；一个个共产党人不忘初心，牢记使命，用热血和生命锤炼出薪火相传的红色基因。他们在斗争中表现出了坚定的革命理想信念、大无畏的革命英雄主义精神、敢于斗争敢于胜利的英雄气概、高超灵活的对敌斗争艺术、艰苦奋斗和严谨细致的工作作风、甘于无名甘于奉献的高尚情操，这些凝聚成了隐蔽战线精神特质：胜而不骄，败而不馁，受气不叫，有苦不说，舍己救人，冒险犯难，埋头苦干。

毛泽东曾经说过：今后革命胜利了应该给我们情报战线的无名英雄们发一个大大的奖章。很多无名英雄没能盼来这枚奖章就早早地离开了我们。他们的名字无人知晓，但他们的功绩永世长存！徐向前曾指出：“我们的党史、军史有一个重大缺陷，就是对情报工作反映不够。”近年来，可以看到一些公开出版的反映隐蔽战线的史料、传记，但总的来说还不是很丰富，与隐蔽战线建立的功勋还不相称。这套《隐蔽战线春秋书系》分“传记卷”、“回忆录卷”和“史述卷”，比较全面地反映了隐蔽战线的历史和无名英雄的精神。既是对老一辈隐蔽战线英雄的深切怀念和告慰，也可以作为新时代国安干警的教育读本，让一代新人了解历史，传承基因，所以是很有价值的。

（作者为中国中共党史人物研究会副会长）

目 录

让 60 多年前的英魂随着我的笔归来 *

60 多年前，吴石将军牺牲在台湾。因为工作在隐蔽战线，所以直到今天他的名字、他的事迹才广为流传。

2004 年 9 月的一天正午，天空一片湛蓝，阳光普照大地。在北京出差的我驱车赶到福田公墓，特地寻访吴石将军墓地。我按照吴石将军之子吴韶成提供的墓碑号寻去，在一片墓冢里终于看到一座庄严的汉白玉墓碑。找到了，它就是吴石将军之墓。我仔细地端详，“吴石将军、王碧奎夫人之墓”的字样映入眼帘。我轻轻地放下手中的背包和照相机，深深地向这方墓地鞠躬，向曾经生长于同一座城市的这位无名英雄致敬。

当我缓缓走到墓碑的背后，简短的碑文出现在眼前：

吴石，字虞薰，号湛然，一八九四年生于福建闽侯螺洲，早年参加北伐学生军。和议告成乃从入伍生，而预备学校，而保定学校，嗣更留学日本炮兵学校与陆军大学。才学渊博，文武兼通，任事忠慎勤清，爱国爱民，两袖清风，慈善助人。抗战时期运筹帷幄，卓著功勋。胜利后反对内战，致力全国解放及统一大业，功垂千秋。台“国防部”参谋次长任内于一九五〇年六月十日被害于台北，时年五十七岁。临刑遗书儿辈，谨守清廉勤俭家风，树立民族正气，大义凛然。一九七三年，人民政府追赠革命烈士。夫人王碧奎一九九三年二月九日逝于美国，享年九十岁，同葬于此。

250 多字的碑文勾勒出吴石将军一生的大致状况。我想，或许是墓碑大小限制、身份特殊的缘故，更具体的功绩仍有待后人追记。但“功垂千秋”的评语足以告慰烈士在天之灵。

有多少人知道这方为功勋卓著的无名英雄建筑的丰碑呢？恐怕少之又少。见诸报端、见诸网络，更深埋于历史，吴石将军为后人留下太多说不尽的话题……他于国家于民族之功在哪呢？他的传奇人生经历就这样静静地掩埋于浩瀚的历史？这次千里之外的凭吊，不知是怅然还是伤感，让

---

* 本文写于 2017 年。编者注。

我感到像吴石将军这样杰出的无名英雄太需要走出历史的层层迷雾。在我的潜意识里突然间出现一股强烈的冲动，决定沉下心去做这样一件对我来说从未做过的事——为吴石作传，为先贤，为历史，尽一个后来者所能。

如果吴石将军还活着，今年他该123岁了。实际上，他只活了57岁。当然，历史没有如果，人生也没有如果。他英勇就义的那一刻永远定格在1950年6月10日午后4时半。

这一刻，一场法西斯的屠杀正在上演。在台北马场町那片荒芜的野坡上，吴石将军，这位中等身材的职业军人被推下刑车，他的公开身份是国民政府“国防部”参谋次长。他使劲挺直腰杆，太想用自己的双眼再看世界一眼，只因身受酷刑，一只明眸失去了光明，只得用幸存的另一只眼睛凝望远方。刽子手下手了，两颗子弹击中他的胸膛。他仰天一声长啸，发出最后的呐喊，这呐喊如闪电、如利剑划向遥远的苍穹。他的心脏缓缓从枪口处拱出，殷红的鲜血染红了他的衣裳，染红了他安息的大地。在阴霾密布的天空，淅淅沥沥的小雨飘啊飘，似替天地为之致哀。……“出师未捷身先死，长使英雄泪满襟”，他的壮烈、他的牺牲，将舍身取义、呼唤光明的浩然正气写在天地间。

从这一刻起，中国共产党痛失一位风雨同舟的忠诚朋友，中国共产党隐蔽战线痛失一位杰出的情报工作者，中华民族痛失一位才华横溢、文武兼备的爱国将领。

同时牺牲的还有：原国民政府联勤总部第四兵站总监陈宝仓中将、原国民政府东南军政长官公署总务处交际科科长聂曦上校；中共华东局派往台湾与吴石和中共台湾省工委联络的女情报人员、中共党员朱谌之。

吴石将军是国民党政权垮台偏安台湾后遭屠杀的第一位国民党高级将领。吴石将军之死在危机重重的台湾曾引起轰动，在惊魂未定的溃败军人中引起震动。其实从1950年2月28日其夫人被传讯，到3月1日吴石将军本人身陷囹圄，到6月10日英勇就义，时间不过百日，受牵连人员逾200，在岛内沸沸扬扬传播，一时云里雾里。人们匪夷所思的是：吴石身为“国防部”要员，前程锦绣，为何有一百八十度的转变，为中共工作呢？此事被国民党当局内定为“国防部参谋次长吴石通共案”，一时扑朔迷离，众说纷纭。每当这一事件被人们一次次讲起，其内容也总是被一点点添加、渲染，从此被罩上神秘的光环。当然，在当时的背景下，是不会有答案的，也不可能有答案的。鉴于案情备受关注，国民党当局不得不于当年 7 月以李资生的名义在香港《新闻天地》(《新闻天地》为国民党当局在岛外主办的刊物）上刊发长篇文章《台湾大间谍案破获始末》，一时喧嚣尘上。受当时两岸的局势及秘密工作的特殊要求，吴石将军在大陆的挚友、亲人皆被告知：此事涉及机密和有关人员的安全，暂不宜公开。这种秘而不宣，在境外一片鼓噪中，大陆保持一片平静，知情者被严格限在极小的范围，但有关善后工作却有条不紊地进行着。

韶光匆匆，一晃 67 年过去了，吴石将军的背影渐渐远去。

海峡两岸的长期阻隔和世事的变化，使吴石成为默默无闻的名字。吴石译著《警察学纲要》在 2005 年入选中国政法大学的“中国近代法学译丛”。但该书“勘校导言”坦言“本书译者吴石先生生平情况不详，颇感遗憾”。由于公开宣传甚少，即使在烈士的家乡，也是知者寥寥。

时光啊，怎能让吴石将军——这位为祖国统一血洒宝岛的英雄，让他的英名隐遁人间!

他的生命与那个时期的国家变迁紧密相连。他一生动荡，万里飘零。在生命的旅程中屡屡与艰难困苦相遇，他的身躯融入北伐，融入抵抗日本侵略者，融入渡江战役，融入上海、杭州、福州等地的解放，融入统一祖国大业，留给人间曲折而生动的传奇。

2003 年春，由于从事中国共产党历史研究的缘故，及受吴石将军在大陆的儿子吴韶成的托付，我开始接触吴石将军与众不同的传奇人生。从一片空白开始起步，在此后 2200 多个日子里，一次次在旧书堆、旧报刊堆里进行大海捞针似的搜寻，一次次与知情者进行敞开心扉的交流，一次次对着吴石将军的遗墨和存数不多的著述发问，在一点一滴的积累中钩沉出浮出水面的历史影像。吴石将军究竟是怎样的一个人？他是怎样从水乡少年到北伐少年？他是怎样从名校“状元”到抗日儒将？他是怎样从国民党心脏送出大量秘密核心情报，为解放战争战事的加速结束作出特殊贡献？他是怎样从大陆战斗到台湾？他就义后是怎样得到中共中央的高度重视和内部隆重悼念的？周恩来临终前有怎样的嘱托？……本书透过这些线索一一展开，还原发生在吴石身上鲜为人知的事，擦亮出蒙尘已久的光芒，讲述扑朔迷离的吴石之谜，寻觅吴石身上的精神价值。但愿能让吴石的真实面目随着我的笔归来，在某种程度上唤起人们对这位60多年前潜伏者的记忆和缅怀。

第一章

寒儒之后

家世

同历史上诸多出身蓬门荜户而后来做出一番大事业的人物一样，吴石的家境也是非常贫寒的。当1894年9月14日（光绪二十年八月十五），一个传统的中秋节，他在福建福州螺洲一个家徒四壁的寒儒之家呱呱坠地。这时候，镇上炊烟袅袅，千家团聚，欢歌笑语，登楼赏月，而他的父亲还在呼呼的秋风中踯躅，盘算着如何维持生计。

追溯吴石家世渊源，这得从周朝泰伯说起。据有关资料显示，吴氏系出泰伯（周太王之长子、周文王之大伯父）。《辞海》的“太伯”条说：“一作泰伯。周代吴国的始祖。周太王长子。太王欲立幼子季历，他与弟仲雍同避江南，改从当地风俗，断发文身，建立吴国。”[①] 从历史上看，泰伯自号“勾吴”，以表让位季历之子（周文王）的决心。传至泰伯的第十九世孙寿梦的时候，始称王，子孙以吴为氏。之后，在漫长的迁徙过程中，吴姓的望族气脉绵延。螺洲吴氏始祖为吴日新，又名吴德广。宋末，他随父吴大全、叔吴大良自河南光州固始县入闽。吴大全卒，吴大良偕子吴德源及侄吴德泽、吴德广卜居今福建省福州市长乐区港西。后来吴德广迁闽县（今福建省闽侯县）永庆里，复娶赵氏，入赘螺洲（今属福建省仓山区螺洲镇），定居于该镇吴厝村，吴厝成为吴氏在闽的发祥地之一。吴德广之后代有功名。吴石祖上显要者为吴复、吴顺、吴宗著。吴复，明永乐年间，任太平府济仓大使，海盐县、吴县主簿，工部主事、侍郎等职，明天顺七年（1463年）以75岁高龄告老还乡；吴顺，明崇祯庚午科（1630年）副榜举人，后改学武，又中已卯科武举，先后任广东白云守备、长宁参将、南赣总兵，封定国大将军、荣禄大夫，钦赐蟒衣一袭，后官至湖广彬桂道，升为巡抚；吴宗著，文武全才，任惠州知府兼副总兵，清顺治二年（1645年）钦赐“文武名宗”匾。

① 辞海编辑委员会：《辞海》，上海辞书出版社2000年版，第776页。

吴石父亲吴国琬

到了吴石的父亲吴国琬已是21世。吴国琬（1852—1923），字季珍，清光绪十一年（1885年）间考取侯官的举人。据民国时期欧阳英修的《闽侯县志》[①]记载，在侯官考取举人有20人，吴季珍名列第五。螺洲，清初属福州府治的闽县，也就是现在福州市闽侯县。当时闽县与侯官两县是分治的，以福州南街（含今八一七北路）为两县的分界线，街东属闽县，街西属侯官；南门兜以南属闽县，北城外属侯官；西路府（今新民路）以西属侯官，以东属闽县。螺洲位于城南，为闽县所辖。人们不禁要问：隶属闽县子民的吴季珍按常理应在闽县进行乡试，为何出现在侯官县乡试的现场？因为闽县报考的人数大大多于侯官县，入选的机会自然要小得多。为了顺利中举，吴国琬颇费心思，经过慎重思考，改报考侯官县。这一大胆的想法在森严的科举制度面前成功了。成功的尝试让吴国琬心气陡增，明知道路途遥远，为了更高的目标还是下决心进京赶考。不幸的是因满口地道的福州“官话”，被考官拒之门外，未能如愿。这次打击对他是极大的，他认为再走进考场也不会有太大的希望，还是认命，回家过日子。从此，他选择了自由职业，以布衣终其一生。

---

① 欧阳英修，陈衍纂：《闽侯县志》，1933年刊本。

吴国琬先娶螺洲王氏，因王氏未生育子嗣，后又娶胪雷董氏。老天没有辜负这位穷举人，先后赐予他4个男婴[①]。在1891年，吴国琬第一个男婴降世，越3年降临了老二吴石。吴石一来到世上，等待着他的非童话仙境，而是家徒四壁，人寰苦楚。吴国琬给吴石取名为吴萃文，或许是希望孩子能在文化上有所造诣，出类拔萃。他绝没有想到他的二子会传承祖上的荣耀，赓续古圣贤的家国情怀，能文能武，成为一代儒将，会成为因壮烈殉国而轰动世界的悲剧英雄，成为吴氏一门的荣光，成为中华民族的骄傲。或许这就是历史，自然而真实地发生……

在吴石的记忆里，父亲满腹经纶，写得一手好字，把脉听诊颇为精通。这些，都使他对父亲充满着崇拜和迷信。吴石后来忆起："习汉文时，每日清晨即起，从不间断，每作文必寄与吾父批改。"[②] 自然地，吴国琬每接到儿子的习作，为儿子的进步暗暗感到高兴。知子莫如父，其实父亲早已看出吴石对文学的敏感和那与生俱来的天赋。父亲在复信中不忘将值得推敲和提高的地方明确地告诉儿子，热情鼓励儿子励学笃行。每当打开父亲的来

---

① 吴石家世简表

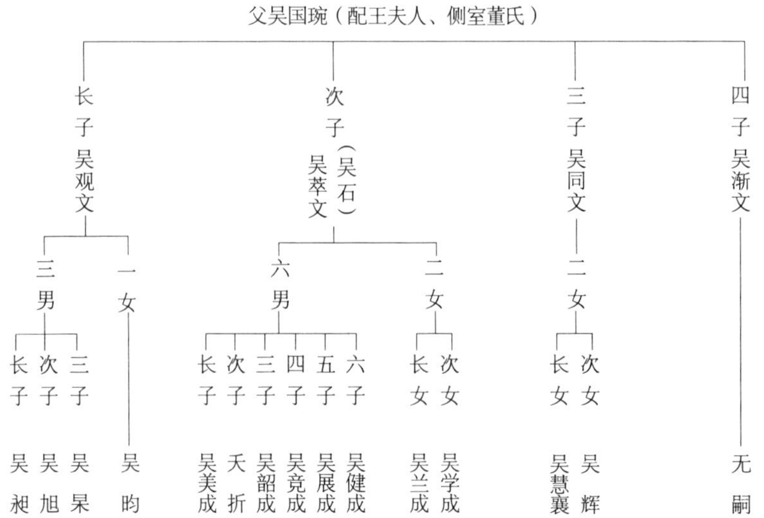

② 《萃文叔生平传誌》（手抄本），系吴石1947年5月所写自传，为其好友魏应麒先生珍藏。

信，工整的书写、顺畅的语句，都让吴石感到父亲如山的爱和无声的教诲。即使进入保定军校学习，为了与父亲保持联系，吴石每月还购买些邮票附在信中寄给父亲。父亲的一封封来信，吴石视若珍宝，逐字逐句揣摩，并小心翼翼地收藏。后来还专门把父亲的来信汇集装订成厚厚的小册子，视为教育子孙的传家宝加以珍藏。在家闲暇之余，常拿出来给子女看，并点评给子女听。这些信件集子可惜在抗战中散佚。在战后，吴石曾托人多方寻找，如沉大海，杳无音信。

在父亲的影响下，吴石认定在他的世界里“书山有路勤为径，学海无涯苦作舟”是很靠谱的事，沉迷于做学问。吴石一生与书有缘，他走到哪里，书籍如影随形，不停地读书成为他生命的一部分。这一点在他狱中的自叙得到印证：

余惟一资财全在书籍，民二十六（指公元 1937 年）以前，在南京所有者最为可观，以日本一切军事学参考资料（中有日本秘密兵书甚多），中与余在日本陆大所得教程与个人战术战史作业等原件最为珍贵。其他各种古书，亦不在少数，乃因抗战撤退南京所携带者仅少数而已，在桂亦经添补，桂柳会战退却，亦无法携带，遭二度损失。胜利后，复经多方收集，大部在福州乡中。

曾与吴石同牢房的狱友刘建修[①]的回忆也谈到，在狱中：“在白天，吴石通常是一半时间在看书，其余时候就躺着。他要看书时，就坐在窗外光线照得到的地方。吴石一直在读同样的书。有一次他两手把书拿得比较高，我看到封面印着‘中国文学史’几个字。”

抗战胜利后，每年炎炎的夏日，在他的老家——福州家中珍藏的书籍都能得到阳光的抚爱。在螺洲，吴家人不是忙于晒稻谷，而是忙于晒书，忙于守护，忙于用碎瓦片轻压线装书。当江风骤起，一地书籍“沙沙”作响，当地人便知吴家又在晒书了。吴石曾极为动情地忆起家世：“我家累世寒儒，读书为善，向为乡邻戚友敬爱。”

---

① 刘建修（1928—2020），台湾新竹人。在国民党戒严时期，曾因“邮电案”“三省堂案”两度入狱。出狱后，一直在台湾从事爱国民主活动。

吴石使用过的"戎马书生"章

父亲耿直厚道的基因在冥冥之中授给吴石。吴石在自传中写道："余性忠厚，待人以诚，为人谋而忠，一生成败皆系于此。以能尽力为人助，故能得生死患难之交；以待人诚笃，故或见款于小人，颇受其累……此外，余尚有一特点，则辨别善恶过于分明，往往面对小人憎恶之情，见诸辞色。"① 一介书生的本色深深烙印在吴石的身上，无论在人生的道路上遇到顺境还是逆境。在现存吴石常用的印章中，有一枚就刻有"戎马书生"四个字，让人印象深刻，自诩、自励之意，一目了然。

在水一方

吴石出生于螺洲，生长于螺洲。吴石与父亲血脉相连，也与螺洲这一方水土有着天然的联系，螺洲的地气、人气、文气促成着吴石的成长。

吴石出生于此，是幸运的。螺洲地属福州，位于福建省东南端，在当时就是福州很出名的地方。螺洲由闽江的泥沙冲积而成，方圆约 3 平方公里。这里平畴沃野，水域纵横交错，气候温和，雨量充沛。到了吴石出生的 19 世纪末，洲上农渔丰饶，工商成市，生活服务的店铺和工匠作坊齐备，交通比较方便，水陆两路有渡船和官道通达省城。相对省城福州，各方面条件优越的螺洲在某种程度上可以说是大福州的"微缩版"，人称"小福州"。够得上"小福州"，就因洲上的文化昌明可比福建省首府福州。洲中分为吴厝、店前、洲尾三个村落，沿江筑屋，为吴、陈、林聚族而居，吴、陈、林三姓不足千户人家。三村文物如林，人文渊薮。螺洲镇的人文兴盛与这里重视教育的传统密切相关。在吴石记忆中，在洲之南建于南宋末年

① 吴石遗书。

的孔庙，是他常去的地方。这座文庙迄今仍保存较好，安详地坐落在那里。相传，文庙始建于南宋宝庆、景定间（公元1225—1264年），说明从13世纪开始这里就有重教兴文的风气。从那时起，洲中相继建起朱子祠、观澜书院、观文书院、田声簃书院，连洲上童蒙也唱：“千家耕读五百年，烟波为宅书为田”。以一个小岛，三姓人家，竟有堂而皇之的儒教设施，有千家耕读的景象，可见螺洲的读书风气之兴盛，文化氛围之浓烈。在这块沃土上，人文荟萃、人才辈出。据《螺洲志》记载，明清科举中，螺洲先后出过进士27人，举人101人、武举11人。一批有影响的人物从这里走上历史的舞台。吴石小时候，常常听长辈们说起乡贤、清道光年间刑部尚书陈若霖刚正不阿的故事，从螺洲走出来的清末代皇帝宣统的“太师太傅”陈宝琛的博学多才，他也从坊间耳闻不少，内心为之所动。

“帝师”陈宝琛，亦是吴石的老师

螺洲地名之美也足够吴石自豪的。螺洲自古以来的别名，如“百花仙洲”、螺洲、桔洲……无不赏心悦目，韵味悠长。洲上广泛种植誉为“人间第一香”的茉莉花，从初夏到晚秋，茉莉花开，玲珑素洁，芳香四溢，“百花仙洲”由此得名。螺洲地名来自遥远的美丽传说：东晋永和间（345—356年），居民谢端娶螺女而取此名。东晋干宝《搜神记》中有“谢端遇徐女仙”一则专记此事。“相传谢端，福州侯官人，少丧父母，勤谨自守，于海边得螺，大如石瓮。以水养之，每耕作还，汤火如有人代之操作，端疑之。

早归，偷窥之，见一少女，从螺中出。端突入问之，女仓皇欲避不得，答曰：‘吾乃汉中白水素女也。天帝哀君少孤，勤谨自守，故使我为汝具膳。’言讫不见。端以壳贮食，食之不尽，遂传数代，故江以螺女名。”这是《闽都别记》中的一段明白晓畅的生动叙述。螺女的善良忠勇，影响着螺洲人的宗教信仰与价值观。有诗云：“螺浦孤舟宿，千山眺望遥。鸟飞沙际月，人语竹间桥。渔火摇江色，松风杂海潮。有怀长不寐，永夜欲魂消。”[①] 现在洲边仍存一块“螺仙胜迹”的石碑和一座螺女庙，“螺仙道”的渡口名称也见证此说。此地物华天宝，盛产柑桔，久负盛名。“临流桔实半青红”的诗句，就是对桔子将熟时的写照，“桔洲”之说可谓名至实归。橘树，即屈原在《橘颂》所颂扬的“后皇嘉树”。福桔皮红若丹，桔洲灿然若霞。“桔”在福州方言中同“吉”，含吉祥之意，为春节摆盘馈赠之上品。夹带橘乡的名气，1955 年一部叫《闽江桔子红》[②] 的电影在这里拍摄，放映后风靡大陆。

吴石在这片土地上遇见风雅的景致。螺江作为螺洲的水脉，处阳岐江之下，乌龙江之上，贯通闽江干流。螺江水色的清，水流的急，以及湾处江面的宽，加之江上的景色，一切都可以做一种江水秀逸的代表。这些幼年站在岸边的所见所赏，多少年后吴石都回忆得起来。“双流汇渚为襟带，群峭当门似画图”，把螺洲山水的情状确切写出。螺洲胜景引发诗人骚客的雅兴，历史可考的记叙颇多。在明时专写这个洲的志书《螺洲志》中就收录了传诵一时的《螺洲八咏》。

景一：平波澄练——风静已平湖，长江一望遥。却疑老鲛客，万叠展冰绡。

景二：远屿堆蓝——夜雨洗遥山，新晴净于拭。倒影入中流，蔚蓝同一色。

景三：螺渚春烟——螺女升天去，空余螺渚名。轻烟飞紫玉，春尽不胜情。

景四：龙津夜明——大江此东去，霁月恰秋深。倩谁吹铁笛，引起老龙吟。

景五：秋江渔唱——落日在西崦，渔舟唱晚归。芦花霜重处，应有石为矶。

景六：雪屋书檠——万山环积雪，一白夜窗棂。可有山阴客，空江访敝庐。

---

① （清）陈润编纂、白花洲渔增修，林其蓉撰：《螺洲志》。

② 《闽江桔子红》，1956 年上海电影制片厂摄制。影片反映福州地区桔农战胜自然灾害，夺得柑桔丰收的故事。

景七：春潮带雨——云气涌江窗，欹枕有余温。晚来春雨多，迸作潮声急。

景八：野渡横舟——一叶横江浒，停桡待问津。风平潮未上，闲杀洛州人。

平波澄练、远屿堆蓝、螺渚春烟、龙津夜明、秋江渔唱、雪屋书檠、春潮带雨、野渡横舟，这些诗情画意的景色成为吴石儿时的美好的相遇，追求美好，享受美好，让世界和美的种子开始播散在吴石心间。

小荷初露

吴石的童年就在这样的环境中度过。

幼时的吴石身体一直不好，是一个羸弱多病的人。“每年必患疟疾两月，疥疮与头痛经常不愈”①。别的孩子已经漫山遍野地游玩，他却还要小鸡似的依偎在母亲身边。大人们只觉得他是温顺敦厚的少年，还没能看出他身上有什么特别的地方。

吴石早年生活的时代正处急剧变革的时期。1902 年的螺洲看似平静，却蕴含着一场教育变革。这股变革之风是由乡贤、“帝师”陈宝琛发起的。他在家乡率先办起螺洲公学，突破私塾的樊篱，开起福建教育变革的新风。

这一年，吴石 8 岁。在外远游行医的父亲回到家乡，应聘在螺洲公学教书，成为一名受人尊敬的教书匠。吴石随父旁听国文课程，开始接触到启蒙教育。与其他小伙伴比，吴石在这时才接受启蒙教育，在受教育的时间上无疑是晚了一些，但他的悟性却在众学子之上。每日晨曦，他早早起来，吃完早餐，紧随父亲沿着青石板小道走向学堂。大约 8 点钟的光景，手持戒尺，走入学堂，俨然一副“小先生”的模样，严肃、可笑。谁也不会料想到 30 年后他同样跟随父亲的脚步登上三尺讲台，只是面对的学生不是一群乳臭未干的毛小孩，而是意气风发的国民党军中骨干。或许这段经历不经意间为他注入日后从教的潜质。

在这所学校中，学子们只背诵儒家经书，不求甚解。吴石后来回忆：

① 《萃文叔生平传誌》（手抄本）。

“诵读以经为主，教学则重背诵默记，乃经义深奥，不易熟习，年长之同学每遇默读，辄错误百出，因而遭师责者，比比皆是。”[①] 吴石在这拨同学中年龄最小，但所学的课程，隔日即可默写无任何错误，别提在场的老师、同学有多惊诧了。当他的眼神与老师、同学的目光相碰，一丝得意即刻挂在脸上。小小一件事使吴石得到了众人的赞誉，他欢欣、激动，从此更加勤修旧学。吴石之子吴韶成与我谈到其父亲的国学修养时，说：在他小时候“父亲有时高兴了，教我读书。他拿着一本《孟子》，用福州话高声朗诵：‘孟子见梁惠王。王曰：叟，不远千里而来，亦将有以利吾国乎？’父亲念了一句，要我也跟着念一句：‘王何必曰利，亦有仁义已矣！王曰何以利吾国，大夫曰何以利吾家，士庶人曰：何以利吾身，上下交征利而国危矣！’一遍又一遍念着，并告诫我为人之道不能只讲利，首先要讲仁义，他不仅教子如此，确实一生身体力行”。

国学修养也使他终生受益，用之于军学研究，古为今用，拓展了国学思想的深刻性。1942 年 12 月，酷爱古籍的吴石在自己亲手创办的《国防研究》第一期上开辟“国防史料丛钞”专栏，对古战例进行新解，将中国传统文化的精髓以解读的方式加以传播。在“国防史料丛钞”专栏开场白的按语里，吴石写下：“语云：‘前事不忘，后事之师。’稽史籍所载，圣哲忠勇为国之嘉言懿行，义风烈绩，诚中华民族传统精神之所寄，国防良模之所在，足为吾人钦式者也。友就涉猎所及，随笔摘录，加以答释，藉供关心国防文化诸君之参考。”以“湛然室主”的笔名承担了撰稿的任务。以下转自吴石对《孔子家语》中的《夹谷之会》篇古战例的点评，文中括号内的文字为吴石所作的批语。

定公与齐侯会于夹谷，孔子摄相事，曰：“臣闻有文事者必有武备，有武事者必有文备。（二句乃国防名言）古者诸侯出疆，必具官以从，请具左右司马（司马掌兵之官也）。”定公从之。

至会所，为坛位，土阶三等，以遇礼相见，揖让而登。献酢既毕，齐使莱人以兵鼓噪（擂鼓曰噪），劫定公。孔子历阶而进，以公退，（扶掖定公

① 《萃文叔生平传誌》（手抄本）。

而退也）曰："士，以兵之。吾两君为好，裔夷之俘敢以兵乱之，（在当时莱人乃东夷）非齐君所以命诸侯也。裔不谋夏，夷不乱华，俘不干盟，兵不逼好，于神为不祥，于德为愆义，于人为失礼，君必不然。"齐侯心怍，（孔子之言理直气壮，宜其齐侯心怍也）麾而避之。

有顷，齐奏宫中之乐，俳优侏儒戏于前。孔子趋进，历阶而上，不尽一等，曰："匹夫荧侮诸侯者，罪应诛，请右司马速刑焉。"于是斩侏儒，手足异处。齐侯惧，（孔子以正气足以却猥鄙之流，宜齐侯之惧也）有惭色。将盟，齐人加载书曰："齐师出境，而不以兵车三百乘（司马法兵车一乘甲士三人步卒七十二人）从我者，有如此盟。"孔子使兹无还（鲁大夫名）对曰："而不返我汶阳之田（汶阳田本属鲁，被齐侵占），吾以供命者亦如之。"

齐侯将设享礼，孔子谓梁丘据（齐大夫）名曰："齐鲁之故，吾子何不闻焉？事既成矣，而又享之，是勤执事。且牺象（酒尊名，古礼用朝堂者）不出门，嘉乐不野合，（古礼嘉乐亦用朝堂）享而既具，（用牺尊之谓也）是弃礼。若其不具，是用秕稗也。（秕穀之不成者，粮草之似穀者，言若不用牺尊，则虽享似也而非也。）用秕稗，君辱；弃礼，名恶。子盍图之？夫享，所以昭德也。不昭，不如其已。"（理直而充，辞婉而劲，可学也）乃不果享。

齐侯归，责其群臣曰："鲁以君子道辅其君，而子独以夷狄道教寡人，使得罪。"于是乃归所侵鲁之四邑及汶阳之田。

文末，吴石以"湛然按"，作了如下的点评，要而不繁，精辟入理：

（一）夹古之会，乃孔子凭外交之折衡之能，以收复失地，完成国防者。其一片忠诚，不畏强御，不顾死生，足使吾人服膺弗置者也。

（二）齐侯使莱人以兵鼓噪，使非忧为戏，皆诲辱小国之表示。此举动，恰似器量偏狭之倭国，其好自尊大，好欺侮人国，往往于外交场合见之。

（三）孔子辞享礼，尤为其机警、谨慎处，盖外交既犹胜利，自以速行为是，拖延时间，恐有不测也。

1906 年，清廷明令废科举，乡公学停办。吴季珍对儿子有很高的期许，多方筹措盘缠，让儿子离开螺洲，到省城福州师范学校附属小学上学。但是，上学不久，身体羸弱加上水土不服，吴石病倒了。糟糕的身体，只能使吴石决定中断学业。家人考虑到乡中学校的便利，把吴石送入新办的小学读书。在这里，已集结一批日本留学归来的教师。这些教师接受西方先进教育理论，擅长新式教法，循循善诱，主张发散思维。吴石在学习中感到了乐趣，越来越爱上读书，自信心大增，学业明显长进。每次考试，他的成绩都在同学中名列前茅，聪慧的潜质得到释放。单算学一科，就如鱼得水。吴石后来的回忆提到："习算学时，师母以学程外补之课题相试，余均能解答，师以为奇。"[①]

乡村的学习已不能使吴石满足。选择再次离开家乡，只是时间的问题。

① 《萃文叔生平传誌》(手抄本)。

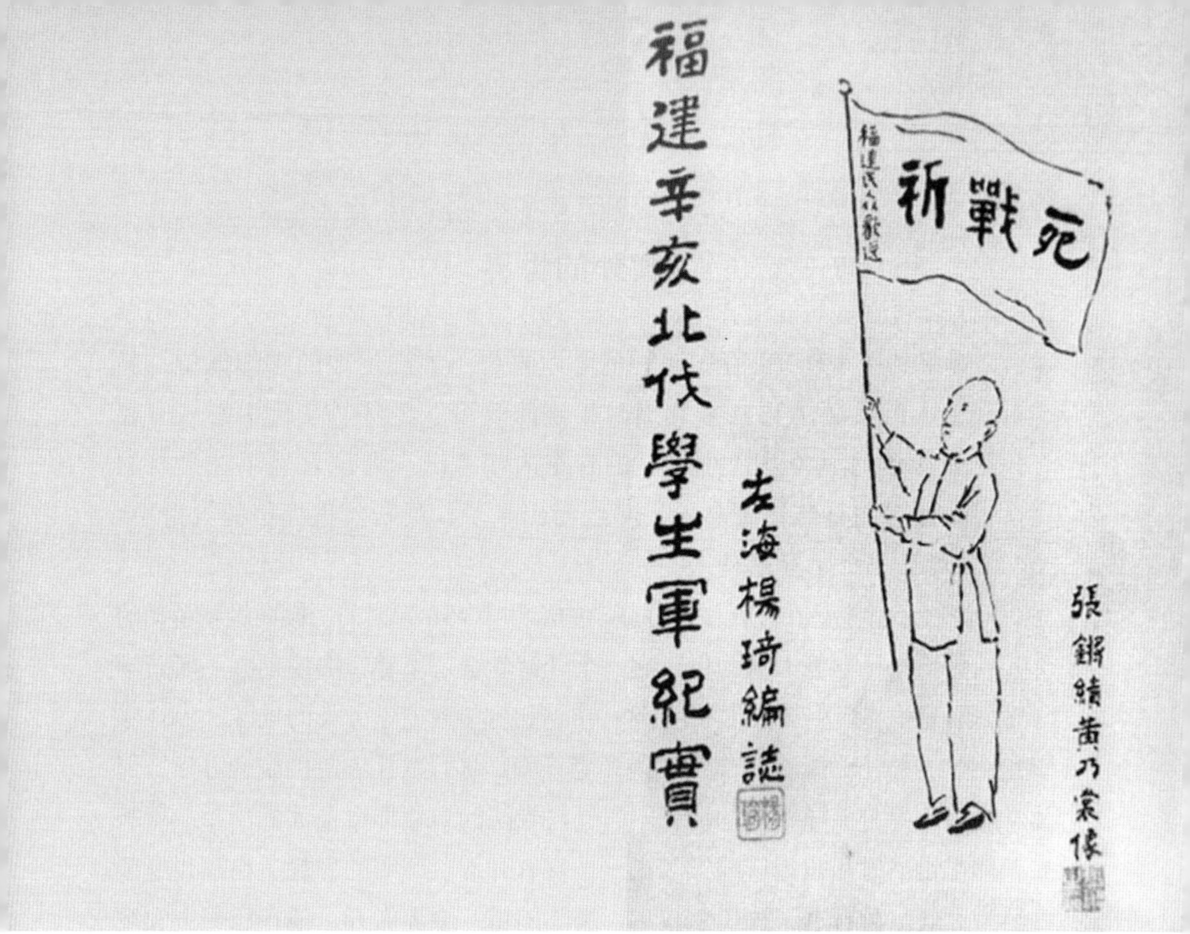

第二章

弃学从军

窗外的世界

转眼到了1910年春，乡村的学习再也不能满足他的求知欲望，吴石在家人的带领下再次来到当时福建的政治、经济、文化中心——福州，参加热门学校开智小学堂的春季入学考试。考试自然不在吴石的话下，他等的是红榜题名。一张红榜出来了，吴石挤进拥挤的人群中，“吴虞薰”三个字赫然榜上。

开智小学堂是在废科举、办新学的浪潮中兴办起来的。倾向维新运动的知识分子张运枢等人认为仅仅有一个开智学会还不够，决议创办一所新学堂，取名“开智小学堂”。很快这一申请得到清政府学务处的批准。1904年10月，开智小学堂在福州台江南禅寺开张。尽管依托寺院的院舍办学，但学堂里弥漫着倡导新学的清新空气，与寺院的肃穆形成极大的反差，所聘教师都是当时福州地区的知名人士，富有开放、开明的思想，在福州地区名声大震。吴石进了这所学校后，身临闹市，眼界大开，他在思想上和政治上的发展实际上是这时才开始的。他后来曾向好友说过：在乡村读了几年私塾，只知背诵古书；到开智小学堂才开始读历史教科书，读到鸦片战争、太平天国、中日战争等事件，知道国家、民族有被瓜分的危险。尽管吴石对待社会问题的观点尚未形成，但对外界的看法显然是积极和明确的。

吴石在这里学习整整一年。这一年，对吴石一生的意义，不是因为进城入学，而是吴石的文学兴趣从这一年开始。他自认为：“余之文学根底得以奠立初基。”① 他对中国传统文化产生了休戚与共、血肉相连的感情，从此，无论在国内，还是在国外，文学情怀成为他生活中的一部分，书卷气成为他身上挥之不去的特性。

一年后，吴石告别开智小学堂，转入西方教会创办的榕城格致书院读书。是什么原因让他有转学的念头？现在无从考证。但榕城格致书院的名声在当时是响当当的。榕城格致书院坐落于福州市中心的于山北麓，环境

① 《萃文叔生平传誌》（手抄本）。

优美，清幽宜人。它的前身为清道光廿八年（1848 年）由外国传教士创办的保福山学校，后取《礼记・大学》中“致知在格物，物格而后知至”改名为“格致学校”，之后又改名为“格致书院”。到了 1911 年，格致书院已拥有雄厚的师资力量，除美籍教职人员外，国内名牌大学和院校的优秀毕业生加入到教学、行政管理的各个领域。该校很诱人的招牌是这里大部分学生能够直接插入国内名牌大学和美国任何一所大学的三年级续读，学业优秀者保送升入美国哈佛大学、华盛顿大学等名校深造。尽管这里学杂费比福州同等学校高，但对吴石来说，有太多的诱惑——一流的教育质量、远渡重洋的机遇……这些恐怕都吸引吴石想转学于此。吴石的想法得到了望子成龙的父亲的支持。

在这里，他尽情呼吸弥漫着新知识的空气，第一次接触西方教育，学习伦理、格致、体操……这些在私塾听也不曾听说的课目、在开智小学堂所未设置的课程。当他接触这些新奇的知识，感到眼界确实开阔多了，眼前的世界斑斓多彩！他的求知欲、好奇心迅速找到满足的空间。

黄花岗七十二烈士纪功碑

在这里，他也呼吸到不曾体验过的宗教气息。这所学校与之前的开智小学堂大为不同，开智小学堂依靠寺庙而不寻佛家之道，榕城格致书院却极严格遵循宗教生活。学校规定，每个学生不论信教与否都得参加中规中矩的宗教仪式，每日上午课前 30 分钟举行晨祷会，三餐前也要祈祷，每星期日参加礼拜，用常态的宗教生活教导每一个学生在信仰道路上匍匐前行。对于吴石的政治人格塑造而言，信仰的因子就在这里悄然生成。在课堂上，他第一次听到广州黄花岗起义，老师用自己的语言诉说黄花岗七十二烈士惊天地、泣鬼神的义举，告诉同学们在七十二烈士中福建籍的就占到近三分之一。老师的泣诉深深打动了课堂上的学生，也深深触动了吴石的灵魂。吴石对先烈们的义举钦佩不已，对先烈们的敬意在内心深处油然而生，林觉民、方声洞等勇士的英名定格在他的脑海里。忠贞、爱国等字眼深深烙印在吴石的心里，虽然忠贞、爱国具体指什么，他尚不清楚，但为天下人谋福祉的思想在他幼小的心灵埋下了种子。当然，他想都没想到：多年后，他有缘在方声洞胞弟方声涛手下做事，并得到方不遗余力的帮助。人生就是如此地让人难以捉摸!

之后，吴石不时听到各地不断爆发举义的传闻，大清帝国要覆灭的信息一天天多起来。1911 年 10 月，辛亥革命的枪炮声打破了中华大地的宁静，统治中国数千年的封建王朝顷刻间分崩离析。1911 年 10 月 10 日，武昌首义成功，革命的浪潮很快席卷福州。离武昌首义不到一个月，福建革命党人奋而起事，将前敌总指挥部设在于山大士殿观音阁。11 月 8 日拂晓战斗打响，闽浙总督松寿见大势已去，只得吞金，一命呜呼。9 日，旗兵挣扎反扑，革命军予以迎头痛击。10 日晨，革命军俘虏清福州将军朴寿，朴寿被押到于山观音阁丹井旁处决，八旗都统胜恩见无力回天，率残余 1300 多名旗兵向革命军投降。短短的几日，福州迎来光复。在全国范围内，福州成为 17 个最先光复的城市之一。吴石身处福建革命的中心，目睹革命胜利后的景象，内心涌动着一股炽热的躁动。

祈战死

辛亥武昌起义的胜利，在帝国主义列强们中引起恐慌。他们虎视眈眈，一面伪装“中立”，一面又暗地扶植袁世凯作为其新的代理人来弹压中国革命。在帝国主义支持下，袁世凯凭借北洋军的背景软硬兼施，逼迫革命党人交出政权。在孙中山的眼里，民主共和原则是革命党人立命之基，丝毫不能退让。他主张组织北伐军北上讨袁，用武力作出回答。1912 年 1 月 11 日，就任中华民国临时大总统仅 11 天的孙中山宣布自任北伐军总指挥，并制定六路进攻计划，下令出师北伐。

福建第十四师许崇智部首先受命开赴北伐战场。为了配合孙中山的北伐讨袁，福建军政府迅速行动，开始组织福建学生北伐军北上的工作。

富有革命精神的福州开智小学堂师生作出敏锐的反应，率先在全市发起倡议。在寒冷的深夜，福州开智小学堂教师潘依耕、黄岳申借助暗淡的油灯，通宵熬夜赶写出《招募组织福建学生北伐军通告》。这个通告力陈国家陆沉之悲，痛陈逆贼之祸，大声疾呼热血青年为保卫共和而北上讨贼，如一声惊雷在社会上引起广泛的影响。这个轰动一时的骈俪体文告内容如下：

为通告事。照得旻天不吊，祸及中华。满虏入关，垂二百余年，流毒中原，摧残汉族。扬州十日，凶甚安史；嘉定三屠，恶同狼豹。政治黑暗，官吏具搜刮之贪；苛杂繁兴，人民有破家之怨。秽行彰闻之西后，宰制朝廷；乳臭未干之溥逆，君临天下。遂使国势不振，海内骚然。瓜分豆剖，列强起窥伺之谋；文牢字狱，全民兴自危之嗟。完全领土，拱手让人。大好河山，载胥及溺。朝鲜之前车可鉴，印度之覆辙堪虞。版图日削，政治日非。舆论警告而不悟，国家陆沉而不知。汉族何辜，遭此惨劫。直使数千年神明华胄，将沦为亡国遗民。今我革命首领孙中山先生，暨诸殉国先烈，凛亡国灭种之苦痛，具牺牲奋斗之精神。河口、钦廉、镇南、广州诸役，虽然功败垂成，已足以寒虏胆。近者武汉举义，各省景从。我福建全省相继光复。满廷虽失东南，尚据西北。胡虏汉奸，犹复活动。专制之灰未冷，共和之制濒危。凡我同胞，孰非炎黄孙子，同仇敌忾，岂可让人。呜呼！庆父不除，鲁难未已，匈奴未灭，何以为家。祖士雅击楫中流，刘越石枕戈待旦。吾侪爱国，不让古人。况我闽邦，夙多义烈。黄花岗上，足为明徵。同人等窃不自揣，爰有福建北伐学生军之组织。所望赳赳健儿，莘莘学子，知匹夫有责之义，以声讨逆虏，光复汉土为己任。群策群力，大张讨贼之旗；如熊如罴共挞北征之鼓。誓犁庭而扫穴，期食肉而寝皮。际兹危急之秋，当为一息之争。深盼兄弟姐妹，其各盍兴乎来。俾得周知，特此通告。[1]

---

① 林炘、杨琦、郭叔敏：《记福建学生北伐军》，《福建文史资料》第6辑。

招募通告贴出后，不到三天的时间，就有开智小学堂、三牧中学、格致书院、英华书院、陆军小学等400多名学生积极响应，踊跃报名。从军，在榕城热血青年中形成热潮！吴石是这股热潮中的活跃分子。吴石接到开智小学堂好友的报信后，他心里有了一个主张：国家有召唤，男儿自当先。自己要去，好伙伴们也一起去。于是，他匆忙去找开智小学堂林炘、郑九鼎等同学，大家一合计，表示要效法古人投笔从戎，去做一名血洒共和的军人，约定一起报名去。这些年轻的学子围坐在一起，商定要有钱出钱，你一元我一元，凑成台伏币百余元，一并交给福建北伐学生军作经费。这笔善款最终没被采用，但年轻人火热的心也够感天动地的了。

远在南京的陆军部长黄兴得到福建学生北伐军已经集合，准备出发的报告后，十分高兴，立即委派曾在开智小学堂任教的吴挺为福建学生北伐军总队长。

吴挺就任后，一面加紧训练，一面积极做出发的准备。1911年12月20日（农历十一月初一），报名参加北伐学生军的学生奉命到福州东门外东岳庙报到，集中训练。在之后数星期的训练中，他们被授军事常识，如编队、步操、荷枪、礼节、整理内务、站岗布哨、应用口令等。1912年元旦后，都督府陆续分发棉被、军毡、青布棉军装、呢帽（帽徽以“汉”字为标志）和帆布鞋（大小长短分三等，互相调换选用），胸前佩挂福建学生北伐军布质符号，上书“福建学生北伐军”，下写姓名。最后挑选了350人，其中女学生28人。

民国元年（1912年）1月15日，在点教场（今福州五一广场）上福州各界举行劳军大会，现场向学生军代表赠送一面白布大旗，白布大旗上书“祈战死”三个大字。

1月16日，福州大地，细雨纷飞。军政府一纸“学生北伐军出发”公文下达到福建学生北伐军军部。接到通知后，吴石迎着寒风、冒着小雨，一路小跑赶到军部领取由中华同盟会闽支会颁发给学生军人员的护照。他从军部代表手中接过护照，在文件下角空白处小心翼翼地填上自己的名字。他将护照拿在手上很仔细地看了又看，轻声念道：“为发给事，照得闽省光复，全赖同胞协力，厥告成功。惟北京，汉阳两处尚未肃清，应即选举各会员驰往北伐。凡我各省同盟支会联军，务须互相保护，而免隔胆，合行给照。为此照仰该代表即便收领，奋志进行，须至护照者。右仰北伐代表本会会员吴石收执。中华同盟会福建支会会长彭寿松为。限功成日缴销。”吴石将护照本当成宝贝藏在裤兜里，一脸的灿烂，高兴地回家。他为自己成为福建北伐学生军光荣的一员而兴高采烈，他该准备出发了。这时，吴石实际年龄不满18岁，是这支队伍中年龄最小的一员。

同盟会福建支部发给的护照

1月17日上午8时，由300余人组成的北伐学生军奉命开拔，从东岳庙整队出发。当在庙内广场集合时，学生家属纷纷前来送行。出发时，沿途鸣炮，民众夹道鼓掌。女生们绣出“祈战死”小旗，昂着头，振臂高呼：“愿战死沙场，决不向冰天雪地低头”，格外引人注目。队伍由都督府出发，打前阵的是军乐队，跟上去的是陆军各兵种官兵及武装警察，黑压压的一片学生军压阵。沿途，挤满送行、寻人的学生家属和各界代表。队伍经南大街，直过万寿桥，抵达海关埕码头。一路鸣炮奏乐，学生军高唱自己编的《祈战死歌》：

1936年杨琦编著的《福建辛亥北伐学生军纪实》

我省宝刀真利器，快活沙场死。短衣匹马出榕垣，喇叭铜鼓声。祈战死，临大敌，战袍滴滴胡儿血。生平自愿，为国牺牲，头颅一掷轻。

阿娘牵衣向儿语，我也羡慕你。贤妻慰勉劝夫行，慷慨送前程。搴敌旗，斩敌将，或死沙场好模范，模范如何？蔚为国魂，毋忘祖国恩。

阳春三月桃花艳，埋骨在沙场。公园铜像雄伟装，尽是青年们。强国是，侪国殇，留得姓名字字香，军不凯旋，归返何颜，偷生有几年。

人生自古谁无死，死得要轰烈。炎黄华胄沦胡儿，不知几何时。不成功即成仁，锦绣河山既重光。前仆后继，再接再厉，巩固胜利果。

在熙熙攘攘的人群中，小个子的吴石情不自禁地举起手，拉开喉咙高唱。一路上，年轻人嘹亮的歌声打动着欢送的行人，也打动着歌者。一路上，上百万发的鞭炮轰鸣，人们敲锣打鼓，沿途围观欢送的人山人海，既热闹又混乱。人群中，有的流着热泪欢送亲人上路，祝愿自己的亲人一路平安；有的家人冲进队伍拉人，去拽回硬要参军的亲人，喊声、哭声、歌声交织在一起。下午 3 时，全体人员到达马江罗星塔下，登上停靠江边的“万象”号商轮。轮上鞭炮轰鸣，热烈地欢迎即将出征的北伐战士上船。

入夜，兴奋一天的学生们在船上枕着闽江口舒缓的波涛走进梦乡。

夜幕下，马江的水波中，星光在闪烁，月亮在闪烁。一阵风吹来，水波荡漾，不知哪是星光，哪是月光。这一夜，吴石兴奋得有些失眠了。

次日，“万象”号商轮再次起锚，毫不犹豫地向着目的地进发，经过三天的海上漂泊，于 1 月 20 日夜到达上海黄浦江。船停泊于江心，吴石站在轮船的甲板上，贪婪地眺望黑幕下的上海滩和黑沉沉的夜空，突然感到世界是那么神秘与广袤，他在心底里突然发问：世界于我是何物？他这时并不清楚黄浦江将成为他人生的一个停泊点和起始点。16 年后，他也是从这里起程赴日本留学，开始人生的又一次出发，那是后话了。

1 月 21 日一早，在轻柔的晨雾中“万象”号商轮靠近码头。到了，目的地到了，学生军成员纷纷跳出船舱、涌向甲板。小军人们向到码头欢迎的沪军都督陈其美及幕僚行军礼，陈其美与站在前排的学生军一一握手，对学生军殷勤慰问。就这样，学生军经过长途跋涉，终于来到目的地，在上海安营扎寨。吴石从此也与上海结下缘分，他人生的一些重要活动都与上海相联系。

1 月的沪上分外寒冷，雪花飘飘，寒风阵阵。这对于习惯福州四季暖和气候的吴石来说是一个考验。他的脸颊被冻得发红，他感到与温和的南国相比，上海太冷了。后来，他在自传中回忆道："南北气候迥异，余乍离乡土，与冰雪周旋，觉寒不可耐，甚以为苦，然志不稍衰，寝久亦习惯矣。"强烈的保卫共和的愿望支撑着他。半个多月过去，在长官的鼓动下，学生军情绪高涨，个个被国家感动、被理想激励，纷纷请求北上杀敌。这时和议告成，清帝逊位，原本明朗的形势顷刻发生微妙的变化。沪上的学生军接到南京临时政府陆军部的指令开拔前往南京，闽浙两省北伐学生军合编为陆军部入伍生团，直接归南京留守司令黄兴指挥。他们一面训练，一面担任警卫南京。吴石被编在第二营。入伍生们年轻气盛，上操上课都很兴奋，每次操练回到驻扎地原江宁府衙门，昂着头，张着嘴，高唱军歌《四季从军乐》。这些从军的年轻人何等慷慨、何等单纯可爱！吴石参加学生军，只有一个单纯的想法：要像黄花岗七十二烈士那样为共和而战，去打仗，去北伐，死了也光荣；如果不死，还有希望进入陆军学校，将来当一名正式军人。

护卫孙中山

入伍生队以阵容壮盛，雄壮威武，受到临时大总统孙中山赏识，获拱卫于临时大总统之侧的殊荣。孙中山先生亲往京郊明孝陵祭奠时，该队随从前往。

1912 年 2 月 15 日，南京城风和日丽，迎来一个重要的庆典。

为庆祝清帝退位、南北统一，临时大总统孙中山率文武官员祭祀明太祖朱元璋。

吴石接到了为孙中山大总统担任警卫的任务。他既兴奋又紧张，心怦怦直跳。从挑选的人员来看，吴石意识到这次警戒非同一般。他细心检查了枪支弹药，走到妆容镜前整了整军容，和其他战友直奔警戒目标——明孝陵。一到明孝陵，卫兵们迅速疏散，以拉网式开始清场。吴石持枪伫立，注意着周围的情况。

浩浩荡荡的祭祀队伍开进肃穆的明孝陵，其中有大总统孙中山、文武官员与随行军士及应邀观礼的各国领事数万人。明孝陵内人山人海，盛况空前。11时许，孙中山宣读祭文，拉开祭典的序幕：

惟有明失祀之二百六十有七年，中华民国始建，越四十有二日，清帝退位，共和巩立，民国统一，永无僭乱。越三日，国民公仆临时大总统孙文谨率国务卿士文武将吏，祇谒大明太祖高皇帝之陵而祝以文曰：……郁郁金陵，龙蟠虎踞，宅是旧都，海宇无吪，有旆肃肃，有旅振振，我民来斯，言告厥成。乔木高城，后先有辉，长仰先哲，以武来昆。伏维尚飨。

酣畅的祭文，激越的致辞，感染了在场的每一个人。吴石边听边憧憬不可知的未来，心潮澎湃，热血沸腾，当一名北伐学生军多么光荣和骄傲！他心里默念：大丈夫生当如此！

没过多久，辛亥革命的不彻底性显现无遗，南京形势发生了令人意料不到的变化——清帝宣告退位，孙中山辞去临时大总统，政权随即落入袁世凯精心设计的圈套中，轰轰烈烈、声势浩大的共和运动一时沉寂下去。就这样，陆军部入伍生团失去存在的价值，别无选择，只能解散。这支原本可以成为拱卫民国共和武装力量的队伍不幸夭折了。南京留守黄兴始终牵挂这批从军学生，寄予厚望。在离职前夕，于1912年5月发布训令："诸生青年爱国热忱，志愿纯洁，殊属可爱可敬，国家应予培植，蔚成军事人才。兹奉命先行资遣回籍，以待后命。"[①] 不到5个月的第一次军旅生活草草结束。吴石只得从军令处领取16块银元，告别金陵，沿着水路回到福州，开始人生的第一次等待。

等待何时能够结束，他不得而知。一时焦虑、迷茫的情绪滋长于心。

① 广东省政协文史资料研究委员会编：《吴仲禧诞辰百年纪念》，第47页。

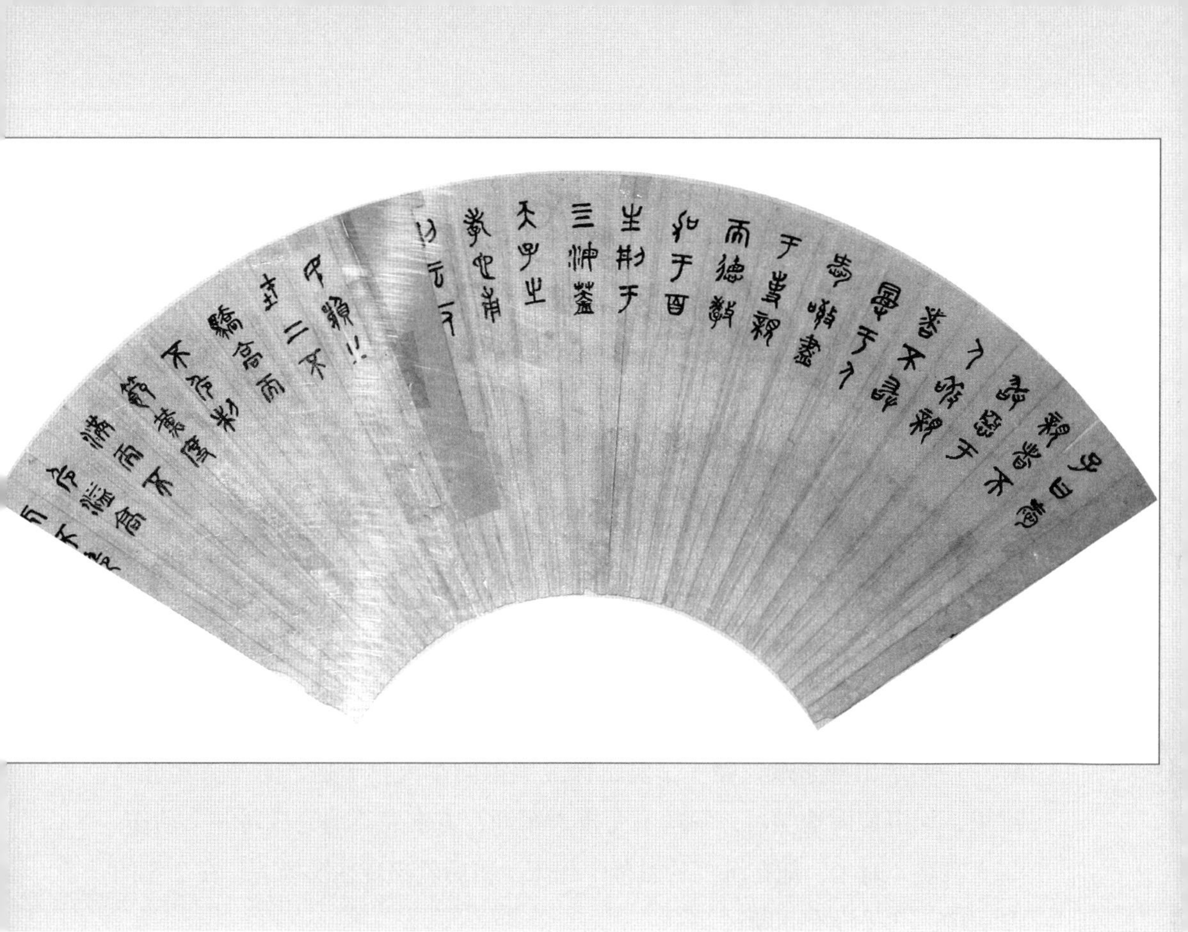

第三章
“吴状元”

起来反对袁世凯

1912年秋天，经过几个月焦急的等待，吴石像盼星星盼月亮一样盼到了军部的通知。虽说只是一纸公文，却是开启他人生的一扇门窗，他要入学了。他兴奋地北上湖北，来到武汉，如愿以偿地进入武昌预备军校。军校生活在一般人看来艰苦有加，但对于一直过紧巴巴日子的吴石来说，衣食无忧，不啻是进了天堂。衣服由学校当局发给，吃的是四菜一汤，每月还享有2元津贴。有了津贴，购买信纸、书籍和牙粉等日常生活用品也不用发愁了。在这样一个环境里，吴石觉得自己如同进入一个享用的世界，不愁吃，不愁穿，伸手要做的事只有学习功课。吴石心里有了明确的目标——要学出样子来，做一个真正保卫国家的军人。于是，他一头扎进书堆里，如饥似渴地学习；一丝不苟投入军训，力求完美地完成每一个动作。每天清晨4时半，他在沉沉的黑幕中起床，稍后就出现在操场上。在2年的学习中，几乎没有间断过。

时局处于动荡之中。吴石不仅仅关心学习、用心领悟，而且也和人们一样关注着时局的变化。

校园并不是一方与世隔绝的净土，时局变化的点点滴滴像风一样吹进校园。有预谋的宋教仁被刺案很快成为这些爱国学子议论的热点。

1913年3月20日晚10点45分，奉袁世凯电召北上的宋教仁在上海北站检票口突遭枪击，22日凌晨不治身亡。宋教仁（1882—1913），字遯初，号渔父，湖南桃源人。宋教仁只活了32岁，但在辛亥一代革命党人中，毫无疑问他是一颗巨星。少年时他在湖北读书时就参与组织华兴会，失败后亡命日本。他亲赴辽东，运动“马贼”，策划武力革命，最后武昌起义也与他组织中部同盟会、推行“上中下三策”之“中策”关系最大。他提出的上策是中央革命，联络北方军队，以东北为后援，一举占领北京，号令全国；中策是长江流域各省同时起事，设立政府，然后北伐；下策为边境革命，或云南、或两广、或东北，在国外设立秘密机关，先占据边隅之地，徐图进取。在辛亥革命到来的前夜，他在上海主持《民立报》笔政，以“渔父”等笔名发表大量光焰逼人之文，内政外交、经济文化无所不谈，笔锋犀利，学识远大，为世人钦服。他之所以高出同时代的许多人物，是他的宪政思想和实践这种思想的努力。宋教仁东渡日本时只有20来岁，在那里接受了西方的民主思想，形成系统的宪政观念。据他1906年的日记记载，仅这一年他翻译的著作就有《日本宪法》《英国制度要览》《德国官制》《普鲁士王国官制》等10余部。1912年冬天到1913年初春举行的国会两院选举中，他以代理理事长名义领导的国民党获得压倒性胜利。宋教仁从长沙到武汉，沿长江东下，从安徽到上海，再到杭州、南京，一路上到处发表演说，批评袁世凯政府，阐述自己的宪政理想，言论风采，倾动一时。他在演讲中多次讲到要“先定宪法，后举总统”，这和袁世凯“先选总统”的主张针锋相对，成为当时报纸热议的话题。宪法之争，成为宋教仁被暗杀的重要诱因之一。因此，就在他动身北上时，上海火车站的黑枪击中了他，中国民主宪政的先驱撒手而去。孙中山挽宋教仁联：“作公民保障，谁非后死者；为宪法流血，公真第一人。”① 接下来案件的破获，竟出乎意料地顺利。宋教仁不治身亡的下一日（3月23日），英公共租界巡捕房根据密报，在一妓院中将涉嫌的会党头目应夔丞抓获，并立即搜查应家。在应家发现有一人神色慌张，遂带回审讯，这位自称叫张福铭、精于枪击的人最终供出真名为武士英，而他正是杀害宋教仁的真凶。应夔丞被捕后，法捕房总巡率人至应宅进行数次搜查，起获了大量公文，才发现应的背后指使人，竟然出自北京国务院内务部的秘书洪述祖，而洪又受命于国务总理赵秉钧。真相大白于天下，幕后黑手竟然是袁世凯身边的亲信，这使袁世凯一下子置于千夫所指的境地。吴石对宋教仁十分崇拜，特别是对他的宪政思想感兴趣，关注报纸上的宪法之争。随着事件的水落石出，吴石由悲愤转而气愤，为民主之死而心痛，约福建籍的同学一同回福建参加倒袁运动。这时，突遇海上交通临时断绝，难以成行，吴石这次弃

① 陈旭麓、郝盛潮主编：《孙中山集外集》，上海人民出版社1990年版，第615页。

学另寻革命出路的抉择成为昙花一现。

同年 7 月，李烈钧在江西开展反袁运动，宣布独立，但很快就遭到失败。军校中一位名叫雷英的江西籍同学秘密赴九江参加起义，起义以失败告终。雷英被捕，后被杀害。吴石得知这一消息后，异常悲愤，将军校严禁参与带政治性活动的规定抛在脑后，含泪写了挽联，秘密设立灵堂，召集一批来自福建、江西的同学一起进行悼念，祭后将挽联火化。挽联虽在熊熊的烈焰中化成灰，但已化作吴石与同学心中追求民主的信念，大家发誓要为雷英同学报仇，为保卫共和付出自己的心血。

入学保定军校

1914 年 10 月，吴石从武昌预备军校以第一名的优异成绩毕业，顺利结束了军校学习的预备期。这时，保定陆军军官学校大门已为他敞开。他从湖北北上河北，来到保定。

入校伊始，照例是先完成 6 个月的入伍生训练，于是，吴石和同学下到连队。连队官长看到这些学生兵是“学富五车”的读书人，对他们十分客气，不但安排他们住单独的房子，而且安排单独的伙食，训练方面更是听之任之，并不苛求。如此，吴石等人也就把客气当福气，每天看看书，聊聊天，偶尔上上操，与士兵同练一下。也许正是这种备受尊崇的军校入伍生生活，他们体验到军校生待遇的不一般，倍感作为军人的荣誉。6 个月的军校入伍生生活这样轻松惬意地度过去了。

1914 年 12 月，吴石正式走进保定陆军军官学校大门，成为该校第三期学生。神驰向往的心愿终于成为现实，吴石兴奋不已，在入学登记上认真地填上：“吴石，号虞薰，年：二十，籍贯：福建闽侯，通信处：福州南关外螺洲乡。”

他当然知道，保定陆军军官学校（简称保定军校）并不是一所一般的军校，而是闻名的军事学府。

翻开历史，保定军校与北洋武备学堂、黄埔军校，被称为造就民国时期南、北两派军事领袖的三大基地。在三所学校中，保定军校又以成立最早、规模最大、设施最完整，载入中国近代军事教育史的史册。

保定军校创办于1912年，停办于1923年，共举办9期，毕业学生达6000余人。清末，以袁世凯为代表的北洋军阀集团，在引进当时世界上两个最强大的军事强国——德国和日本的先进军事科学技术和军事教育体制的基础上创办了保定军校，开创了中国近代系统军事教育的先河，奠定了中国近代系统军事教育的基础。6000余名毕业生活跃在当时的军事舞台上，对推动中国历史的进程起到了重要作用。

一到校门口，吴石抬头看，保定军校威武的大门映入眼帘：校门南开，门楼高大，石砌的台阶直接通向校内，大门两边各设两人高的石狮一座，5名卫兵分列两侧，长条大匾"陆军军官学校"高悬门上，两扇朱红油漆大门，配以铜钉、铜环，显得十分气派。站在门前，一眼就看到对面高大的照壁，门前护城河环绕校园，河上架一木板平桥，走进校门，就如同走进与外界隔阂的世界。令他印象深刻的是，进进出出都必须经过的尚武堂门口两侧的对联，上联是"报国有志，束发从戎，莘莘学子济斯望"，下联是"尚父阴符，武侯韬略，简练揣摩成一厅"。他渐渐感到，这尚武堂不仅是一般地提倡崇尚武功，而是将姜太公（尚父）和诸葛亮（武侯）这两位杰出的军事家作为军人学习的典范。

吴石的人生转机渊源于此。这期学生大都是从各省参加过辛亥革命的学生军中选拔来的，有安徽的张治中、戴戟，广西的白崇禧、黄绍竑、俞作柏，湖南的刘建绪、何键，福建的张贞、许显时、吴仲禧等人，这些人后来有不少成为国民党军队的高级军官。民国时期，风行人情关系，同学情谊尤显珍贵。袍泽之谊在吴石的后半生中多少起到影响和作用。如1939年，出任蒋介石侍从室第一处主任的张治中在酝酿情报组组长人选时，就曾将吴石作为

张治中

侍从室情报组组长人选向蒋介石推荐。虽未被采纳，但张在考虑人选时除了赏识吴的才气外，也不排除袍泽因素。

吴石十分珍惜军校学习的机会，铆足了劲。“初入伍时，习骑术不敢懈怠，余体不其伟，惟他人能者，我亦能之。及毕业考试，凡骑术、套跑、器械、操等竞赛，辄冠其曹，得上评，足以自豪。益深信，能尽一分努力，必能得一分效果也。”①

吴石后来追忆道：“入保定军校后，益精进不懈。逢各种演习，常受命任指挥官。某次习马术，余任指挥，乘一劣马。匹驰骤间，忽坠马下，攀鞍复上，未几复蹶，伤颇重，股几折，然犹未肯休，仍奋身再骑。连长嘉余勇而惧伤，力阻始罢。”②

这些同学当中，吴石和白崇禧都是靠自强不息的勤学苦读，一步步从社会的最底层走出来的。彼此又爱学习，勤动脑，共同的经历和爱好使两人建立起最初的友谊。有一次上课，老师给白崇禧布置了一道火炮配置作业题，让他在下堂课上回答，白崇禧想了想，将答案写在纸上，但他又感到没有多大把握，就去找吴石一起讨论。吴石看了看题目，思考了片刻，根据题意，提出了自己的见解，白崇禧表示赞赏。在课上，白崇禧按照吴石的答案用于解答老师布置的作业，老师批阅时给他打了“优秀”。从此，白崇禧与吴石的友谊更深了。集体活动时，总喜欢坐在一起。有时遇到不顺心和烦恼的事，就在一起相互倾诉，亲密无间。一次，白崇禧病了，吴石每天都给他送病号饭，还买了水果去看他。空闲时，吴石就去为白崇禧补课，有时陪他聊天，让他不感到寂寞和孤独，白崇禧很是感激。有时谁的家里来了信，有了高兴的事，也要相互“通报”，共享其乐。白崇禧与吴石这种真挚的友谊延续到后来，以至于身处高层、深知吴石才华的白崇禧屡屡推荐吴石出任要职。也因为与白崇禧的这一层关系，吴石后来也被军政界视为新桂系的一员，这是后话。

① 《萃文叔生平传誌》(手抄本)。

② 《萃文叔生平传誌》(手抄本)。

学潮

1915年12月，袁世凯盗用民意，帝制自为，并宣布翌年元旦“登极”，称“中华帝国皇帝”，改元“洪宪”。

消息传到保定军校，学生们都发问：革命不是成功了吗？大总统怎么忽然做起皇帝来了？

在保定军校招收的历期学生中，当数这一期学生最具革命品格，参加过上海学生军，曾经接受过辛亥革命的洗礼；随后被编入陆军部入伍生团，担任南京总统府警卫，成为孙中山先生的亲兵；当年为入伍生团合并到保定军校一事，曾经大闹过一次学潮。现在，袁氏竟敢冒天下之大不韪，公然称帝，极大地刺激了这批青年军人，大家异常愤怒，革命情绪在潜滋暗长，革命氛围正在迅速集聚，闹事已是不可避免的了。

火种终于燃起。那个时候，全北京的报纸都受到袁世凯的严密封锁，或噤若寒蝉，缄默无声；或歌功颂德，鼓吹帝制。从公开的渠道，学生们听不到一点伸张正义的声音，也看不到一点专制铁幕后的真相，结果，只有一家日本间谍机关主办的《顺天时报》，不知出于什么动机，不肯对袁世凯加以奉承，公开反对帝制。自然，《顺天时报》成了最受军校学生欢迎的报纸。据此，学校当局不得不下令禁看。不过，禁看的结果，反倒助长了偷看的风气。而偷看的过程，难免有百密一疏的时候。终于有一天，一个叫方其道的浙江籍学生在厕所内偷看《顺天时报》被学校当局当场抓住。效忠袁世凯的校长王汝贤便召集全体学员，宣称方其道“有罪”，喝令杖责军棍40板，以儆效尤。王汝贤的专横，激怒了全体学生，“啊！那还了得！”革命已经成功，居然还有这等专制暴虐的奇闻出现，真正是是可忍孰不可忍！于是，一传十,十传百，学生们一个个像疯了一样，喊叫着冲出宿舍，拿起砖头砸窗子，砸校本部；看到校长的相片，撕碎之后，觉得还未解恨，再扔到茅厕里，给他一个“遗臭万年”。大家尽情辱骂，发泄压抑在心中多时的怨气。

一座平静的军校，瞬间变成了暴动的大本营。王汝贤看到局面已到了无法控制亦无法收拾的境地，只得暗中请调保定驻军，将学校包围起来，再以上课为名，把学生骗上教堂，一声令下，把连上的枪支全都收缴了。

手无寸铁的学生自然不是对手。不过，这件事更激起了学生的反袁思潮，不少人趁放清明假之机到各省去参加支援活动，并滞留当地，迟迟不回校。吴石作为学校的优等生，事先受到警告不准请假，他就留在学校，给南方的同学当联络员，报告校方的动态和时局的变化，同校外的同学随时保持联系。

1916 年 3 月 22 日，迫于压力，袁世凯发布申令，撤销承认帝位案，只当了 83 天的短命皇帝就草草收场。身处中南海的袁世凯已经看到四周熊熊的火焰了，也感受到众叛亲离。叛变他的，还有他的身体——身上的尿毒症越来越严重。袁世凯让人拟定了一份《帝制始末案》，诉说着帝制的前因后果，表明自己是如何被“民意”一步步控制、身不由己同意恢复帝制的。1916 年 6 月 6 日，一个惊人的消息传遍北京城：中华民国大总统袁世凯死于尿毒症。这个消息也很快传到保定。吴石得知袁世凯病死，马上想到远在南方的同学，于是拿起纸笔，奋笔疾书：袁世凯病死，可返校上课。一时，数十封报信信件从保定邮往中国的南方。吴石的想法太单纯了，他以为袁世凯一走，世界就太平了。之后的政局之变，让年轻的吴石感到仿佛在雾里看花。

砚边的风景

在保定军校学习时，吴石坚持午寝临池。后来，临池成为吴石一生的嗜好，即使在艰苦的抗战岁月，也没有停止过。20 世纪 40 年代，有名的香港《天文台半周评论》曾以“吴状元挥汗练字”为题做过报道。吴石常常对身边人说：练书法需聚精会神，要天天练才能有进益。几乎一日不停地努力，使他的书作日趋精妙，信手挥洒，尽至臻境，自成一体，颇受名家好评。后来，无论他走到哪里，总有人找他索字。一方面是因为他的特殊身份，另一方面也是因为他的字的确到了火候。他写给友人的信，不仅文采好，而且书法佳，被视为墨宝，刘通、李黎洲等许多友人加以珍藏。可惜经过历史变迁，特别是经过"文化大革命"的浩劫，存世已不多。

他后来记述当时在军校时的情状颇为得意："每日午寝，余独不睡，利用此余间临池为乐。久之，同学效我所为者渐多。尤奇者余临眉山帖，同学作书者，亦皆习苏也。"①

吴石提到"习苏"事讲的是学习苏轼书法。苏轼（1037—1101），字子瞻，号东坡居士。眉山（今属四川）人，嘉祐年间进士。宋神宗时，曾任祠部员外郎，先后知密州、徐州、潮州等地。后因反对王安石新法，以作诗"谤讪朝廷"的罪名被贬谪黄州。宋哲宗时任翰林学士，复出知杭州、颍州，官至礼部尚书。后来又贬谪惠州、儋州。宋徽宗时遇赦北还，病死于常州，追谥文忠。在文学上，他行文汪洋恣肆，与父亲苏洵、弟弟苏辙合称"三苏"。苏轼诗风清俊雄健，作词开豪放一派，为世人所宗。其书法堪称一绝。"本朝善书，自当推为第一"，"余谓东坡书，学问文章之气，郁郁芊芊，发于笔墨之间，此所以他人终莫能及耳"，是黄庭坚赞美苏轼书法的话。这大概就是吴石爱上苏轼书法的一个原因吧。

虽然以苏轼书法对吴石影响甚大，但他不专主一家，而是博采旁收，然后以意运之，得无法之法。所以，他的书风也就笔致老到，意趣别具。现存世墨迹给人以深刻的印象，也应验了清代刘熙载在《艺概・书概》中提出的"书如其人"说："书，如也，如其学、如其才、如其志，总之曰，如其人而已。"

展现面前的这幅书扇除了章法别致以外，字的结构写得气骨开张，笔墨饱满。作者能在尺幅之中尽情挥洒，将书作的风采神韵充分地表露出来，可见其功力的深厚了。

其实，吴石的寄情翰墨，并不单单是为写字而写字，而是把书法当作一种抒发情感的工具来使用。他常书写的作品内容除自撰外多为名言警句，诸如孟子的"富贵不能淫，贫贱不能移，威武不能屈"，林则徐的"苟利国家生死以，岂因祸福避趋之"，等等。高尚的思想、特立独行的主张融入书法之中，才使得他的字写得挟有风霜雷电的浩然之气。这在后面提到的

① 《萃文叔生平传誌》（手抄本）。

《孙子碑亭记》（底稿）和遗书中可以体会到。

吴石赠吴长芝旧作《登鲤鱼峰》（扇面，行书）、赠吴长芝之妻周森华《孝经》（扇面，篆书）洒洒洋洋的数行墨迹，空灵淳厚之气跃然纸上，就像先生的为人一样宽和恬然。他的尺牍作品在漫不经心中透出“欲书先散怀抱”“书初无意于佳乃佳”的意味，境界闲和，态度天真，没有过多飞扬的笔锋，没有过多刻意的夸张，书到沉着时，能于意转牵带中显静趣。吴石从他的书写韵律中找到属于自己精神上的宁静与安详，在一定程度上折射出他摒绝尘累的性格。

吴石在何遂画作《狮子峰下缙云寺》上的题词为其即兴之作，虽然是信手而书，却最能真切地反映出书家的个性、情趣和审美理想。吴

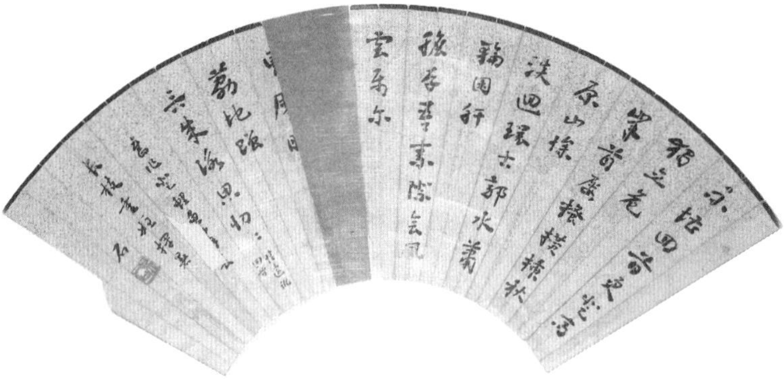

《登鲤鱼峰》扇面

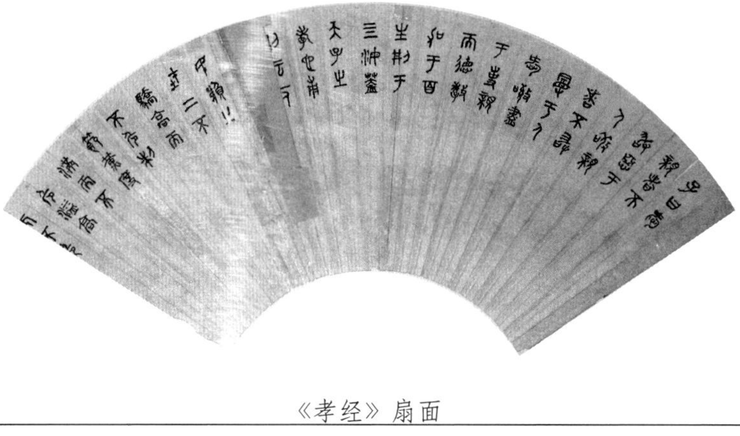

《孝经》扇面

石的尺牍作品虽然不大，却传达出一种明彻高远的意绪，从中可以悟到陶渊明描绘的那种“采菊东篱下，悠然见南山”的格调。正是因为心远，所以无意看山而见山，在超尘脱俗的境界中表达书家的情怀。书家用自己内心的宁静和颇具动感的笔墨线条，勾画书法的诗境。这种来自骨子里的悠然、闲静和旷达，正是他多年来不尚时风、不慕虚名，追求心与道合、物我两忘、天人合一的襟抱所致。

吴石的书法取法宽博，古意浓郁，笔墨线条之中凝注了丰富学养，可以看出他多年来沉浸在经典传统之中，崇尚二王、颜真卿、苏轼、米芾、蔡襄、赵孟頫、董其昌、文徵明等大家的作品，吸取各家的神韵，加以通会，形成了自己的书风。其书法用笔朴拙中有灵巧，浑厚中富有秀丽，古雅谨严，看似没有大起大落的对比，实则内蕴丰厚；线条似乎平淡，却于平淡中时出新致，在简朴和谐中蕴藏着独特的韵味。吴石的尺牍书法走的是一条儒雅纯正的古典路子，带有十分明显的文人气息，没有深厚的传统功底是很难达到这样高度的。正是日深年久的积累，才使他的书法技法含量很高而且运用纯熟，笔下融入许多古法，却不着痕迹，在书写中自然流露，点画笔墨间所散发出的自然与中和的气象，达到中国传统文人孜孜以求的不激不厉、风规自远的境界。

毫无疑问，保定军校成为吴石追求书法境界的最初实践。

名噪毕业大典

很快地就到毕业大典的时间，典礼定在1916年8月10日举行。

为了体现民国政府对军事院校的额外重视，对军事人才的厚爱，保定军校从第一期开始，每期举行毕业大典，总统府或陆军部都要派遣相当身份的官员前来主持仪式，场面宏大。第一期参加的是陆军总长段祺瑞；第二期参加的是参谋总长荫昌。轮到第三期，规格又大大高过前两期，陆军部军学司通知校方，大总统黎元洪将亲临主持本期毕业大典。

消息传来，全校师生倍感荣幸，激动雀跃，一时忙坏了。校长杨祖德为此事特意在尚武堂召开了军校有关部门负责人专题会议，研究如何迎接大总统和搞好毕业大典事宜。会议要求，地面要干净平整，松软飞扬尘土的地方要浇水砸实，凡不该有杂草的地方一律清理干净。凡各兵科的结合部位，属三不管地带，皆由副官长指挥军械、军需、军法、军医等人员进行清理。凡大总统所到之处，不准留有死角。

全校员工起早贪黑，大约折腾了一个多星期，校园旧貌换新颜。就连平日不好管理的军马及马棚，这次也里外打扫得干干净净，马棚马槽均消了毒。每匹军马还洗了澡，个个显得膘肥体壮，马背上犹如刷了一层油一样闪闪发光。军械科检查步兵、炮兵武器时，戴着白手套去触摸枪栓和炮口，直到检查满意为止。伙房、伙夫都换上雪白的衣帽，为了向市内饭店酒楼学习，伙房特意砌了一个大烧锅，烧满开水，用来对盘、碗、筷勺等进行高温消毒。就连平常令人讨厌的耗子洞也都堵严实了。

学校令伙房准备丰盛的宴席。除了市内商家供应的鸡、鸭、猪牛羊肉外，还需采购新鲜蔬菜和各种水果。为购买新鲜的水产品，伙房借了辎重科两辆大马车前往白洋淀，现场采购新鲜鱼、虾、蟹等。伙房负责人还制定了三种宴席标准，即大总统及保定府署官员、驻军高级将领及校长等为甲等；校中层管理人员为乙等；员工与学生为丙等。伙房负责人保证：每个等级均有煎炒烹炸。怕首脑人物挑饭菜的毛病，校部特意从市内名店宴乐园请来高级厨师，专门负责甲等宴席的菜肴烹制。这一系列的准备，可谓用心良苦。

8 月 10 日上午，这是举行毕业庆典的吉日。北京总统府航空署署长秦华亲自驾驶飞机从北京南苑机场起飞，直飞保定东关机场。他出了机场，驱车直奔火车站，告诉直隶督军曹锟：“大总统乘坐的专车已到达漕河。”于是，保定府署各级文武官员、驻军官兵、警察、各校学生、各商会及民间团体和平民们，整齐列队，肃立站台旁边。当总统专车徐徐进站时，军乐队齐奏欢迎曲，鸣礼炮 21 响，向大总统致意。黎元洪笑容满面步下车梯，曹锟迎上前去向他敬礼，其余百官均施鞠躬礼，礼炮声、军乐声、欢呼声交织在一起，气氛分外热烈。黎元洪在曹锟引导下，步行穿越欢迎的队伍，乘汽车到大校场驻军第三师师部稍事休息后，检阅了驻保部队。

上午 11 时正，黎元洪乘汽车直奔保定军校。这时，曹锟指挥骑兵 80

名，分布在小汽车前、中、后三处护卫。骑兵和马匹都是经过严格挑选的，军服整齐，马刀闪亮，显得威武雄壮。杨祖德率全校文武官员在校门口迎接，校军乐队高奏欢迎曲。黎元洪进入学校尚武堂稍事休息，然后视察军校各兵科、各种兵器，仪器仪表，教室，学生宿舍，图书室，校医院，伙房，军械库等。他还特意视察了学校自己办的小型印刷厂，看后颇为满意，高兴地对杨祖德等说；“保定是兴办军事学堂的大本营，也是培养各兵种人才的基地，希望你们坚持下去，把军校办好！学校有什么难处，可找陆军部；解决不了的，也可以找我。”黎元洪短短的几句话，说得在场的人心里热乎乎的。

临近 12 时，黎元洪登上尚武堂讲台，向全校师生发表讲话，勉励师生认真学习，努力操练，精忠报国。话音一落，紧接着由校教育长赵协彰宣布三期毕业生前 10 名名单，逐一由黎元洪亲自颁授毕业证书。吴石作为第一名毕业生从黎元洪手中接过毕业证书，满场掌声雷动。紧接着，吴石代表 800 名毕业生致答谢词。吴石这次大大出名了，后来因吴石是毕业生中的第一名，校友都戏称他为“吴状元”，而吴石也终生以此为荣。

在这件事的后面也有一段鲜为人知的插曲，吴石对此有具体的回忆：“民国五年十二月举行毕业考试，与试者八百余人，余又冠军。此时忽一不如意事，为毕生所不忘者，即行毕业典礼之前一夕，余忽病，军校向例毕业典礼极隆重，大总统黎元洪氏且亲临致训，校中指定余作答词。乃在此时，突病例，体温甚高，虽欲力疾执笔，而病不能兴，不得已，乃请同学王凤韶为捉刀，尽一夜草成，天明始脱稿。余自入预备学校，受严格之训练后，体渐强壮，不病者已数年，此次忽无端卧病，诚非意料所及矣。”[①] 上天就是如此捉弄人！还好，毕竟没影响吴石以“状元”的头衔登场。

风光只是一时的，从校园走进军营却不是件容易的事，尤其是像吴石这样从南方来的学生。

---

① 《萃文叔生平传誌》（手抄本）。

第四章
游荡的岁月

起事鼓浪屿

1916 年冬，怀抱高远理想的吴石走出保定军校大门。

他并不清楚前面的路一片暗淡，走在前景不那么明朗的方向，悲观的情绪不时冒出。

无情的现实很快让吴石的幻想迅速破灭。吴石此时的心绪，极其低迷。他后来说："余以为学能致用，抱负颇高。在校数年，孜孜不息，即期他日以其所学贡献国家。不意生不逢时，命途多舛。出校后之遭遇，使余大感失望。缘其时陆军部为速成学校派所把持，此辈率多出身行伍，对新进之军官颇存歧视，动加排挤。分发时，以省籍为标准。结果，川浙粤桂等省籍之同学，以本省地方原有部队，故能有发展之途径。独闽籍同学则不然，吾闽本无地方部队，仅得一第十一混成旅服务，有何成绩可言！故余回闽后，历时五月，一筹莫展，懊恼之情，莫可名状。余甫出就事，即遭此打击，影响前途实匪浅鲜。"[①] 这段话道出当时军界的黑幕。多年的学习却无用武之地，他不能不感叹生不逢时。

不久，一股护法之风在中国南方刮起。1917 年 7 月，孙中山从上海南下广州组织护法军政府，任海陆军大元帅。当时汇集广州的福建革命志士中，宋渊源被委任为大元帅府参事，他的保定同学张贞被委任为大元帅府参军处副官，林祖密[②]亦参加大元帅府工作，共同辅佐孙中山进行护法斗争。1918 年 1 月 6 日，林祖密被委任为闽南军司令。

在护法之风夹击下，驱李运动在八闽大地萌生。其时，闽督李厚基[③]以北洋军阀作袁氏爪牙盘踞福建，妄作威福，为革命志士所痛恨。闽南军的旌旗已指向李厚基。

---

① 《萃文叔生平传誌》（手抄本）。

② 林祖密（1878—1925），字季商，福建平和人。其父林朝栋是台湾抗击法国侵略军的爱国将领。林祖密组织民军，进行护国、护法和反军阀斗争，最终为民主革命事业献身。国民党中央党部曾特颁"忠烈永式"匾额以褒扬其生前功绩。

③ 李厚基（1873—1942），字培之，江苏铜山人。时任福建镇守使，陆军中将。晚年落魄，至与人合开木行。

闽南军决定将司令部设在厦门鼓浪屿。这一决定不是没有道理的，但也不是最保险的。打开20世纪初年的鼓浪屿地图，可以看到这样的情形：在这不到2平方公里的小岛上面有英国、美国、法国、德国、日本以及其他国家的领事馆，有德记、和记、太古、汇丰等洋行的建筑和住宅，有洋人的球场、墓地和俱乐部，有美国的医院、日本的邮局、英国的教堂……这时的鼓浪屿已沦为“公共租界”。由于鼓浪屿特殊的地理位置，可进退海上；由于“公共租界”的政治色彩，北洋军阀爪牙伸手不易，且不易察觉，便于隐蔽和活动。

1918年春，一群革命志士在闽南军领袖林祖密的带领下集结于此，谋划驱李大计。在福州无所事事的吴石接到闽南军司令部的密召，动身离开福州，乘船潜入鼓浪屿，加入这支驱李的队伍，开始人生的第一次冒险行动。

在鼓浪屿闽南军司令部，吴石与同仁们雄心勃勃部署一系列驱李计划。他并没有想到人生中的第一个危险已悄悄降临。李厚基部的鹰爪很快嗅到火药的味道，派出大批人马登岛围捕革命志士。吴石在危险来临的瞬间接到通知，仓促搭乘小舢板离开危险之地。在茫茫的海上，他在抉择：回福州不行，还是去广东，到护法的司令部去，继续在共和的旗帜下捍卫革命的成果。一叶方舟在海上瞄准新的方向破浪向前。

在广东潮州征闽靖国军总指挥部，侥幸脱逃、大难不死的吴石见到年长他15岁的福州籍辛亥革命骨干刘通。两位福州人在异乡一见如故，说起福州方言，分外亲热。从这时起，两人关系日密。两人在军中常常走动，今晚在刘通处，明晚在吴石处，互邀聊天，征闽的共同使命让两人心连在一起。从此，结下伴随一生、至死不移的友谊。

刘通在福建历史上算得上一位叱咤风云的人物。刘通（1879—1971），原名开通，字伯瀛，福建闽县（今福州市区）人。清光绪三十一年（1905年），改名刘通，参加福州进步组织“藤山文明社”（后改为“汉族独立会”），担任秘密刊物《调查录》编辑。翌年，同盟会福建支部成立，协助主持同盟会支部日常工作，并任“桥南公益社”秘书，兼《建言报》编辑。光绪三十三年（1907年）秋，考入福建法政学堂，攻习法律专业。宣统二年（1910年）毕业后，任福建法官。后辞职，专任福建同盟会机关报《建言报》主编。宣统三年（1911年）十月，武昌起义后，参加策动新军将领孙道仁反正，参与福州光复之役的军事指挥。福建都督府成立，被推为参事会议参事员，后任政务院秘书长、副院长和都督府秘书等职。“二次革命”失败后，受到通缉，遂出走上海。1916年，参加征闽靖国军、护法等运动。1922年10月，任福建省高等审判厅厅长，后任政务厅厅长。次年，到广州任军政府秘书。1924年1月，为中国国民党一大福建省代表。7月，任大理院第一庭庭长。1926年12月，北伐军占领福州后，刘通任福建司法委员会主任委员、高等法院院长。“四三”反革命事变后，因被指控“袒共”，被免去高等法院院长职务。1932年，任福建省民政厅厅长。1934年，任立法院立法委员。1944年，参与“三民主义同志联合会”（简称“民联”）筹建工作。次年，任“民联”中央监察委员。1949年1月，刘通和丁超五等共同负责福建“民联”工作，联络上层人士，策动国民党军警起义，掩护中共地下活动，营救被捕的共产党员，为迎接福州解放做了大量工作。中华人民共和国成立后，历任民革中央执行委员、民革福建省委员会第一至四届主委；还当选为福州市第一届人民代表、福建省政府委员、人大常委会委员，省一、二、三、四届政协副主席，第三、四届全国政协委员。刘通生平对中医、易经有深入研究，著有《药钥医谈延生录》《漫有斋验方选》《中庸一元说》《大学还元说》《周易新解》等。

1919年4月，在广州首先响应护法的滇军第四师师长方声涛①以征闽军代总指挥的身份率部入闽。恰好同学林知渊在军中任职，写信给吴石，征询是否回闽前任职。吴石思考再三，相比广州，回福建，学友多，回家也方便，于是，决定回到福建，参加征闽军的工作。在征闽军中，作为上尉参谋的吴石在工作中将认真、严谨、勇敢表现得淋漓尽致。无论处身何地，担任何事，大者如作战计划，小者如译电工作，都能不辞劳瘁；每出入枪林弹雨中，无所畏缩，屡濒于险。显而易见的是，这一段经历使刚

① 方声涛（1885—1934），字韵松，福建侯官（今福州市）人。北伐时期国民革命军将领。1927年，福建省政府成立，任军事厅厅长、省政府代主席。

出道的吴石尝到作为一名职业军人的辛苦和危险，也形成他不容更改的坚毅的军人气质。从此，文人情怀与军人气质相交织、相伴于他的人生旅程。

参加闽南民军

民军是近代福建历史的一大特色。从清朝光绪末年至20世纪30年代末，福建光怪陆离、刀光剑影的政治、军事舞台上，无时无处不有民军的踪影，这样一部民军史，是同期福建历史的一个缩影。民军的军事活动，对当时的方方面面都施加了深刻的影响。

民军为中国近代史的一个政治产物。中国近代史上的民军，一般是指辛亥革命时期各地的反清革命武装。而福建近代史上的民军，则是对由民间自发起家的地方武装的一个约定俗成的叫法。不论这些武装名称的变化更迭、政治的分野向背、队伍的聚散离合，史家皆以“民军”称之。

民军存在的年代是福建近百年最为动乱的一个时代。八闽大地政争不息、战乱频仍。民军的军事活动，不论是自相残杀，还是为人所用，都受当时的政治所左右，自觉或不自觉地卷入政治旋涡。

正是这样的历史背景，从1919年起身处福建的吴石有了在民军的特殊经历。吴石的保定同学张贞[①]率所部崛起闽南，高举民军大旗，招兵买马，扩充部队，组建混成旅，张贞自任旅长，力邀吴石出任工兵大队附兼连长。张贞的邀请，让吴石感到盛情难却。于是，向师长方声涛辞别，不再在征闽军中任职，赶赴张贞部走马上任。吴石原本学习炮兵，但民军中尚无炮兵岗位，只得将就指挥工兵，在战场上吴石见识了福建的地方部队是何等素质。在吴石个人看来，这期间在他早期生涯中算是没有多大收获的时期，分析个中原因：“第一，民众武力素质不良。第二，装备补给皆极困难。第三，驻地非沃土，给养不易，因之一切匮

① 张贞（1884—1963），字干之，福建诏安人。吴石在保定军校时的同学。1946年10月，晋级陆军上将退役。1949年离开大陆赴台，以“军事战略顾问委员会委员”而终。

乏须赖人力补足，余处此环境毫不灰心，仍思以毅力克服之。行伍间，闽、粤人皆有，方言庞杂，人与人之间地域观念强，往往影响团结。”吴石从中能做的一件事就是致力于语言的统一，消除地域隔阂。此时，吴石的语言天赋有了用武之地，他穿梭于闽、粤军人间，扯起共同战斗的旗子。

名门弟子

转眼到了1922年，吴石的喉疾日益严重，已影响到他的日常生活。当时，在福建没有哪位先生能治好这个病。备受喉疾煎熬的吴石，接受友人的帮助，离开打打杀杀、血雨腥风的战场，结束动荡的民军生涯，来到北京治疗。脱下军装，换上长袍马褂，他过着闲云野鹤般的日子，结合西医治疗，病情有了明显好转。比起病情的起色来，他这一时期最大的一件事情是结识了影响其一生的诗词大家何振岱，并拜其为师。

何振岱（1867—1952），字梅生，又字心与、觉庐悦明，晚年号梅叟，福建侯官（今福州市）人。在清光绪二十三年（1897年），他高中举人，曾为江西布政使沈瑜庆幕僚。辛亥革命后，在福州主纂《西湖志》，兼《福建通志》分纂。抗日战争中福州两度沦陷，日本人诱以伪职，他坚辞不就。一生著述不辍，著有《觉庐诗草》《我春室诗集》《榕南梦影集》等，声名显赫一时。

吴石的恩师——何振岱

1923年隆冬，经族人介绍，吴石来到位于北京城东的柯宅。他敲响柯家大宅宅门，绕过走廊，来到一片颇具江南景色的私家花园——澹园，在园中庭院拜见了闽籍大儒何振岱。初次见面，年长他 27 岁的老师的风姿就留在他的脑海里——高个子、八字须，戴着眼镜，说话语调缓慢而很有顿挫，儒雅之气盈满周身。之后，他成为澹园的常客，渐渐成为何振岱的得意门生。

何振岱是同年冬应好友柯鸿年的邀请，从上海举家来京的。这时何振岱离开福建已近 8 年。从 1922 年秋起，福建发生第二次闽粤战争，政局动荡不安。何振岱虽然在福建文坛独树一帜，但“秀才遇到兵，有理说不清”。他几经斟酌，决定避兵害，挈家离开福州。适值好友柯鸿年[①]正在上海创办呢织厂，无暇教育子女，且笔墨事宜需人打理。在柯鸿年看来，何振岱是再合适不过的人选。由于缘分和时局的动荡，何振岱千里迢迢来到上海，到柯鸿年府上司笔墨兼教读其子女，过着悠闲的生活。1923 年初冬，为了扩大实业，柯鸿年先期到达北京考察，并购置房产，决定举家入京。回到上海，他向好友谈了自己的想法，真诚邀请何振岱北游。念及北方多贤达之士、文化昌明，何振岱很爽快地答应了老友的盛邀。不久，携家人启程赴京，入住柯家大院，继续教读柯家子女。

柯家大宅宅院中园林占地一亩，园中亭榭、花石错落有致，环境幽雅，主人为其取名为“澹园”，一个颇为高雅的名字。为了使何振岱一家居住舒适，柯鸿年特意在此修楼。虽客居异乡，气候也较南方干燥，但园亭之胜，让何振岱感到安适、舒心。每天晨起，何振岱照例焚香、诵经，操琴、练字，进行儒家的修炼。

自从认了师傅，吴石常常到柯家澹园拜访老师。在幽静的澹园，常常见到师徒二人的身影，两人散步园中小径。何振岱浸入骨子里的才华和文人气质让吴石顶礼膜拜，何振岱成为对吴石人生有重要影响的人；弟子的天赋和好记性也让何振岱感到惊喜，弟子一天天地进步让何振岱十分得意。在不到一年的时间，两人常相约像历代文人雅士那样登孤山，游长城，赏

---

① 柯鸿年（1867—1929），字贞贤，号珍岑，晚号澹园居士，福建长乐人。1885 年 4 月，马尾福建船政前学堂制造班第三届毕业生，后留学法国。清北洋候选道员，任卢汉铁路参赞，京汉铁路总办，曾出任比利时大使。留学期间专攻万国公语、法语专业课程。同班的有高而谦、王寿昌、许寿仁、游学楷、林藩等 6 人，其中王寿昌曾以口述《茶花女》故事，由林纾译成汉语，成为一段文坛佳话。

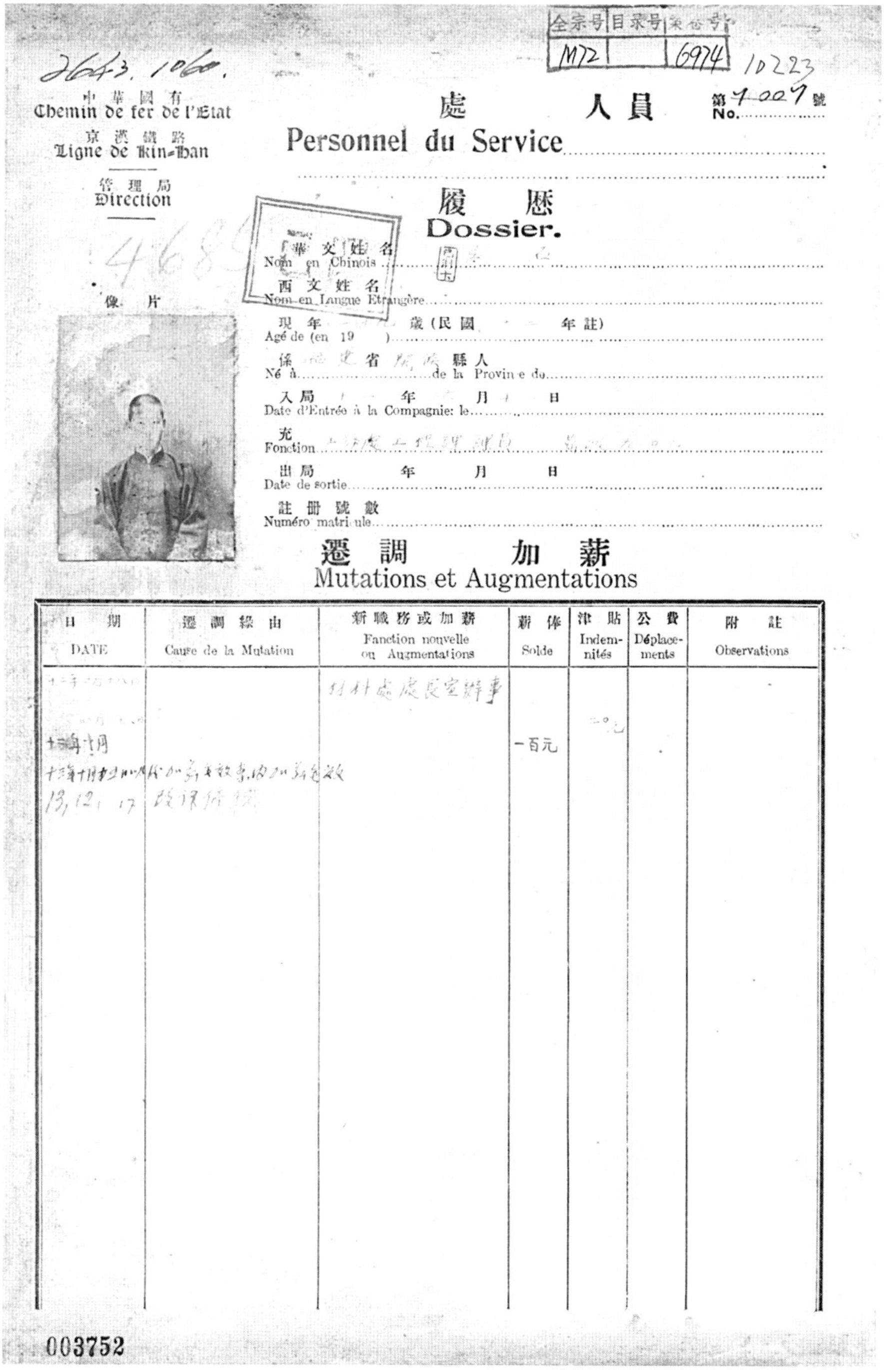

全宗号 M72 | 目录号 | 案卷号 6974

2643. 1060.

10223

中華國有
Chemin de fer de l'Etat
京漢鐵路
Ligne de Kin-Han
管理局
Direction

處 人員 第1009號 No.
Personnel du Service

履歷
Dossier.

華文姓名
Nom en Chinois

西文姓名
Nom en Langue Etrangère

像片

現年 歲（民國 年註）
Agé de (en 19)

係 福建省 閩侯 縣人
Né à de la Province de

入局 年 月 日
Date d'Entrée à la Compagnie: le

充
Fonction

出局 年 月 日
Date de sortie

註冊號數
Numéro matricule

遷調 加薪
Mutations et Augmentations

日期 DATE	遷調緣由 Cause de la Mutation	新職務或加薪 Fonction nouvelle ou Augmentations	薪俸 Solde	津貼 Indemnités	公費 Déplacements	附註 Observations
		材料處處長室辦事				
十三年十月			一百元			
13, 12, 17	改課任用					

003752

1922 年 6 月至 1924 年 12 月，吴石在京汉铁路管理局工作。图为中华国有京汉铁路管理局吴石履历表。

甲

京漢鐵路材料處職員表

職名	姓名	別號	年齡	籍貫	原籍住址	現在住址	親屬	出身	到路日期
課員	吴石	虞薰	年二十九歲	福建閩侯			父名[illegible]（註明存殁年齡） 母氏 董氏 妻氏 王氏年二十八歲 子 一人各 十一歲 女 一人各 九歲	福建格致書院畢業保定陸軍軍官學校礮兵科畢業	民國十一年六月十一日

合同或函約	
訂定日期	
訂定年限	

到路以前之經歷：曾充福建仙遊縣公署科長詔安縣税釐局科長滄石段第一二總段文牘會計事務員

在路歷任職務

年月日	職務
十一年六十一	奉派充工務處工程課課員
十六年三十八	奉調派材料處處長室辦事

民國　年　月　日造送

吴石在京汉铁路管理局工作时的职员表

春花秋月、四时烟霞，鸟鸣山色，树影花光，质朴浪漫，这一切何等雅兴！似乎世间烦扰皆成过去。

吴石在何振岱身边不仅聆听他的艺术主张，而且倾听他的人生主张。何振岱告诉弟子：做官虽非他所愿，但对廉洁勤政的官吏他会敬重，而对贪官也会毫不留情。他常勉励弟子先器识而后文艺，不仅要潜心学问，更重要的是先学做人。先生的一个个主张，不断潜入吴石的心窝。

教书写作之暇，何振岱坚持诵经念佛，身心皆忘。在与何振岱交往的佛教界人士中，既有在家的居士，也有出家的诗僧。因为这一缘故，吴石也结识其中的不少人，有的后来还过从甚密。吴石在日本留学时还与这些人多有诗书往来。

近朱者赤，近墨者黑。正直、敢爱敢恨、特立独行的何振岱，对吴石影响太深刻了。对于这段经历，吴石常引以为豪。1948 年，他在为族侄女刘蘅诗集《蕙愔阁集》所作的序中，深情地写道："吾师南华老人何梅叟先生，

何振岱与弟子合影，后排右一为吴石

以朴学大师，针砭世俗，陶铸君伦，巍然负东南重望。吾闽人士，莫不思亲炙门墙，撰奉杖履，以求深造。”在吴石就义前留下的遗书中，也以满足的语气写道：“壮岁旅居北燕，受业于何梅生先生之门，经义诗词，亦见精进，极蒙梅生夫子之赞许。”两人交往密切，即使后来在天各一方的日子里，吴石心中也无法放下老师，无论在外地还是日本，都要去信问候老师或寄些土特产，以表心意。在何振岱长女何曦 1928 年 9 月 16 日日记中，有“今早，父亲之门人吴虞薰寄来里中肉松四罐，龙眼脯一罐，付力二角”[①] 的记录；在何振岱的日记里，多处记有“虞薰来信”，可见交往之密切、情义之深长。

吴石在写给老师的信中，丝毫没有隐瞒自己的苦恼，常常一五一十地倾诉。何振岱晚年在与吴石两人间的一次尺素传书中谆谆劝勉弟子，明确告诉弟子——我眼中的你是这样的才俊：“来书似以无暇治旧学为恼，此志极难得。且夫学与不学关系甚大矣。却縠学而佐晋，原鲁以不学衰周。圯上有学而兴，垓下以无学而败。故治军本儒者事。远者不论，明之俞、戚，清之曾、胡，其明征耳。惟此事，正自不择地与时，一得外禄，今之所谓名士是也。闇然自守，不求人知，古之所谓潜修是也。吾与君第求务其实可也。专经之学，留俟他时，不为晚也。愚老病，无足言矣。眼中之人如子者少。勉之，勉之。”对吴石而言，每当读到老师的来信，老师的音容笑貌即照临在他面前，一如当年耳提面命。

何振岱与陈宝琛家世渊源深厚。在京期间，经何振岱牵线，吴石再次见到陈宝琛，与仰慕的末代“帝师”陈宝琛又续了一段师生情缘，向他求教写诗画松。据吴石之子介绍，其父画松技法师承陈宝琛。

陈宝琛（1848—1935），福建福州人，字伯潜，号弢庵，晚号听水老人、沧趣老人，是中国近现代史上一个不能回避的人物。陈宝琛 19 岁中进士，20 岁点翰林，少年得志，评议朝政，以直言放谏闻名天下，被人称为“清流党魁”，与张之洞、张佩纶、宝廷一起被人称为“枢廷四谏官”。光绪五年（1879 年），力主出兵收复沙俄所侵占之伊犁九城。后因甲申（1884

---

① 何曦：《晴赏楼日记稿》，浙江文艺出版社 2006 年版，第 65 页。

年）中法战争战事失利，1885 年慈禧太后以其“保举失当”为由将他降官五级。他索性回到老家福建，赋闲近 25 年。乡居期间，以“培人才，广教育”为志，致力于地方教育事业，兴办大批新式学堂，包括幼稚园、小学、中学、女校、日语学校等，并仿照日本教育模式于 1907 年创办福建优级师范学堂（今福建师范大学前身），开启福建高等教育之先河，几代闽省学子从此受惠。光绪三十一年（1905 年）奉派任闽路总理，亲历南洋各地募股集资，于 1910 年建成厦漳线嵩屿至漳州江东桥 28 公里长的一段铁路，创福建铁路之始。

陈宝琛一生都在办教育，被视为一个成功的教育家。宣统元年（1909 年）被重新起用，奉召入京，任资政院议员，补阁学原官，授正红旗汉军副都统兼弼德院顾问大臣等。宣统三年（1911 年）起为冲龄溥仪授读，曾封为太傅。溥仪在《我的前半生》里坦言：“对我影响最大的师傅首先是陈宝琛，其次是后来教英文的英国师傅庄士敦。”这回他却是一个失败的老师。在日本人的策动下，1931 年 11 月，溥仪背着他，与郑孝胥父子前往东北建立“伪满洲国”。溥仪沦为傀儡，陈宝琛劝阻投日未果，拒绝了溥仪的“府中令”之邀和日本人要他继续当“太傅”的“挽留”。但直至生命的终点他仍为溥仪复辟大清社稷大业未成而抱憾。

在吴石面前，陈宝琛却是一个循循善诱的导师。经陈宝琛、何振岱这样一些高人的点拨，加上自己的悟性，吴石的诗歌创作在短期内进步很快，画松的技法也日见提高。何振岱在 1926 年 10 月 30 日的日记中写道：“往德医院看弢老，云：吴诗为君邀，入正路，何其幸也！”[①] 这篇日记所言表明，何振岱和病中的陈宝琛谈起吴石的诗作，谈起吴石诗歌已入佳境，陈宝琛对吴石的进步感到欣喜，发出“入正路，何其幸”的赞赏。

1935 年 3 月 5 日凌晨，88 岁的陈宝琛在京逝世。其门生故旧多具挽章，这些挽章当年曾誊写成册（未刊），今存福建省图书馆。其中何振岱的挽联内容是：“一恸暮云垂，月断灵光空有泪；横流人海急，魂归兜率岂忘怀。”

---

① 何振岱 1926 年日记。

吴石则以“门下再晚生”名义送去挽联，深情追悼自己的引路人。联称：

先君承香火再传，何期小子跻堂，曾受推恩申矩矱

四海痛老成忽邈，岂但乡人思德，相将洒涕满松榆

这一挽联表明，吴石之父曾受业于陈宝琛，吴石本人也曾受知于陈宝琛。

在京期间，吴石不仅在治学上有了精进，而且在个人事情上也有了满意的收获。经族人介绍，1923 年冬，正步入而立之年的吴石成为幸福的新郎，他的新娘则是他的同乡王碧奎，王碧奎这一年 20 岁。在家乡螺洲，吴石与王碧奎举办了一场热闹的婚礼，喜结伉俪。双方年龄尽管相差较大，但夫妻恩爱，携手人生。正如吴石在狱中所写的遗书中指出：“余年廿九，方与碧奎结婚，壮年气盛，家中事稍不当意，便辞色俱厉。然余心地温厚，持碧奎亦克尽夫道，碧奎既能忍受余之愤怒无怨色，待余亦甚亲切。卅年夫妇，极见和睦。”

吴石夫人王碧奎

王碧奎早年接受新式的教育，贤淑温厚。王碧奎自嫁入吴家后，自己的命运便与夫君紧密联系在一起。王碧奎为吴家生育六男二女，勤俭持家，照顾家庭。婚后，随夫君赴日，照顾家人起居。1937 年抗战全面爆发，吴石为了家人安全，提前让妻子一个人带着子女逃难，从上海、南京、江苏、武汉最后到达重庆。在重庆，经历了日机重庆大轰炸，一家人险些丧命于日机的狂轰滥炸。之后，王碧奎带着家小匆匆逃离重庆，与丈夫相会于桂林。从 1937 年到 1941 年，

四年逃难生活中，她独当家务重担，加上儿女多病，精疲力竭，心力交瘁。去台后，没过几个月平静的日子，就因丈夫事受牵连，蹲了 4 个月监狱。当她走出国民党保密局大牢的时候，双眼看到的却是人去楼空，流离失所。在此后的 40 余年中，她常常生活在对丈夫的追忆中。不难想象这该是怎样一段美好的姻缘！

而在这个时候，吴石的生活、事业似乎顺风顺水。

第五章
东瀛之行

十二能人

1924年冬，冯玉祥、孙岳、胡景翼发动北京政变。此时，好友何遂出任国民军第三军孙岳部参谋长兼第四师师长，邀请闲赋在家的吴石出山，任该师军械处处长并统领炮兵，兼任南苑干部学校教官。但国民军仅一年多便在直奉两军的夹击下瓦解了。这时，蒋介石在南方誓师北伐，朱绍良任总部参谋长，委吴石为作战科长。1927年，方声涛回福建主持政务，吴石又回福建任军事所参谋处处长，致力整顿本省民军。1928年冬，已是福建省军事厅一员、事业渐入佳境的吴石做出一个异乎寻常的决定——到日本学习军事。这种人生轨迹的转变，在一般人看来是不可思议的。

吴石的想法得到方声洞烈士胞弟、省政府代主席方声涛——这位曾留学日本的长者的理解和支持。他找到方声涛，向他表述自己的想法。从日本留学回国的方声涛鼓励吴石走出国门，继续军事学习，争取更大的建树，并答应他留学经费由他想办法解决。方声涛一番话，让吴石那颗悬浮的心静了下来。在方声涛的大力支持下，吴石最终取得公费保送的资格。

为什么吴石在事业颇为顺利的时候别离祖国远涉海外？如果以今天的眼光去解析，是很难有答案的。应该说原因是多方面的。这其中既有吴石对当时国内军事现状的失望，也有对现状的厌倦，试图寻找自己生命的新坐标。吴石在自传中对留学缘由有简要的叙述："余自出校任事以来，备受刺激，感想良多。时届第一次欧战之后军事学术已日新月异，诚有再求深造之必需，每与曩曾留日之同学返，获知日本陆大组织健全，颇负时誉，乃谋东渡求学。"这里谈的意思是因国内军事弱后而有意去深造，要深造就要到最知名的日本陆军大学，学到当时最好的理论，走上"为往圣继绝学，为万世开太平"的治学之路和修行之道。另一方面的原因，吴石在自传中并没有明白说出。那就是：保定军校毕业后，累遭不顺。尽管怀着改善人民生活的愿望，从事地方行政工作，但由于当时政治的混沌，深感力不从心，隐退出国、摒弃尘事的想法自然也一度占据他的脑海。

想法归想法，实现起来不是想象那样简单。吴石后来回忆："日本

赴日留学时的吴石

陆大极不易入，虽收中国学生为第一种政策耳，初系每年招收一次，后易为三年一班。余抵日后，方知最近一班入校仅一年，须待其毕业，始得收新生，当时，颇感彷徨。一般友好咸劝余不如先入炮兵专门学校，余纳其言，爰补习三月，为投考炮校之准备。初日本各兵科学校皆可保送，毋需考试，厥后来者渐多，乃废保送之例，而且考试极严，余幸应付裕如，幸获考取。”[①] 这说明，一开始他有些费力地去适应所面临的变化。毕竟日本军事教育不同于中国军事教育。

经过近一年的折腾，1930年秋，吴石从日本野战炮兵炮校毕业，埋头准备报考日本陆军大学，一个新的情况出现了：“此时投考日本陆大难关重重，第一因为来考者多，合各省籍计共四五十人，余为福建省政府所保送，限于经费，无法继续，势须先解决学费困难问题，余遂返闽交涉并至南京请愿。当时，日本陆大限定我国学生名额，每期仅六名，来考者四五十人。中间有知难而退者，但仍有十人候考。余志在必得，虽知困难，意不稍馁，乃竭其全力准备，延富有应考陆大经验者二人为导师。准备三个月后，始往应试，与试者四十人，而录取名额仅六名，群感希望甚微，乃于考后向日政府交涉增加名额。时币原当政，对吾国比较缓和，允增两名，共为八名，余幸录取入校。”[②] 这段亲身的回忆表明，吴石能够进入日本陆大确是极不容易、颇费周折的。同时留学费用问题这时也传来好消息。《福建民国日报》1930年12月6日的

① 《萃文叔生平传誌》（手抄本）。
② 《萃文叔生平传誌》（手抄本）。

版面上出现过《吴石等学费十一月仍发三百元》一则新闻，文称："日日社云，留日陆军学员吴石、萧其昌等，以留日学费。由八月起经省政府核减一百元，按月只准以二百元拨付。兹因日币日昂，对于此项学费三百元，实不敷用，以资维持。经省府令行财政厅核办，兹财政厅以该员所陈困难情形，商属实在，已准予由十一月份起，按月拨照旧案三百元发给，并呈报省政府备查云。"

"日本陆大于入校时，限制极严，非确实后秀之学生，决难幸致，日本学生视此为最重要之关头。除具特别天才者外，自准尉以上非经过数次考试，不能入选。在校时，功课繁重，每日皆有作业，平常能考列前茅者，率皆苦下工夫，往往彻夜不寐。余知其然，故三年在校片刻不懈，各科作业，皆按时交足，对其他科目如外国语、骑术等，他人多等闲视之，余独郑重其事，从未缺席，授外国语等项辅助科目时，往往仅得余与一二人到场而已。至于所作之战术案，日教官颇重视，常付印分送，并命余登台讲

吴石全家在日本泳后合影

述，参谋本部公评留日学生，以余为最有心得之一人。”[1] 从这一段回忆性文字中，可以看出吴石当时十分珍惜来之不易的学习机会，学习之刻苦、目标之明确、心得之特别、成绩之突出，成为“最有心得之人”在情理之中。因在校成绩优异，在同一拨同学中有人给他安上“十二能人”（即娴中外古今兵学、通文学、能诗、能词、能书、能画、能英语、能日语、能骑、能射、能驾、能泳）的头衔。对于这样的头衔，吴石一一照单笑纳，颇感自豪。

当时军校生活如何紧张，因资料难觅，尚无从考证，但从吴石的诗作中仍可寻到一些踪迹，感受到当时的情形。在《东瀛诗章》中吴石写道：

初秋，入立川飞行联队，辄乘飞机上高空，观览一切，大快人意，吟长句以纪之。

晚世百工竞技巧，能造云车凌苍昊。
溟鹍掣霄轻凡禽，天马行空不由道。
我砚殊俗域外来，每乘飞毂獲人推。
一叶飘飘颢穹里，四大无碍从徘徊。
夷则凉天继阑暑，鹏翼翛然更快举。
初时离地作盘空，好似轻舟自容与。
俄而高翔如升阶，但有清风相与偕。
愈上愈出红尘表，行叩阊阖窥无涯。
逾时凝眸一下视，白云远在脚根底。
杲杲东旸分外明，时腋太清无秽滓。
斯时斯景原难忘，羽化登仙未可方。
自来物质有究竟，此身依然人海藏。

“演武于富士山麓，半月军营生活殊异寻常，有击于目，乃感乎心，辄成数绝，以记吾曾。”吴石写下了《营居杂诗》，记录军营生活的一个侧面：

山中五月似新秋，碧树青芜一望收。
行到人烟将断处，俨然上谷旧营楼。

---

① 《萃文叔生平传誌》（手抄本）。

一日阴晴未有征，乍观云散又云蒸。
欲将富士方佳丽，半掩芳容态自矜。

凭鞍顾盼思悠悠，直上岩巅一掉头。
旷处逢幽殊不意，泠泠激石有寒流。

丛杉修竹郁青葱，新月生时晚有风。
眠食无嫌常潦草，幽心能与景光融。

黄尘车马叹忽忽，岂爱燕然勒战功。
今日中原方鼎沸，枕戈运甓几英雄。

佛郎机铳震云霄，霹雳声中土地焦。
信是健儿身手好，我思边帅汉班超。

一次，吴石“赴步兵学校观演攻守之术，感成十五韵”。该诗如下：

庄生有作讥蜗蛮，独怪世人深唾弃。
好兵觌武震声威，席卷并吞以为志。
利器唯恐不伤人，日讨军实求武备。
纵横捭阖在自尊，纠合会盟皆有为。
尊俎未撤兵踵临，昨日之仇今侪类。
那知阴阳伏大机，盛衰剥复理无二。
功业自古不长存，以力假下有不匮。
有兴来观习野战，前偏后伍相雁次。
一方为守一方攻，各挥部曲发征队。
一声号令争前趋，肉薄驰突无畏避。
剑光拂日骑涌潮，烟雾迷天声作沸。
九死一生弹指间，弹雨枪林何惨愦。
此时忾敌意气雄，居恒原是袍泽谊。
肃气充腾伪迫真，事后令人生感慨。

纷纷人世苦斗争，如此收场恐非易。

至离东京不远的千叶县佐仓町参观秋季特别大演习，吴石心潮难平，破晓时分，在马上作诗一首：

马蹄声里晨光淡，灯火村村尚未收。

冷雨尖风残梦续，耐人寻味是兹游。

河山只在梦萦中

外面的世界很精彩，但万里之遥的祖国在吴石的心间从未淡忘过。他常常想起那边的亲人和朋友，关注国家和民族的兴衰，在他的光荣与梦想中始终闪耀着“中国”两个字。

1930年，第九届远东运动会在东京举行。当我国体育代表团在南开大学校长张伯苓的率领下到达东京时，吴石振奋万分，当即参加在东京的中国留日学生于神田区神保町中华青年会举行盛大的欢迎会；并参与“啦啦队”，自比赛开始之日起连续出场，为我国运动健儿呐喊助威。

在吴石留学期间，相继发生了日本帝国主义武装侵略中国的九一八事变和一·二八事变。

早在1931年，吴石的目光就投向了东三省，担心战事的发展。“余知九一八事变发生后，日人之野心已昭然若揭，大战爆发仅属时间问题耳。”[1]

1932年侵华日军挑起一·二八事变。日本侵略军在上海发动进攻，我国驻军奋起抗战时，日方报社在东京大发“紧急号外”，卖报者则在街上大肆喧嚣，凌辱我国的什么“严惩支那”之声震耳欲聋，刺人肺腑，尤使吴石痛心疾首，义愤填膺！日方恶劣的行径激起了他极大的爱国热忱。

为复仇雪耻、振兴中华，他常与好友刘斐等以及其他留日同学探讨如何富国强兵的问题。他认为，关键是要有本事，对去留问题曾表示：要继续在日本学习军事，为将来我国同日本打仗作准备。“民国十九年冬，余入日

① 《萃文叔生平传记》（手抄本）。

本陆大肄业。翌岁秋，于参谋旅行期间，忽闻九一八之变，遂返东京。其时留日学生中，发生继续留日抑立即回国之问题，请示结果，为普通学生回国，士官学生退学，于是去者纷纷，观望者亦不少。时留学生监督已回国，陷于无管理之状态，有二同学另有作用，欲率各校学生返国。当时士官生中，有因要求回国，而被日警侮辱者。某日集会解决去留问题，余主张陆大学生之地位，非士官生可比，盖吾人中国派往国外将校及陆大学生，两种立场，举动必须审慎，不能稍受侮辱，回国并不反对，但行动不可轻率，须得中央命令，始可离日，此言一出，同学多数赞同。惟其中二人，大肆咆哮，几欲动武。余谓士各有志，各行其是可耳。众韪余言。翌日，中央电至，坚嘱勿行。原主张回国之二人，以声言退学在先，不得不行矣。九一八事变后，日本陆大当局对于中国学生，仍未改常态，故吾人卒能忍痛再读二年，完成学业。”① 当时，他这样想，后来也就这样做。

他在遥远的日本思念着祖国。他感慨于多难的祖国，饱含着思念和悲愤，写下一篇篇回味无穷的动人的爱国诗章。

在《不寐》中写道：“萧斋闻柝声，忒与吾乡异。不忍报深更，似妨旅人睡。鼾声传隔舍，梦味应可记。至人以踵息，蠲情自泯意。钝根有微悟，究意多罣碍。神州方陆沉，斯民日颠坠。君子叹道消，彼人方有觊。常怀蹙国悲，谁洒新亭泪。忧心如怒潮，欲遏转澎湃。开眸望曙窗，高枝战寒吹。”

在《时事》中表明自己相信祖国不会沦亡的心境：“惊传辽朔播风尘，遗恨无端耻辱新。政事方深棋劫局，斯民几有瓦全身？卢龙边塞谁轻卖，燕赵豪雄已失真。安得神州坚众志，古来三户足亡秦。”

借《万族》诗，感叹：“万族孤云知我哀，新亭俯仰泪频催。崇朝蹙国三千里，绝塞烽烟无数堆。正恐衣冠沦草莽，可堪寰宇满雰埃。厉阶谁起今为梗，坐使丹心一寸灰。”

在《闻北警感赋》中提及“目断海天泪如注”的深情思念：“冰霜满眼驱岁暮，传闻蛮兵迫无虑。汹汹直入竟长驱，盘山要厄已偷渡。蹄辙之下

① 《萃文叔生平传记》（手抄本）。

有完肤，哀哉黎黔将安厝。虎狼之寇谁实深，畏葸逡巡莫一顾。皮之不存毛安附，高牙大纛亦徒据。轩辕族胄此陵夷，如许肺肝偏别具。朔风猎猎星斗寒，目断海天泪如注。”

在《神州》中表达万千的思绪：“极目神州里，陆沉深可悲。关河烽火急，江汉捷书迟。和战两具失，剿收无一宜。伤矣楚公子，行唫丧乱时。”

在《有感》中有这样的哀伤：“故国安危总系思，春光到眼转成悲。可怜一掬伤时泪，袖手天涯看败棋。”对自己的一时的无能为力予以自责。

在《感秋》中遥望沉沉的大陆，似海国仇涌上心头：“似海国仇宁不报，眼穿心灼冀中兴。沼吴几见能尝胆，致寇终教箧负乘。忍看黔黎沦异类，剧怜密勿托春冰。西风索莫催黄叶，极目神州数拊膺。”

借《晨起有怀》，他排遣心中的忧国情绪：“小楼分晨光，平旦气清爽。夙露犹未晞，稚蝉试新响。云山光有无，风林叶俯仰。边塞动笳声，忧时慨以慷。请缨恨未能，去国成孤遑。藉书以养气，哦诗聊自广。”

在《有感》中，面对瑟瑟秋风，心中的呐喊油然而出：“秋宵坐我听潮楼，断梗惊蓬几罢休。枫落海天初觉冷，月明院落欲忘愁。交游道短倾双泪，国步艰难鲜老谋。楚客歌辞庾信赋，一时万感上心头。”

诗为心声。吴石汹涌的爱国热情化作不朽的诗章，在诗中洋溢着一种充实光辉之美，有着一种沉潜而向上的精神。

为军事入迷

进入日本陆军大学后，在学习中吴石越来越察觉到当时国际军事的变革。在他看来：“战争之残酷，至欧战为极。世界各国，鉴是遂群倡弭兵，以期天河洗甲。虽然，新兴势力，利其树培；固有权益，图其封保；经济尾闾，厚其滋殖；夙昔仇怨，誓其雪复：凡此藉以贯彻己志，而资后盾者，一惟武力。是口标榜和平而实崇注军备。各国趋尚所在，固不待燃犀已昭昭明甚。我炎黄华胄，揆之适者生存之理，俯仰斯间，安能恬不为动？抑枭邻陵我，其悍虐尤不可以恒理喻。当此千钧一发，国脉淹淹之际，苟不急起直追，搜讨军实，覃研军学，于军事上策根本之图。则国家安存，民族安保？”[1] 于是，在学习之余，他用心收集最新军事动态，开始致力于军事研究，寻找到学术发展的新方向。

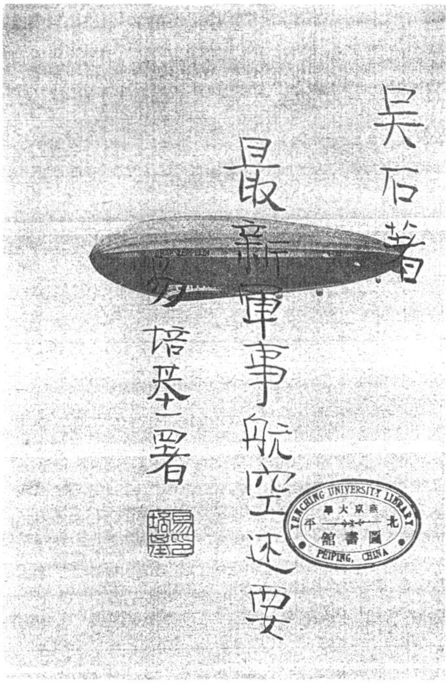

《最新军事航空述要》封面

《最新军事航空述要》一书就是这一时期的治学成果。到了1931年底，《最新军事航空述要》经过打磨，誊写，洋洋洒洒的万字的大作出炉了。1932年元旦，吴石在东京自诩为“榕庐”的寓所里，俯首在案台上奋笔疾书，为自己的专著《最新军事航空述要》写下“弁言”，为全书作了引言，撰稿阶段告一段落。随后，一方面将文稿从东京邮寄给故宫印刷所去编辑、排版，一方面专门上门找好友刘斐帮助写个序，刘斐一口就答应下来，认真阅读了全文，酝酿多时，于1932年4月他将写好的序交给吴石。这时吴石向远在广西的袍泽、时任广西绥靖公署副主任的白崇禧索要的题词也到了，以“航空救国”四个字为好友站位。知名人士、故宫博物院院长易培基先生欣然题写了书名，予以鼓励。

白崇禧题词

《最新军事航空述要》作为吴石的军学研究的处女作于1932年8月

① 《最新军事航空述要》· 吴序。

由故宫印刷局出版，在北平、上海、南京发行。全书从近代科学战与航空机、各种飞行队用法、都市爆击、国土防空、列国空军之势力等多方面阐述军事航空发展的新动向。

《最新军事航空述要》表明他在民国军学研究的舞台上已崭露头角。尽管吴石作为日本陆军大学的高材生还在求学中，文章以实战案例分析为主，但不能否认他学术才华开始展露，特别是收集各方面情报资料能加以有效取舍的能力有过人之处，其选题也能抓住军学研究的薄弱点发力。该书运用众多图表、图示，书后附录如《要地边防空要领图》《爆击机行动半径一览图》等示意图，绘制专业精细，一目了然，将复杂的军事关系表现得清清楚楚，显示出他比较扎实的研究功力和出众的军事参谋的天赋。

从《最新军事航空述要》的产生过程，也可看到吴石等爱国军人们的学术志向。一方面将军事理论研究寓于救国存亡之中，极力倡导航空救国的思想。吴石研究军事航空的起因在该书的序中讲得比较清楚："挽近军事界言，现代的装备，莫不首数航空。故吾国欲讨军实，讲军学，尤不可不自航空始。编者自惭谫陋，而深有感于兹，爰就其涉猎所及，辑为斯篇。于航空之价值、因革、效用，及各国航空之现势，述其梗概，付之剞劂，藉供军学各界参考之一助。"深知其志向的同窗好友刘斐专门通读全书，提笔为好友著作作序，刘序写得精彩、精辟，为全书增添了光彩。以下便是刘斐阅读友人专著的"四感"：

往昔所视为齐东野语荒诞神话而今竟成寻常之事物者，不一而足，飞船飞艇其一也。人类思想最初之表现，为神话，为传说；人文渐进，遂一转而成为科学上之理想或假说；及科学更进，工业技术日精，遂得将此种理想化为事实，而裨益于人生日用。然苟无科学与工业为之前驱，则虽最美妙之理想，亦终不免为人视为神话瀛谈，无裨实际，此中国所以虽有墨翟飞鸢、列子御风之传说，而飞行学术转落人后也。故欲实现吾民族最美妙之理想，必以发展科学与工业，为当务之急。此余读友人吴君伟著军事航空学之第一感想。

抑余又见列强武器军备之改进，皆其国民科学知识与生产力之自然产品，顺理成章，毫无牵强。而吾国不然。所以中国现有之武器军备，概属被动采用摹拟移植而来，非国民知识与生产力所能自然发生。故凡制造设备使用之技术，概感困难，人才之培植，既不容易，而器材之补充，尤觉艰难。默念吾国航空事业及军备之现状，不禁为前途危惧。此余读吴君书之第二感想。

现今国人治学，非笃于古，则迷于外，至于运用故训新知，斟酌国情，创造适合目前中国特殊情况之学说及方案以利国便民者，尚少概见。故凡执笔为文，征引证例，均须取材国外；此固由于科学之输入及施用于吾国之时日太暂，无可如何，而中国学者治学求知之不易，亦其原因之一。然学与事分立，以至交受其弊，实中国现今畸形现象之一；吾军学同人，不可不交相责勉也。此吾读吴君书之第三感想。

现外患日急，太平洋上，风云诡变，日趋险恶，国际形势，咄咄逼人。倘第二次世界大战，不幸果于短时间爆发，中国势必为其导火线；九一八事件及上海事变发生，即为世界第二次大战之序幕。中国如何应付此种燃眉之急，实为国人所应殚思竭力考虑之问题。“无空军则无国防”，固矣；然无重工业尤无国防，凡有责任之当局及全体国民当知所努力矣。此余读吴君书之第四感想。①

刘斐这一大段感想并非空洞的议论，而是引经据典，联系时局，对改变中国现今畸形现象发出呼吁，爱国之情溢于纸上，并印证出两人心心相印、理想相通。关于吴石与刘斐的交往，下文专书。

值得一提的是，吴石在此前已决定将售书款如数捐出，用于发展中国的航空事业。刘斐有感于此，以敬佩的笔调在序中赞叹：

吴君更发愿将版权所得，捐输于航空事业机关，为发展中国航空事业之一助。将来吴君令闻，必可与中国航空事业共垂永祀。旦夕之间，煊赫一时者，声名俱灭，而吴君自此远矣。②

《最新军事航空述要》出版的前前后后，吴石忙碌并快乐着，带给吴石精神世界不一样的收获。

---

①《最新军事航空述要》· 吴序。

②《最新军事航空述要》· 吴序。

怕君归

在日本期间，吴石的大部分精力都放在学习上。除了在学习中获得提高外，他还在盛开的樱花中找到纯洁的友谊，日本人民的善良、友好留在他的记忆深处。

1931 年，吴石（左四）在日本与好友李黎洲（左五）、吴鹤予（左一）合影

当地一个叫大野的医生，经常替吴石一家治病。一次，大野在吴石家看完病，吴石夫人王碧奎盛情挽留大野吃饭。请客人吃饭，王碧奎自然拿出看家本事，为大野准备了一桌可口的中国菜。色、香、味俱全的闽菜，让大野医生大饱口福。他边品尝边不停地说："太好了！太好了！"一再要吴石夫人到家中教做中国菜。王碧奎为此多次上门大野医生家，手把手教大野夫人烹饪太平燕、鼎边糊、香露河鳗、醉糟鸡等福州菜，两家不时来往，成为好朋友。1934 年秋，吴石一家回国时，大野先生闻讯特意赶来，洒泪相送，把最珍贵的传家宝日本宝刀送给吴石，留作纪念。

吴石独处异乡，时时盼望友人的来信和光临。在日期间，何遂、空如[①]等友人不远万里来到东京。久别的友人到来，给予他莫大的喜悦。他平时不爱说话，这时率真热诚，叫夫人准备佳肴，盛宴迎宾，与友人一边畅饮美酒，一边自己兴奋讲起福州评话，欢乐的情绪感染在座的每一个人，把宴会的气氛推向高潮。

1931 年夏，吴石与到日本访问的好友何遂相聚于东京。在何遂留日期间，两人频频见面，相谈甚欢。吴石在兴奋之余，挥毫写下《喜叙甫至》《赠叙父兼壮其志》等诗篇，记叙两人的友谊与志向。《喜叙甫至》对于两人在日本的见面作了情景式的描述："羽音夕至客朝临，鸡黍微情一往深。相慰百书输此面，论交几辈得齐心。伤时广武真同叹，寻胜东山且朗吟。生怕君归吾尚滞，西窗听雨旅愁侵。"异国相聚，欣喜之情跃然纸上，一位笃于友情的诗人宛在眼前。在屋舍，两人就中日局势进行了探讨，对一些日本军阀的图谋做出共同的判断。何遂回国后，曾对家人说："日本人要在东北挑起事端。"事实正如他们所料。在《赠叙父兼壮其志》中吴石讴歌了"身与国存亡"的凛然大义："萧艾与芝兰，托根本同地。平时郁芬菲，偏为众委弃。一朝风云骄，乃知无比类。国事诚大难，夷狄益横恣。破碎任何山，哀哉称阘奇。耿耿子丹心，蹶起独奋臂。请缨事国仇，勇往只敌忾。雪窖与冰天，赖有血欲沸。弹雨枪成林，不足为子畏。溯当无事时，未闻有子位。值兹板荡日，盘错见利器。身与国存亡，凛然见大义。堂堂肉食流，望风能毋愧。"

《送空如返国》中："黯黯魂销执手间，散殊容易聚殊艰。帆看远行秋偏近，我尚羁迟子已还。潇晦鸡鸣悲世事，呴濡鱼息苦民瘝。林泉莫便躭幽胜，四海纷纭可独闲。"

在《喜敦诚至》中，写到恩师之子何敦诚来日留学的情景："相聚艰危里，还同异域游。看君襆被至，解我满腔愁。客意新梁韭，波光旧海虯。嘉言今共识，莫享但思修。"

吴石在日本的生活稳定下来，将全家人带到日本共同生活，家里多了

① 空如，是吴石的浙江籍同学陈焯的号。

生气。恩师之子何敦诚的到来，使全家更热闹了。何敦诚专程去日是为了进修法律。为了让年幼的吴韶成尽早学习知识，吴石让何敦诚课余为吴韶成进行家教。那时，吴韶成只有6岁，调皮、不懂事，愣是不听何敦诚的教导，什么事都喜欢和老师对着干。有一天，吴韶成趁着何敦诚休息的时候，用毛笔蘸墨水在睡梦中的老师脸上画画，画着画着，何敦诚突然醒来，当场哭了。吴韶成的小伎俩自然没能躲过父亲的法眼。吴石放学回来，便对儿子好一顿怒斥，指着儿子说："一个人一定要学会尊重自己的老师。尤其是作为具有深厚儒家思想的中国人更应该尊师重道。"见丈夫越讲越激动，夫人在一旁开玩笑说道："学生没哭，倒把老师气哭了……"没想到为了这句话，不但没起到开脱、缓和的作用，反而火上浇油，夫妻间又大吵一通。这一段佚事长久留在吴韶成的记忆中。2003年，我在访问吴韶成时，他清晰地提起这件事，他认为父亲是一个墨守传统的人。

作为一个恪守传统美德的中国人，吴石酷爱梅、兰、松、菊。他倾慕"餐荐夕英，杯迎朝露，长年修洁，寒花作伴"的生活，即使在日本学习期间，在寂静的院落中因有花草相伴，他眼前的世界也并不孤寂。在《买花》中，他写道："抛撇故园千树锦，即来异国买花看。人生错计浑如此，眼底云烟且倚栏。"花花草草，闲适的生活开启吴石心灵的新境界。

王碧奎与孩子们在日本居所前的庭院

在东京市区居住数月后，吴石找到了大隐于市的新住所。这真是一件玄妙的事情。在喧闹的都市，有一座宛如世外桃源般的寓所正在他的面前敞开——茂树葱郁、花草茂盛及曲径通幽的小道，移步换景的景色变化，幽静而不张扬的感觉让人顿忘俗世尘喧，觉得踏实而温暖。如此悠然的环境让吴石十分中意。他写下长长的诗篇《寓居杂述》，对寓居场景做了写实性、生活化的描摹，表达愉快的心情，颇具真实、风雅的文人意趣：

居东京市内三月，恶其尘嚣，乃移寓近郊。小楼闲敞，茂树周遭，隙地三弓，梅花数本，朝夕于斯，堪容客子。从兹三年栖息，不愿再事他徙矣。

此时，他找到一个让心灵静谧自在满足的居停，离开喧嚣和浮华，随遇而安，过平静简单快乐的生活，由衷地感到轻松和释然，他愿静享人生收获之美，不再有别的波澜。

城郭与山林，中年两无获，满腔青春意，万里托异域。
结庐杂人境，终未适吾适，迁地爱其偏，衡门掩闲寂，
梅花作毗邻，几生修此得，有楼宜眺远，有园便游息。
林翠接罘罳，岚光浮几席，能使寸心宽，那知丈室仄，
即此是洞天，知白应守黑，吾自爱晨光，不尽为寅计，
夙兴先朝晖，小楼溢爽气，徐风动丛林，微响有清致，
万叶露阑干，盆卉柔而媚，流莺最识春，引吭还展翅。
活泼复冲融，个中悟玄閟，阿谁乐华胥，一味只贪睡。

卜居重邻比，里处择其仁，异邦为异客，萍水难相亲。
不意东西舍，亦有厚道人，几榻粗安排，列筵闻肃宾。
为陈诸礼俗，厥貌良殷勤，桃花潭水意，多情洵可亲。
何况助守望，更与通性真，对影隔篱呼，华灯语频频。

春光正淡沲，春色藏柳条，红意阑梅萼，烧痕没南畴，
我从花市归，群卉多芳柔，滋培及时雨，庭除植之周，
含妍复积翠，因依各萌抽，天功不可贪，灌溉奚容休，
倦读便徐步，微咏娱闲眸，儿女亦知乐，结伴时时游。

这里的生活太适合吴石的性情。触景生情，引发他的阵阵诗兴。在另

一首长诗《续寓居杂述》中他表白自己的感受："予初卜居斯间，曾赋数诗，以写其景。星霜载换，风物不殊，而兴趣弥减，则有所触感使然也。然所居实有可爱，而吾土未能忘怀。庚缀篇什，盖亦情所不能已云。"《续寓居杂述》全诗如下：

玄冀正惨黩，扰扰时多艰，客情与诗意，坐此皆阑珊，
干戈纷未已，放歌聊自宽，蛟龙无定窟，随风蛰且蟠，
三年蓄我志，一枝远自安，所安在远市，稍免尘事干，
小筑蔽风雨，幽荫交檀栾，笔砚昕夕亲，千载相盘桓，
柔条郁苍翠，经雨益怀新，花时取次谢，铺地犹成茵，
老松换霜姿，夭娇送阑春，茂叶渐碍日，娇鸟来鸣晨，
万物但静观，一心自离尘。

高楼敞双楹，嵌箦宜徐步，委积一何多，图书从餍饫，
殊方吾索居，惟兹心好故，镇日俨相亲，此中有余慕，
尝奇释疑义，蓬蓬生意具，堪笑彼俗流，茫然失本务，
韶光徒玩喝，轻古不一顾，涛张肆高言，世事不足数，
国步江河下，宁非坐此误，率兽将食人，此曹为之蠹，
伊谁发聩聋，木铎徇于路。

漠漠有广原，去家数十武，杂树聚成围，草色青可抚，
意行度遥阡，晨曦作我侣，陟罔试疑眸，云山快遥竚，
满袖挹新爽，木杯添妙绪，及见积霭稀，已闻市声举，
人皆意有营，我亦得所与。

英雄总需用武之地。精通日语的吴石有心想把一些日文著作介绍给中国读者，既可练笔，又能弘扬文化精神，一举两得。于是，信手拈来干起翻译的活来。从《译书》一诗中可略窥其译书过程的辛苦与快感："鹦鹉学人言，葫芦依样画。伏案作蝇头，案低驼人背，镫景玻璃窗，砚水松烟渍。嗟我亦何心，乐此竟靡懈。敢言述不作，笔札有逋债。遵道而得路，古贤重耿介。望门莫夜人，寸衷实不奈。惟有耐勤劬，取足了无碍。余晷更傲

吟，胸襟为一快。”

就这样，日子一天天从吴石的手指尖上溜过。当他翻着日历，时间指向1933年10月。吴石决定偕家人外出，到日本奈良游历。游历途中，适逢中秋节。八月十五的月亮悄悄挂在树梢上，一家人在月光下，围坐在院子里，为中秋生日的主人而分享人生的醇酒。这时，在吴石的眼里，所有的光中，月光是最美丽、最温柔的，它照在信仰大道上；月光也最能表达“异乡月似故乡明”的深沉情感诉求，它照在游子的心灵上。只要心中有月光，就能把希望和理想照亮。他的期许在夜色如梦的晚上飞向十五夜空。在《中秋对月》诗里，吴石向明月倾诉：

匆匆但见双丸转，又是一年秋色平。
家日人输客日义，异乡月似故乡明。
黄尘紫陌逢游侣，疏柳闲花绕碧泓。
难得清闲偷一晌，栏干倚到斗参横。

这时的吴石即将进入不惑之年，内心感怀不已，诗兴大发，接连写下《八月十四日作》《癸酉中秋生日作》等诗作。

八月十四日作

叔世轻文惟知武，擐甲逞戈猛如虎。
累累若若夸里闾，三十功名等尘土。
我生赋性不犹人，好读兵书更好古。
扶桑鼓箧年复年，蓄志移山无乃鲁。
兹游未厌归又来，万人如海愁孤旅。

癸酉中秋生日作

胶胶扰扰犹故吾，惟觉尘颜换旧朱。
去国已经数寒暑，世情何止一荣枯。
山林钟鼎随时遇，志想程途有准趋。
客处苦吟聊自寿，团栾浩月照持壶。

好一个“我生赋性不犹人，好读兵书更好古”。人生漫漫，对于一个有抱负、志存高远的人却不容许有太多的停顿。

1933 年 11 月，日本陆军大学毕业式隆重举行，吴石在同学们的热烈掌声中，登上主席台，骄傲地领取毕业证书，他的成绩排列为该届第一名。在东瀛呼呼的风里，他仿佛听到祖国的召唤，他与家人抓紧收拾行囊，准备起程回国。贤惠的妻子确实是位理家能手，面对成堆资料、书籍及日用品，她有条不紊地打理，最后打包成 56 大箱。

这 56 大箱，多为吴石悉心收集的兵书及秘密材料。谁能料到这些兵书、资料在日后抗战岁月中派上用场，迎来他作为中国军人的自豪和荣誉。

再见了，日本！吴石在那里度过了他从 36 岁到 40 岁的时光。5 年的光阴，在他身上发生了多么深刻的变化：当他初到日本时，还是从北伐中走来的青年军官；而当他踏上归途的时候，已经步入中年。在这 5 年间，他不仅打下坚实的军事理论基础，摸清日本国情以及中、日之间的问题，而且他的爱国思想有了进一步的发展。在万里之外的海外，他似乎听到狼烟四起、枕戈待旦的祖国在深情呼唤！

吴石带着儿子吴韶成站在油轮甲板上，手扶护栏向着浩瀚的太平洋远望，潮湿的海风打在脸上。他心绪如海浪一样起伏，轻轻地吟起：

松风樱雨海邦幽，留滞扶桑已五秋。

几见匠人戕大木，也曾激浪过孤舟。

地偏忍恋浮屠宿，天坠长贻杞士忧。

料理书囊归去也，自应追忆此间游。[①]

是啊，旅居日本 5 年的生活多么像梦中的神游！别了，日本！吴石的一个人生阶段结束了。

---

① 吴石诗集《东游甲乙稿》之《将别扶桑有作》。

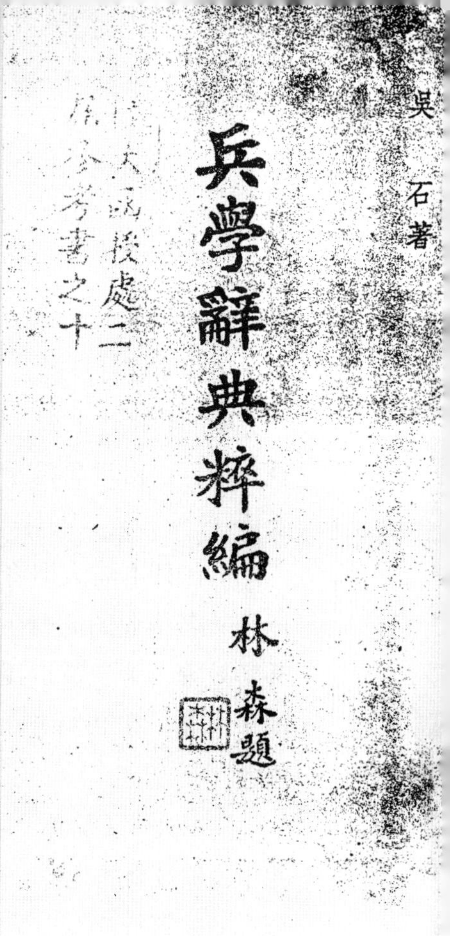

第六章
名声鹊起

执教陆大

1934年2月，经过五天五夜的海上漂泊，吴石一家人从日本东京乘坐苏联油轮抵达上海，回到阔别多年的祖国。吴石站在油轮的甲板上，凝视黄浦江，对世事沧桑发出不胜今昔之慨，他对即将登上的讲台已迫不及待。

早在日本陆大即将毕业之时，远在南京的陆军大学校已关注到这位以第一名毕业的高材生，向他伸出橄榄枝，相邀他学成归来后赴校担任兵学教官，为学员讲授战术课程，薪金享受中将待遇，他经过一番思考即予应允。在1934年1月，他就接到入职的正式通知，热忱欢迎他到校服务。

陆军大学（简称“陆大”）作为国民革命军的最高军事学府，在国民党军中占据颇高的地位。陆军大学的前身为1906年5月北洋军学督办段祺瑞创办的陆军行营军官学堂。1912年由保定迁到北京，才正式命名为“陆军大学”，主要培养军队中的高级指挥官和高级幕僚。

陆大直属于国民革命军参谋本部，校长由军事委员会委员长蒋介石兼任，这等规格可见视军队如命的蒋介石对陆大的重视。国民党军有一条规定，只有陆大毕业者，才能出任军参谋长，陆大作为培训军队参谋人才的高级平台，成为当时军人向往的地方。班次分正、副班和特别班，明文规定：正、副班采取报考的方式，对象为各军官学校毕业任职三年的中尉至少校军官；特别班采取招收的方式，对象为少校以上军官，修学三年。吴石在陆大期间，特别班第2、3两期和第12期至第15期4个正班先后开办，其中不少学生后来成为国民党军队中的骨干。在中国历史上，向来有“天地君亲师”“一日为师，终身为父”之说，在当时国民党军队中也很重视师生情分。毫无疑问，师生间的特殊关系为他日后开展情报工作提供了方便，这是后话。

吴石在陆大执教从1934年春一直到1937年夏。这期间杨杰上将任常务副校长，他对于教学过程认真考察，对于成绩卓越、学员满意的教官优加鼓励，有不及之处亦亲自指导。教育长为王泽民中将，对教育有着同样的重视和负责。本期设6个战术教授班，各班主任教官为：第一班张亮清，第二班何雨田，第三班林斯贤，第四班何遂，第五班吴石，第六班黄模。将全体学员分配各班，每班10余人，主任教官除第六班外，其余皆中将级或中将待遇。吴石对自己的执教生涯，颇引为自豪，曾欣慰地回忆："二十三年（1934年）余学成归国。值参谋部方改组，辟余入部任职，陆军大学亦聘为教官。时第十期入校甫一年，学生以不满教官引起风潮。余甫任教两个月，风潮即告平息，当时，战术多采德籍顾问，来校任教者态度非常傲慢，目中无人。自余以生力军加入后，彼等遂稍敛其前态矣。"① 这位东洋归来的教官在课堂上大谈兵学之道，给他的学生以耳目一新之感，产生不凡的反响。因深谙西方军事，精通日语、英语，又研读中国兵学精典，能够比较中西战术，旁征博引，将一堂枯燥的战术课讲得生动活泼，引人入胜。吴石讲课让学生如沐春风，为之倾倒，他很快成为学生心目中尊敬的老师。

在现存的吴石的教案中，有一本用于将官讲习班的叫作《欧洲战史讲授录》的教案，其以第一次世界大战中国境会战与麻伦河会战经过为经典战例，来讲述欧洲战史。同盟国与协约国之间展开的国境会战与麻伦河会战这样经典战役如何讲？既不能因循守旧，人云亦云，也不能完全就战例讲战例，吴石动了不少心思。针对教官这一特殊学员群体，他决定按叙论、会战纪要、战役评论与教训等三个方面加以阐述，采用理论与实践相结合，军事规律与战例分析相结合，如同其教案所写"作有系统提纲挈领之叙述，以启研究欧洲战史之端绪并引起兴趣"。从教案中可以看出，他首先与学员探讨交流战史研究的心得，特别是目的、态度、方法。他指出：

原夫战争乃倾全国之力以与敌拼存亡之斗争，乃以生命为孤注之活剧。事之凶危无有过之者，绝非暴虎冯河者所足胜任。而各种用兵方法之研究，乃为必要。然历观自昔以来，战术战法之变迁、嬗变及纲要法则之进

① 《萃文叔生平传誌》（手抄本）。

步，无非由历次战役所得之教训，逐渐改革以来者。俄国战史学家扑斯拉乌斯基有言：“战术之根本当由各种战斗史研究而自然会得之者”。西哲谓：“历史学为人生一切学问之源泉。”吾人易言之，亦可谓：“战史为战争学问之源泉。”以故，研究战术而不讲战史乃舍本逐末，不足与有成也，自昔如斐得力、拿破仑、毛奇福煦辈之成为名将，莫不从研究战史而有得者。德国自毛奇之世，即知极重战史。当时参谋本部即有专课之设，陆军大学列为要课，各国群相仿效。日本军学界对于战史之注重实不亚于战术，陆军大学从前尚有战略学之专课，今则全由研究战史，以探究大军统帅之方策，其对战史之重要，视有如是者。兹将研究战史之目的及研究态度、方法等，分别述之如次：

甲、研究战史之目的

一、获得实战之经验。军人之学问、本领总括之不外乎指挥军队于战场中求胜利而已，欲获此本领，要在修习战术，但战术之真诠与其谓为学术，宁为艺术。盖学术有一定之方式与理解，如数学二乘二得四，电学阴阳感应而中和之类是也。战术则不然，举奇异一斑，言之兵力劣者固应取守势，然以攻势为有利者正复不少，非可拘拘于一端也。正如艺术之颙运，其神思巧虑，而超乎规矩准绳之上者，以故学战术徒读原则，则不过格式的学问而已。必须置重实战之经验，方为确切但实战经验既不易得，惟有赖于战史，以体得作战之现实状况，不至蹈虚不合实用之讥。

二、推究精神威力之效用。战胜之要乃综合物质的威力与精神威力而成者。研究战术必须明了此两者并重而后始合实际，但通常依想定而研究战术。对于精神力方面，无从表见。唯有从战史中以窥得之，换言之，即部队之活动全在指挥官之指导与平时训练，尤以在今日之战争非徒依兵数、装备，即足以解决战争之胜负，其有赖于精神力，以胜之者良多。古语云：“精诚所至，金石为开”。证之以往史乘，因炽热、旺盛之精神，以得胜利者历历可考，盖装备虽佳，死物也活用之者悉在乎人，惟人之精神十分统一、激昂，方足发挥我一切物质的威力，以打破敌一切物质的威力而得最后之胜利。此种无形之作用，绝非平常讲堂或野外讲战术者所能窥知其奥妙者也。

三、明了不意之变化（作战之实况）。实际之战争往往起不时之事变，非寻常学习战术所可窥见，如下一个命令。学习时为指挥官者仅凭学理上之计算于一定之时间，可以传达于部下，更依次转达于各队，其手续似甚简单，不知当实战之际，往往反乎预期转达、迟延或终至无法联络而弗克到达者，于是为部下者则须独断专行，作临时之处置，致与上级指挥官之计划。证之战史，此种事实不一而足。如研究战术则仅凭思考而假设种种之状况于发生不测之事变，良无法以描出之。

四、得统计的诸元以为研究战术之基础。战史之各种统计如战斗继续时间、战斗正面等，收集参较以为战术之资证，俾战术之研究得以彻底，而一旦与敌作战的实际之应用。惟此种统计，因时期、场所、地形以及敌军之如何而有变化，故所得者不过大体之标准。至临实战，对于原有之统计应加以修正。如日俄战争辽阳会战，日各师战斗正面为三公里；欧洲大战，一九一八年，德第一次攻势其正面平均一公里，等，原不可依为铁定之原则也。

五、窥知假想敌国之作战能力与军队之特征。“知彼知己、百战百胜”为用兵要义，以故作战对预想敌国之一切情形，尤以其国民性、军队素质、指挥官之性格及惯用之战法等必须了然于胸，次然后方克措置，裕如，指挥得当，为期获得经验而与敌国作试验的实战既不可得，惟有研究敌国作战之战史，以探讨之耳。如欧战，德对俄虽无实战经验，但依研究日俄战史而得类似实战之经验与登堡氏之克于但能堡歼灭战、麻志尔各役歼灭战。苟非深知俄军素质之钝重、联系不良等之种种因素，恐弗敢作如是放胆之行动也。

乙、研究战史之态度

一、客观的研究。通观战史之事实对其利害、得失作客观的观察，舍短从长，探求适当之原则俾不至曾经失败之事实，故辙重蹈。换言之，全依纯正战术思想，不加以主观的意旨细心研磨，俾养成确实之观念或增进优良之能力，以故现代之战史尚属未足以溯及古来作沿革的考求，且不可拘执于一端，必将其事实通盘了解，盖兵凶战危，其种种不可捉摸，不可局限多发横生之事实，在纸上视为不合理者，当实战之际乃属至当；又战斗不仅就成败之事实论之。盖战史中之胜利有当然之胜利与偶然之胜利，不能一味作胜利之赞美者。故研究战史对于此点必须虚心体认，不可先有成见存乎胸此也。

二、应以自己为中心而研究。是即以个人之智慧、学识为出发点，使其渐就发达。盖统帅指挥之要义在乎能于危险纷扰之瞬间有应付能力（定决心），危险纷扰之瞬间有不拔之毅力也（决心不动摇）。此非于平时以自己为中心，以研究诸问题者，弗足以养成此种之临机应付、确切不移之能力，以故于研究时首则不可徒泥于人言："囫囵吞枣。"囫囵吞枣者，未能将他人之智慧、经验、学理融化为一己之能力，殊为未可。次则，不可肤浅，从事张冠李戴，如某战役中央突破胜利、某役包围胜利，则以为某种场合可用中央突破，某种场合也可用包围者，误也。盖战史中所载战法实各具物质上、精神上各种特殊之条件。此种条件，历观战史，绝无出乎一辙者，故徒拘拘于形式，以为相同即可漫然模仿者是赵括读父书之流，不可为训也。总之，吾人研究战史根本在培成一己统帅指挥之才能，即无论如何难有临机自行打开"定"与"慧"，以故必须彻底了解其精神所在，非徒咿呶咕哔拘拘于字里行间者，所可与言也。

三、设身处地的研究。研究史学，必须深考战史之实际，设身处地而体得当时之实况，而稽其得失，方能蔚成自己之学问，是乃学史不易之法则，尤以研究战史为然，必先自处于状况中指挥官之立场，深切体得之，方能确有所得，而达于运用之域。换言之，即依实际批判的态度以研究，方可也。

四、应具有英雄之心理。所有战史杰出人物作战方法对其超拔之计划、神妙之活动与机警处置必须细为玩味。如，拿破仑氏善以寡击众、毛奇氏之分块合击与登堡之放胆作战、霞飞之退却作战等皆超越恒流之才能。神妙莫测之活动必须善为玩味，与其同化，以培养一己统帅之能力，如汉关羽、宋岳飞等之好读《春秋》、《战国策》；如亚历山大、拿破仑氏等能考求名将之战功而融会贯通，乃蔚成其绝伦超群之作战能力也。

五、应以国军为基础作主观之研究。大凡一国之战术必当有其战术思想，从无各国通用之白纸战术。各国之战术思想每依国民性、军队素质以及军事技术装备，预想敌国、预想战场、预想战争指导方法等而变化，更因其国之社会状态、时代之变迁而推移，以故欧美之战术惟欧美适用，某国之战术惟某国可用之。研究战史必须造基于我国之立场、我国之战术主义。主观的探讨，研其成败、利钝，何者可取？何者可舍？是为要义。又，战术亦往往有时尚流行之思想，必须以怀疑的态度加以根本考察而予以改造，不可为时代所支配，趋尚眩惑。十九世纪以来，攻势战略思想弥漫流行厚丰，而近来乃有退避作战、阻塞作战等之实施与研究。凡为名将者在能发见当时战术之弱点，观察时势，创造善法，不为时势所左右而能克服时代、超越时代，斯能操胜利之左券，如拿破仑即其表率也。所谓超越时代者，并非矜奇眩异，要在能把握事实，窥察其根源而发挥其创造之才具耳。

丙、研究战史之方法

战史即为包括战争一切之事实，其内容异常广泛。除武力战范围之作战计划、作战指导以及战斗之实施外，如政略战争范围之政治、外交以及与经济战、思想宣传战等有关诸问题皆在述之列，然吾人但就武力战争范围之研究言之，则有如下之方法：

一、依某战史之全战役自始至终作系统的广泛的研究。

二、于战史中选择其必要问题，摘取而研究之，如研究全战役间之战争指导或全战役之后方补给问题等，是也。

三、对战史中某一会战之统帅指挥战斗方法或某指挥官之能力选定而彻底探讨论究之，如通常所行奉天会战之研究、坦能堡会战之研究等，是也。

四、依研究战术之形式将战史之状况编成想定问题等逐步研究其决心与处置，而详定其作战之利害、得失。

五、就战史某会战研讨其起因、经过、结果，藉以获得敌国惯用之战法、敌指挥官之能力，以及素质等或探讨战役某种统计等之种种教训。

1936 年仲夏，时年 70 岁的恩师何振岱自北平南下。这时，已在南京的吴石将恩师迎入自己租赁的寓所——南京市百子亭 12 号。在书斋，他与恩师畅谈国事，纵论诗词。迎着炎炎的夏日，师徒游览吴中名胜。关于这一段经历，在何振岱的诗集《觉庐诗稿》中多可寻到踪影。在其中《至南京数日高蓓堪及弟子黄挺生吴虞薰黄曾樾予二子澧澄集高宅斐君轩缩影为图诸生皆有诗予亦题其右》《澧儿送予至南京主吴虞薰家留数日复北返途中寄一诗来诵之恻然因书以答》《吴生虞薰及四儿澄暇日常从游吴中山水偶书寄示旧都儿女》《游栖霞寺观六朝石壁佛像》《吴宅坐月书虞薰语》《金山》《焦山同蓓堪虞薰》《扬州杂诗十二首同吴虞薰作》《蓓堪虞薰同游嘉兴烟雨楼》等诗作中，都可读出何振岱在吴中活动的情况及愉悦的心情。如在《蓓堪虞薰同游嘉兴烟雨楼》诗中，何振岱写出高蓓堪、吴虞薰欢愉微醺的情状：

湖山婉婉径幽幽，三客微醺共倚楼。
衰柳犹垂烟缕翠，碧波能写橹声柔。
何人吹笛余闲恨，一曲回栏有暮愁。
老去喜晴常畏雨，故应春赏逊晴秋。

在何振岱的笔下：“至南京数日，高蓓堪及弟子黄挺生、吴虞薰、黄曾樾，予二子澧、澄集高宅斐君轩，缩影为图，诸生皆有诗，予亦题其右。”只可惜诸生所作诗已遗失，幸有何振岱诗文存世，该诗以轻松的笔调写道：

君居吴郡我幽燕，屈指睽离不记年。
何分江关新邂逅，又温几砚旧因缘。
相看两鬓成斑白，万事多时换海田。
别有欢悰图未得，此时语笑足流连。

面对恩师，吴石倾诉心中不能到军队一线施展才华的郁闷，再也掩饰不了心中的遗憾。作为恩师，何振岱太了解这位得意门生的追求。在何振岱《吴宅坐月书虞薰语》诗中，精确刻画了弟子情绪的细微变化：“吴君对月语酸辛，云近高年意倍亲。乐与先生操几杖，自怜身是少孤人。”[1] 此时，吴石的内心是孤独的，他清楚：他与“新桂系”的政治背景，中央政府是不会

① 《吴宅坐月书虞薰语》，何振岱：《觉庐诗存》，1938 年福州刻朱印本。

给他实际兵权的，不可能到一线领兵作战。他克服孤独的良方只是等待机会，先专心地著书，慢慢地打发着青灯映黄纸的治学生涯。

纸上行舟

在上课之余，吴石除了整理情报外，一门心思花在研究学问上，潜心梳理多年来的学习心得，整理这些年来所写的诗歌、游记，一篇接一篇，一本接一本地撰写军事理论专著，耗掉其生命中宝贵的三年多时光。

吴石经过多年的努力，此时厚积而薄发，一发而不可收，佳作频仍，奠定了他在军界中军事理论专家的地位。

到了 1937 年 7 月，短短的三年多时间，有 10 多本个人著作先后问世。其中，有兵学研究会出版的战术丛书之一《孙子兵法简释》、之二《战术研究之津逮》、之三《战术原则之沿革》、之四《克罗则维兹〈战争论〉之研究》、之五《左传兵法笺释》以及《兵学辞典粹编》，故宫印刷局出版的《最近航空述要》《近代战争与国防之本质》《日本近情鸟瞰》，大东书局出版的诗集《东游甲乙稿》、游记《东游追记》，商务印书馆出版的译著《警察学纲要》《国防蠡测》，著作既涉及文学诗歌，又涉及军事理论研究，既包括国防研究，又涉猎警察学、航空理论等，范围极其广泛，展示出军事理论家的深厚功力和文学方面的极高天分。经过岁月的洗礼，所幸的是，除了《战术研究之津逮》《战术原则之沿革》《〈左传〉兵法笺释》《日本近情鸟瞰》《东游追记》《国防蠡测》尚未发现外，《〈孙子兵法〉简释》《克罗则维茨〈战争论〉之研究》《兵学辞典粹篇》《最近航空述要》《近代战争与国防之本质》《东游甲乙稿》《警察学纲要》等其他重要各部珍藏在国家图书馆、上海图书馆、福建省图书馆、重庆图书馆、福建师大图书馆等处，让今人可见其真容。

他自行编纂刊印个人诗集《东游甲乙稿》，共收集诗歌 173 首，均为东渡日本留学时所作。其中庚午（指 1930 年）以前所作列为甲稿（收录 1930 年刊印的《东游甲稿》84 首），辛未至癸酉（指 1931 年至 1933 年）列为乙稿。

何振岱题签的《东游甲乙稿》

1935年春日，何振岱先生高兴地为其高足诗集题写书名并以“友生”的名义作序，何振岱在序中指出：

古者文武之途未尝分也，故军礼居五礼之一，而治军为儒者分内事。孔子以未学军旅答卫灵公，以问非其所问托词以谢之。然夹谷之会，子称有文事者必有武备，因之从容而却齐师，圣人之情亦可见矣。且圣门第子身通六艺者七十二人，即后世以儒生为名将如史书所载者亦不可枚举，彼沾沾焉，谓随、陆、绛、灌之不兼文武者，何足以知天下有志之士哉？予同里吴君虞薰，家世业儒。君幼承庭训，喜读书，能为古今体诗。以国家多故，奋而习武，东游入陆军大学，肄业有年，以馀暇赋诗。选录百篇为东游甲稿，兹复以所得若干首为乙稿，徇其友人之请将合梓之，问序于余。余览君诗骨清而语洁，览物写景皆有会心，而跃马横戈，悲歌慷慨，尤不胜其故国河山之感。盖其身之所经、目之所触正有耿然不能自已者。劳者谣而病者呻，读君诗亦可知其志矣。虽然君年方盛壮，后此有为之日正长，立身之道、经世之猷所当旦夕策励者必已。精而益求其精，是君之自期与予之所以期君者，方至远且大也。诗笔之工乃君余事，顾已有可观，如此根底深者枝叶必茂洵哉。

吴石在该书的弁言中也谈了对诗的感悟，他认为：

古人以诗陶写性情，皆有其自然之故，而不能已于言者。予萍梗四方，情之所感颇寄于诗。迩年更事，多知学殖未足，戊辰冬遂有扶桑之游。异国山川殊方风物皆足动人，益以辽东之变伤心尤甚。去国五载，行箧所积不觉成帙，自维鲁质，又早岁失学，焉足言诗。第身历海外，与接为构异于平居，远近之知好爱我者皆欲得而详知之。而此百余章固亦余所愿以告之友朋，俾知余有呕心而不悔者，正以有耿耿难消者也。爰付剞劂，用代缮录。

除了《最近航空述要》《东游甲乙稿》《警察学纲要》为旧时文章整理外，其他均为新作。这些新作，吴石在稿纸上一字一句写了出来。初稿写就，无不经过反复修改。常常是直到文章付印之前，他还字斟句酌，不放过一处可以表达得更妥当、更贴切的地方。吴石就是这样一位勤勉、严谨的治学者。

《克罗则维兹〈战争论〉之研究》

克劳塞维茨（Carlvon Clausewitz，1780—1831），是普鲁士一位出色的军事理论家、军事史学家。1792 年他加入普军，次年参加对法战争。1803 年从柏林军官学校毕业。1808 年任总参谋长办公室主任，积极从事普鲁士军事改革。1812 年转入俄军，参加抗击拿破仑一世入侵的战争。1814 年回普军后任军参谋长，次年参加利尼会战。1818 年起任柏林军官学校校长，领少将衔。1830 年任炮兵监察，次年任边境普军参谋长。长期致力于军事历史和军事理论研究，著有《战争论》等。《战争论》在西方享有盛誉，被认为是论述军事思想最好的一本著作。在欧洲，不少军官成为克劳塞维茨及《战争论》的信徒。他的名言：“如果没有想清楚要以战争达成什么，以及准备如何完成，没有人可以轻易发动战争，最好连想也别想。”克劳塞维茨的军事思想长期以来得到西方军事家的追捧。

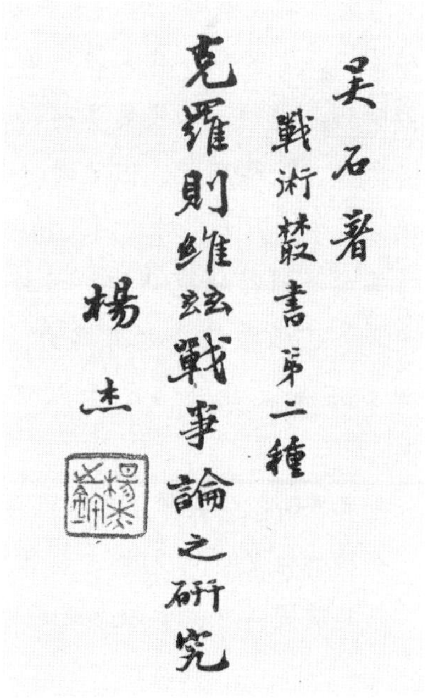

《克罗则维兹〈战争论〉之研究》封面

早在日本留学期间，吴石就观察到克劳塞维茨《战争论》在日本军事界备受推崇，对日本军事人才的培养起到重大的作用，而在中国国内知晓者寥寥无几。回国后，吴石对此念念不忘，花了相当多的精力投入研究，啃下这本很少读且很少人读得懂的世界兵学名著，并将自己的心得加以整理，形成专著《克罗则维兹〈战争论〉之研究》。1937 年 7 月，在兵学研究会资助下，长达 2.5 万多字的《克罗则维兹〈战争论〉之研究》一书发行了。1943 年 2 月，该书被李浴日收入《东西兵学代表作之研究》（论文集）。

《克罗则维兹〈战争论〉之研究》是吴石将军的一部重要军事著作，集中他研究克罗则维兹[①]军事名著《战争论》的体会。全书共分 8 章，从克氏其人谈到《战争论》的主要精神与价值，进行了多方面研究与探讨。

吴石在《克罗则维兹〈战争论〉之研究》的“通说”中指出：

德克罗则维兹所著之《战争论》，实为挽近战术典令之滥觞，无论东西洋各国之兵学，自难越其矩矱。近代我国兵学或输自日，或输自德，虽非直接传自《战争论》，然其所受间接之影响洵非浅鲜，故欲作兵学之真正理解，对《战争论》，必须加以涉猎、稽讨，方能明原则所自来，而有确切之认识。

考克氏之《战争论》，先探研战争一般之理论，或加演绎，或加归纳，而确立二三之原则，且常以战争之绝对形为基础，而付与以普遍性，故不能因时代之递嬗，而消失其薪新之光芒。虽然，兵学原随时代而进化，其根本所在，虽鲜变迁，但欲因时制宜，适合其用，则须随地取舍变革，是故读《战争论》者，对此则又须顾及。

吾人居恒欲研究战史，抽绎其善遍性所在，而对于固有之原则，加以变革，已需极缜密之考察力，与湛深之创造力，而况创设一原则，其困难更不知其凡几点。于以可见克氏之天才，洵非常人所敢望其项背也。

今者吾国之于兵学，已从沿习时期，而入于创造时期，举凡鉴彼我之状况，而确立主义；讨先进之成章，而采取至善，其间之斟酌损益，煞费踟蹰，而其前提所在，要以参澈原则之由来为第一要义，苟不察其根源所自，

① 今统译为“克劳塞维茨”。

而徒歆羡新奇，则难免于凿枘不入，闭门造车之讥。兹篇之辑，亦只为国军兵学之创造，贡涓滴之参考云尔。

在文中，吴石分别从战争之本质与战争之行为、兵学建设之态度、遂行战争目的之手段、政略与战略、兵学之要素、战略与战术、战争计划 7 个方面全面阐述克罗则维兹《战争论》的要旨，旁征博引，鞭辟入里，显示其研究功力。

“研究兵学之良导”《兵学辞典粹编》

《兵学辞典粹编》于 1936 年 12 月出版，而后接连发行第二版、第三版，1937 年 4 月一个月之内又发行第四版、第五版。到了次年（1938 年）6 月，发行了第六版，无疑是一本极畅销的兵书。在当时军事学界产生了重大影响，被军界视为“军学之优良参考”。《兵学辞典粹编》使吴石在军界大放异彩。

蒋介石、冯玉祥、何应钦、朱培德、唐生智、程潜等统帅、将军、名流纷纷为该书题词。周亚卫、张华辅、曹浩森、张治中、杨杰、熊斌、谷正伦、龚浩、陈焯等名人为其作序。题词作序名人之多，足见该书的不同凡响。

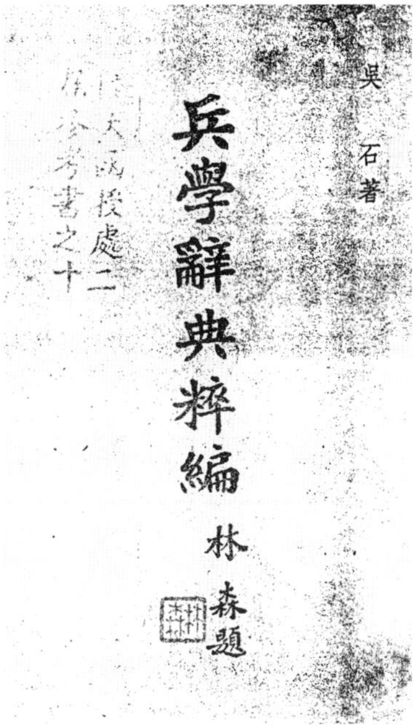

《兵学辞典粹编》封面

张治中在序中说：吾国近年对于军学之研究，不遗余力，以期为国防上之最大贡献。无论负指挥责任及教育研究责任，多手军学一编，昕夕钻摩，思获得技术上实施上之秘诀，以供国军之用。本校于最近一年间，因各处需索统计、检赠军事书籍、约及万册，图书馆之借阅，尤应给不暇。此种竞学习尚，实为军学进步之主因，第以吾国军学多取材于德日两国，以为借镜，转译而来，对于术语名词，每感不能统一，且不齐全，同一术语名词，因无确切概念致滋疑窦。且译述人员，因术语名词之不确切齐全，恒失真义鱼鲁相传，致学者难得要领，事倍功半，实深苦之。乃者吴虞薰先生有鉴于此，将几年来担任陆大战术、战史等课之教材，与平时覃研所得，编为《兵学辞典粹编》一书，自国家战争指导大军作战之方略，各兵种之战术，以及近代编制、装备、兵器、交通等，举凡军学上紧要之术语不特阐述其语义而已，并说明其运用与简洁之原则。且于必要处，更摘引史例，以资征证。书分十二章，约十万余言，卷末并附兵语索引，以便临时之检讨，不啻最新之兵学百科缩本，诚研究者之一大助力也。晚近军事技术进步显著，作战方策，变迁不已，军事术语，愈趋复杂，每令学者有望洋兴叹之感。我国素乏军事辞典专书，坊间所出，仅具雏形，非但浅近难供研究军学之释疑，且宗日宗德难免有歧异之点，毫厘之差，谬以千里。学者盲目苦研，愈觉丈二金身，无从得头脑处。今此书一出，为军学会粹，析疑辨难，裨益殊多，近将于月内出版，公诸军学同好，特略举其实，以为一言之介，是为序。

谷正伦在序中曰：现代军事术语辞繁义晦、类多费解，吴君虞薰出其余绪，撰著是篇，堪为研求军事学术之准绳。为弁数语，以志钦迟。

实际上，这本书讲的是各类军事术语。为什么要编写《兵学辞典粹编》，在该书《凡例》中，吴石讲到编纂的主要考虑：军事术语，乃一切军事学之根柢。无论军学专门之研究，或军事常识之涉猎，必将成语之概念，了然胸次，然后乃有纲举目张之效。现今海内袍泽，勤研军学之风气，已蓬勃不可遏止，而各界人士，对军事国防之力求认识，亦人同此心，顾军语辞典一类之基本书籍，尚觉寥寥，自宜亟图有所副此需求，兹篇编辑之微旨，此其一。我国军事学东西洋并参，所有兵语，往往迻释各异，聚讼纷纭，莫衷一是，是参考各国用语，顾虑本国惯习，斟酌适当，期为我国标准兵语之参考与草案，极为必要，兹篇编辑之微旨，此其二。

为何书名又加上“粹编”二字？吴石认为：军事术语，因战术与军事技术之变迁，语汇綦繁，本篇仅择其最关切要者，加以诠释，冀取其精华归于实用，所有较为委琐，及极端专门者，概不列入。这样，取“粹编”二字比较合适。

全书分战争通说、军制、战略及战术、各兵科战术、上陆作战、后方勤务、要塞之攻防、兵器、筑城、地形及测图、交通及输送、情报宣传及谋略 12 章，收入军语 1311 条，约 10 万多字，卷末并附兵语索引，被视为“最新之兵学百科缩本”。

该书编纂方法“首将兵语之界说，细加阐释，俾一语之定义，划然可辨，更择其必要者，说明其运用，与简明之原则，间或溯其源流，或证以史例，以明其所自来。意义力求深澈，语句力求浅易，俾无论专学与普通阅者皆得其用”。

在编辑的顺序上，“因战争、军制、作战、战术、兵器、筑城、地形、交通、谍报、宣传等而分门别类，俾通读全书，感有趣味，并于卷末，按照字画，附以索引，俾便单语之检寻”。吴石在著述编排时的考虑可谓用心良苦。

从全书来看，阐释、定义的词条逾千条，达 1311 条。释义长的上百字，短的十来字，用词颇为讲究。如“战争哲学”词条释义为：“对于战争为善或恶；于人生为必要，抑非必要；以至于永久和平可能，抑不可能，如果可能，必须具有何种条件，又如永久和平不可能，当依如何方案以期减少战事；依哲学的见地，加以诊断之谓也。古今中外之哲学家，对战争或加以歌诵，或加怼骂，各有见解。就中论战争发生原因者，有如左列之数种：

（1）人类之本能（所谓生存之属之）；

（2）人类之欲望与感情（如权势欲、民族的感情、文化冲突、思想冲突、政治冲突等属之）；

（3）社会的发达（如统一战争、革命战争、独立战争、阶级战争等属之）；

（4）神秘的观念（如宗教战争及其他不可思议之战争等属之）。”

“军事预算”词条释义为：“国家关于军备，经常与临时等费用之预算也。”现今各国对于军费，均年见增加之趋向，兹举军事预算与一般政费之比率如次表。

列国近年总岁出与军事费之数目及其比率表

军 度 国 民	1933		1934		1935	
	军费额	对总预数比率	军费额	对总预数比率	军费额	对总预数比率
英	108 百万镑	13.9	114	14.5	124	17.0
美	479.7 百万金元	12.3	612.8	14.2	792.5	17.6
法	11.447 百万法郎	22.2	2187	22.3	1900	21.0
德	879.2 百万马克	14.8	1353	21.0		
意	4584 百万利拉	19.0	4300	20.8	4614	23.2
日	872 百万日元	38.7	937	43.8	1023	46.7

备考：（1）英、美、法、意诸国之军事费，殖民地军费由拓条机关支出。故占比率较低。合计之，平均总在百分之二三倍左右。而日本若连其他支出于各省之间按军事数计计之尚不只表内数目。

（2）日本本年度（1936 年度）之军费数为 8 万万 59 百万元，占总预算 472%。

国家在战时，以适合于作战之目的之理财也。换言之，国家当战时，以特殊之岁出、岁入策略，举全国之物力、资力，悉以货币之形态，而集中于国家经济的收支而达作战之目的之谓也。概有广义与狭义之分。在广义言之，如：租税之增设，公债之募集，国营企业之增收，信用货币之膨胀等，单纯岁入增加之行为，以及金融机关之统一，与投资之指导限制等量也。狭义言之，则仅包含于调整战时国家岁出入之直接的诸任务，其业务之分类概如次述：

A. 亘久性之措置

（1）增税或新设税目

增税，除一般增税外，另有侧重于战时特别需要品之流通税及娱乐税与战时不需要品之消费税等。

新税，为新增税目，如欧战时最普遍者，为战时利得税，与所得税是也。

（2）内债

欧战时以德国之公债为最良，且最收效，始终单纯维持之战时公债之名称。战争中前后募集凡九次，额达 1069 万余马克。英国战时税之收效最著，但公债一次，战时约占 85% 云。

（3）外债

此于有利害关系之国行之，其效甚大。惟现代战争，贸易破坏战，封锁战等，影响于中立国之权利甚巨，将来战恐惟限于同盟国，方能收效。日俄战时，日本战费 40%，仰给诸外债。欧战末期，协约国中如英、法、比等，殆依赖于英国贷款也。

（4）通货膨胀

利用硬币及其他用证券，发行纸币，欧战中始终维持（名目上）金本位制之英国，发行纸币客，尚达 3 万万 2 千 3 百万英镑，其他可想见也。此节对于注意需给之均衡，极属紧要。

B. 临时紧急措量

（1）银行借款

欧战中，法国下动员令时，即以银行行长名义，允许政府透支 29 万法郎。

（2）移用特别会计款项

如欧战英国移用减债基金 275 万镑，惟此节必须注意尔后信用之维持方法。

（3）发行特别证券或国库券

欧战英国于动员令之夕，发行财政证券千五百万镑，期限为六个月。

“决战”条释义为：“战争不论依进攻或防御之形式，立意在战场相互决定胜负者之谓也。”

这些释义在今天看来，仍然意思明了、表述清晰。

1941 年 10 月，吴石在抗战烽火中完成《兵学辞典粹编初续》，林森题写书名，在广西桂林发行。李济深、林蔚、张发奎作序。

林蔚在序中写道：

自一九一四年世界大战以来，兵学进步，一日千里；而名词之发明，亦日新而月异。盖兵学名词，实有政治、法律、经济等科学精蕴，绝非单纯之意义所能概括者也。或由历史相沿，或由时人习惯留传，遂为不刊之典。又以军语日见繁复之故，每有字面近似而意义不迥不相同者，亦有字面平常而含意深远者。此种专门名词，如不加以肯定之解释，则其性质与意义，匪独时人易滋误会，即军事人员亦尽能通诠译则不能，影响于学术者甚钜，即在战争实际上亦虑其发生误会也。吴君虞薰达于军学，早见及此，爰有《军学辞典粹编》之作。出版后，风行一时，人咸视同拱璧。最近，鉴于世界战争之演进，更有续篇之作，取材于异常新颖，编次解释亦格外详明，兼类书、词书之用，诚有观止之欤？夫军事学问，最要者在明审而不隐晦，真实而不含混，而军学之发端，则自觉名词始。是则兹篇之作，不但巩固军事学术名词之基础，而对于政治、经济以及文化之贡献，亦大可观。古人所谓立言，吴君此篇庶乎不朽矣！

吴石的搭档张发奎也为该书写序，予以积极的评价：

兵家之学兼赅至广，盖自哲学与历史、地理、政治、经济、教育、社会、数学、物理、化学、生物、人类、天文、气象、工程、医药，各种科学无不采撷精要，纳诸理于一轨，其复杂繁博远非他科可比。及其应用于实际也，或以除暴诛乱，辟土开疆，或以御侮救亡，图存扶弱，求备于政教典制之修明，仓禀府库之充实，器用财贿之富赢，闯塞兵革之坚锐，水陆交通之便利，内外消息之灵通，欤民气之发扬，士卒之精练，指挥之统一，计划之周详，然后可以胜敌而致国家、民族于乂安，否则将无以立国焉。兵学之重，抑可知矣。

然古今中外兵书之目，卷帙夥颐。近复东西两洋，战争触发，军事上之进步与发明日见新异，不有钩沉提击，则笃于是者，犹将病其茫然，况未涉其者乎。古闽吴虞薰兄治兵家言二十余年，其创为专书，见于劝业，传诸弟子者，久予当世以共识，独患治兵学者之济深行远而未得津梁也，乃于年前纂《兵学辞典粹编》十二章、可十万言，用宏取精，因博求约，横舍之士，帷幄之传，莫不便焉。而自吾国对日抗战以迄，德、意对欧、非、英、苏之战，期间四载有余，在兵学上尤多创获，续成《兵学辞典粹编初续》又五六万言。余观是书体制，虽属辞典，而内容丰赡，可云近世兵学源泉，至其取材之审覆不苟，则发凡书例，已明见端倪，循斯榘度，简练以为揣摩，其所得当有不仅在文字之间者。去秋，虞薰兄拜命来柳，擘划军事，斩桂南残寇，遂得廓清。昔孔子云：与其托之空言，不如见诸行事之深切著明也。请以斯言，为续是书者告。

醉心于《孙子兵法》研究

吴石自上军校开始就研对《孙子兵法》产生浓厚的兴趣，一度如痴如醉，乐此不疲，有《孙子兵法简释》一书刊行于世。《孙子兵法简释》作为其战术研究丛书的第一种，1936 年 11 月由世界兵学编译社出版，表明吴石在孙子兵学研究上大大向前了一步，有着明显的近现代气息与面貌。

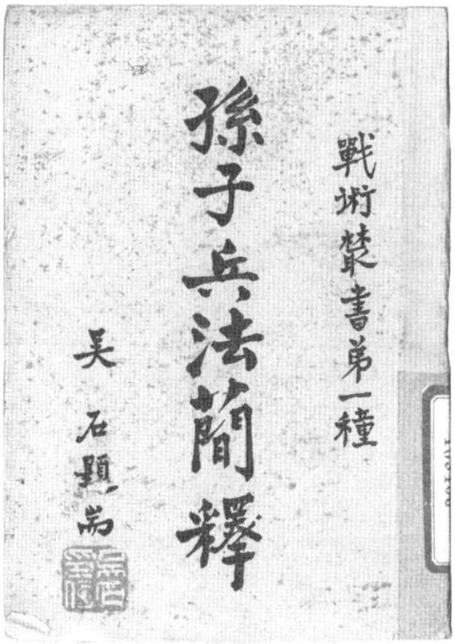

《孙子兵法简释》封面

古往今来，谈论兵家者无不首推孙武，其著作《孙子》又称《孙子兵法》，是我国现存最早的古代军事名著，被世界公认为“兵学圣典”。孙武为春秋末期齐国人，其生卒年月不可考，约与孔丘同时期，活动于公元前 6 世纪末至前 5 世纪初。他从齐国出奔到南方的吴国，经吴王重臣伍子胥的推荐，吴王阖闾知他善于用兵，便重用为将。他同伍子胥辅助吴王经国治军，对于吴国的崛起，“西破强楚，入郢，北威齐晋，显名诸侯”，起过重要作用。

《孙子》问世后，对我国古代军事思想的发展，曾产生过重大影响。早在战国时期，《孙子》就广为流传。韩非在《五蠹篇》中说：“境内皆言兵，藏孙、吴之书者家有之。”战国军事名著《吴子》《孙膑兵法》《尉缭子》等就引用并发挥了《孙子》的若干军事思想。1972 年在山东临沂银雀山一座西汉墓葬中，发现迄今最早的竹简《孙子》等大量兵书残简，说明西汉时《孙子》流传也是很广的。三国著名军事家曹操称赞《孙子》说："吾观兵书战策多矣，孙武所著深矣"，并对《孙子》作了注释。唐太宗李世民同其名将李靖问对兵法时，说："观诸兵书，无出孙武"。从战国以来，《孙子》为历来军事家所重视和推崇，研究者不乏其人。

《孙子》全书共13篇，论述了"计""作战""谋攻""形""势""虚实""军争""九变""行军""地形""九地""火攻""用间"等问题。在这些问题的论述中，孙武揭示出一些具有普遍意义的军事规律。

吴石对此进行了深入的研究，深为孙武的伟大战略战术思想所折服。在如何辨别胜负结果的问题上，一般人习惯于按照"胜方"和"败方"的概念来划分。而孙武却不这么认为，他在《军形篇》中指出，"不可胜在己，可胜在敌"，也就是说，胜负的结果除了胜与败之外，还有"不败"的状态。吴石认为，与非胜即败的单纯二分法相比，《孙子兵法》中的理论极大地丰富了战略内涵，便于人们在实战中更灵活地应用。不仅如此，孙武还对"战争的必要性"这一涉及战略基础的问题提出大胆的质疑。在《谋政篇》中指出："百战百胜，非善之善者也；不战而屈人之兵，善之善者也"，这句名言公然否定勇武的思想。吴石认为，从自古以来的历史来看，《孙子兵法》中包含战略的真理光芒无人能及。

孙子碑亭

在抗日战争胜利后，1945年，军界同仁选定在苏州著名的风景区虎丘修建孙子碑亭，一致推崇吴石将军撰写碑文，足见其在同仁中的影响。1948年10月，吴石受袍泽之托写就了《孙子碑亭记》。只可惜战乱，碑亭虽建，碑文终未立。我们只能从仅存的吴石将军《孙子碑亭记》的手稿略见一斑。

现将这段珍贵的文字抄录如下：

抗战胜利之翌年，我杀敌卫国之袍泽，相与筹建孙子纪念亭于虎丘之上，所以瓣香行哲，丕显武功，甚盛事也。期年亭成，请记于余。余维三代以往，兵民不□，教三大道，亦文与武兼，即国民基本之教育。西汉以后，此者渐微，自□兵改而□，于是三代之意，全不可见。不知建国与建军相离，生活与战斗不一，则国防成为少数部分人之责，国之不弱且亡此畴不可得。孙子曾云："兵者，国之大事，死生之地，存亡之道，不可不察也。"此所谓兵，亦即今日所指之国防。然以今日言之，国防固□全民负责，兵不固□□，举国皆兵，而甚能□□之胜利者，尤在于科学。战术战略合于科学，战甚武器亦合于科学，有关作战一切均合于科学，则战争能□□。孙子既主张全面□□，其十三篇虽无科学之名，无一不合于科学。明人言：□□孙子者不及孙子，及孙子者不□□孙子。千岁将兵，有成者，有败者，勘某事迹，皆与孙子所著一一相抵当，□□印团模刻，一不差失。不惟中国，外国亦然。欧美日本之军事学家，莫不服膺孙子。孙子之声光，洋溢于古今中外矣。抑余尤有进者，吾国以武德为尚，三代五者之师，司马九伐之法，有异于今日列强之侵略主义，然则，为世人效法者也。斯亭之成，固以纪念孙子，亦以表扬吾中华开德于世界者也，是不可以不记。

吴石用喷涌而出的激情，把原本一篇普普通通的祭奠文字融入孙子理论的深湛哲理，写得奇崛雄健、浩气充塞，一种"以表扬吾中华开德于世界"的自豪感跃然纸上。尽管底稿中有个别地方难以辨识，全文不可能完全复原，但不影响读懂全文的深意。今天读来，仍可感受到其希望发扬中华荣光的心情。

在军界的推动下，苏州地方政府着手整修虎丘名胜，筹建孙武纪念亭。纪念亭设计建为六角形小亭，因内战未能建成，吴石所写碑文也因此束之高阁，成为多余的文字。1955 年，重建孙武亭。亭内匾额"孙子之亭"及碑刻上的题句均出自中国人民解放军上将张爱萍之手。题句为"孙子兵法，克敌制胜。娇娘习武，佳话留传"。一个小小的孙武亭，寄托国共高级将领多少孙武情结！

译著《警察学纲要》

《警察学纲要》于1935年6月出版，为迄今所能得见的吴石将军唯一的一本译著。为何翻译这本书？吴石将军在序中作了阐明：

国防为国际和平之准备，其关系之重要，尽人而知，然尚有与此等量齐观者，警察问题是已。警察为维持社会安宁卫护人民生活而产生，其所负之使命非常重大，往昔警察规模简陋无论矣。晚近文明进步，社会事业增加，举凡关于赤化运动、选举问题及其他风俗、交通、犯罪、工场营业、火灾、疾病等，凡属民众生活者，均归纳于警察行政范围之中。

就国防上言，国民皆兵，固为当然之规定；而国民皆警察，亦为显著当行之要图。但从来所谓警察故步自封，伈伈于官吏掌握之下而忘其所自，不能使国民明了其意义之所在，而与之为休戚相关之合作。

现今世界公共安全之观念，蓬勃如甑上气。潮流所趋，警察容可因循苟安。故对于造成警察之高尚智识者，不啻造成人民生命、财产之安全。况际兹

新旧版《警察学纲要》封面

世界交通、外交频繁之时，与民众直接的内政接触之警察行政，万绪千条，待理方殷，此日本九千万人民生命、财产之安全，亟有待于“国民警察”之实现也。

著作夙抱斯志，亟欲振兴“国民警察”。并愿以自身之经验，忘却顾忌为吾国警察之批评，志在促官民之勠力，跻吾国警察为世界之冠。

评论社社长铃木氏，深亮余志，嘱著《警察学纲要》售世。宿志所诣，其何敢辞。唯公务倥偬，握管无暑，勉成是书，自知挂漏，顾哓哓所及，从来所谓干燥无味之警察行政，今其或者因是得以普及，是则著者区区贡献国家社会宿愿得酬之曰也乎，爰述数言于简端。

在首都警察厅任职的浙江籍同学陈焯为其作序：

人类孳生不已，文明随以演进。警察制度适应时代之要求，亦必日新月盛，因时制宜。东西各国，从事于警察者，不独谠论宏议，撰述斐然；而除旧布新，斟酌损益，往往曲折以赴事势之会，内政修明，非偶然也。日本松井茂氏，本身心之蕴蓄，参以考察之所得，著为警察读本一书，提要钩玄，搜罗无外。因上古神道设教，知警察与宗教道德相混同；中世文武并重，知警察与军队行政相混同；现代科学发达，交通频繁，知警察有国际合作之趋势，抽茧剥蕉，逐层探讨。于是以历史之眼光，下对症之药石，昔之民可使由者，今则须求人民之自警矣；昔之闭关自守者，今则须求适应他族矣；昔之权利义务有所偏枯者；今则须并重矣。然此犹因应于一时，非根本之至计。必也，人皆警察，譬之人尽为兵，移军队化之思想，为警察化之制度。此松氏所谓国民警察，苦心孤诣之未来的警察，乃卞和璞中之玉也。吾友吴君虞薰，曩与吾参北伐军幕，旋卒业日本陆军大学，回任要职，于勤治军事之余暇，逴译是书，以饷邦人，我国开化最早，书之“守望相助，疾病相扶持”；史之“轨里连乡”，“更番值宿”，虽非警察制度，实寓有国民警察之精神，倘能以此书先供警界之研几，继博人民之认识；并将公安教育加入国民教育之中，进而媲美欧美。则松氏希望日本完成国民警察之此书，而我得收经传天竺佛盛中华之故例，是乃吴君逴译之本意也。

教科书式的学术专著《警察学纲要》由总记、各记两编组成，共30章凡 166 个专题，约 13 万字，涵盖警察学诸多基本问题，概括了当时日本及欧美诸国警察制度概况。作者松井茂长期担任日本警察高级管理职务，而且多次参加相关国际会议及考察欧美警察制度，对警察学有较深厚的学术功底。

作为民国时期一部有一定代表性的法学译著，2005 年，该书入选中国政法大学的“中国近代法学译丛”，再度行世。这从一个方面证明了该书的价值。

第七章
剑指日寇

从书斋到前线

参谋本部第二厅为国府最高的军事情报机构，负责对国内外的军事情报的收集和研判工作。进入1935年，对日作战有一触即发之势，对日本情报的需求要求越来越高。参谋本部所掌握的日本情报与形势发展仍不相适应，特别是第二厅（情报厅）负责日本情报的第一处处长一职尤显得关键，而这个位置在参谋本部是一个没有多少油水又吃力不讨好的专业性极强的岗位，少人敢问津。一开年参谋本部就抓紧物色相关人才，把目光投向直属的陆军大学。回国执教不到一年的吴石因日本陆大高材生的背景加上在教学所表现出来的出色情报分析天赋被参谋本部一眼看中，1935年2月，被选入参谋本部第二厅（情报厅）第一处，由他担任处长一职。按照任职的要求，不是国民党党员不能入职。为此，为吴石特别办理中国国民党党籍，吴石正式成为一名国民党党员。这一身份的变化表明吴石开始进入国民党军中枢的核心参谋部门。兵学教官与高级情报官员身份的叠加，让吴石的才干有了用武之地。吴石到岗后，他忙得不亦乐乎。此时，他精神振奋，激情似火，更让他欣慰的是他麾下集结着一批人才，他非常清楚：能进入第一处的都是非等闲之辈，全是日本士官毕业者，对于日寇的军事、政治、经济、外交、教育、党派、少壮派、军国主义分子、天皇在日本人民中的崇拜作用、日本工业、日本农业及后方勤务储备力量、日本在国外所掠夺的物资力等

吴石获少将军衔

等，均有研究专著。吴石的加入，让这个精英团队显示出“精兵”加“强将”的优势，在对日研究及收集日方情报方面表现出较高水平，提供精粹的敌情判断，多次得到蒋介石的嘉奖。有了第一处的业务支撑，参谋本部第二厅几次在部、次长召开的敌情研判联席会议上据理力争，纠正过本部第一厅主官在内高级官员的错误判断，一时风光无两。这样，日子一天天过去了，吴石迎来了自己军学研究与对日作战情报研究的高光时刻。关于吴石军学研究成果前面已叙，下文将提及情报工作成果。其军人生涯步入一个崭新的阶段。一年后，人生再次开挂，1936 年 2 月，国民政府授予吴石国民党军陆军少将军衔，吴石开始进入国民党军高级将领行列。

吴石对于日本军情的关注，早在日本留学时期就已经开始。其实，在九一八事变爆发时，还在日本陆军大学留学的吴石凭他的直觉——日本会在中国搞事，已开始留心搜集有关日本的政治、军事资料，为日后开展对日情报研究打下基础。他在自传中写道：“利用余原有之日本书报杂志，及托留日士官生猎取各种有关材料，加以整理研究。”

作为日本陆大的高材生，吴石不是浪得虚名，研究军事情报周详细密，几乎达到无懈可击。为编写一部叫作《参二室蓝本》的系统报告，他与郑水如、吴鹤予、蔡重江、周季煜、王斐丞、万祖章等人在简陋的办公室里，坐了三年“冷板凳”。《参二室蓝本》实际上由《日本作战之判断》及与政治、经济、海空军总动员有关之材料 10 余种编成。此书一出来，在国民党军高层没有多少人予以注意。1937 年，迄八一三事变，日本侵略军一切兵力部署及攻击方向，基本上如《参二室蓝本》所判断；敌人之兵力番号与编制，基本相符。《参二室蓝本》一下子引起国民政府军事委员会重视，国民政府军事委员会参谋本部催促加班加点翻印《参二室蓝本》，专送军事当局有关官员研读。一度被冷落的《参二室蓝本》在中华民族生死攸关的时刻发挥出特殊的作用！这一点，吴石与同事们也许起初没有想到，但终究他们的辛苦得到回馈。此时，吴石对这种成效已不感兴趣，他的目光注视着战事的下一步变化。

吴石对日本政府发动侵华战争的图谋早有预感。1936 年春，日本政府即将发动全面侵华战争。一天，南京鼓楼小学上演了一场中日小学生间的亲善联欢。日本小学生坐着 8 辆敞篷小轿车，穿着天蓝色海军制服，手里拿着鲜花到了学校，一起又唱又跳，高唱着中日友好亲善，吴石的儿子吴韶成参加了活动。第二天，有极强爱国心的女老师俞思聪给学生出了个地理题，专门画了一张地图，上面只画上铁路线，让学生带回家去猜地图指的是什么地方，猜不出就去问家长。

回到家中，吴韶成左思右想仍毫无头绪，不得不寻求父亲的帮助。平时，吴石是一个严肃的人，对子女讲话往往就是简单一两句。这次却十分耐心比画着，告诉孩子："这是我们东三省地图，这条铁路是从哈尔滨到旅顺。1931 年，日本鬼子发动九一八事变，占领了我们的东三省，杀死我们的无数同胞，现在变成了'满洲国'。我们一定要打败日本，收复失去的疆土。"说话间，脸上露出刚毅而坚定的神情。多少年后，他的儿子吴韶成对此仍念念不忘。

在抗日战争全面爆发前夕，吴石是坚定支持对日作战的主战派，在军事当局召开的会议上力主抵御日本侵略者，并主动献计献策。1937 年卢沟桥事变发生后不久，吴石即在《军事杂志》第 106 期上发表题为《从各方面论敌军不足惧》的长文，发出中国必胜、日本必败的声音，他指出：

此次卢沟桥事件发生，即侵占我平津，又以虹桥事件，故意挑衅，扰乱华中，我方现已忍无可忍，遂起而抗战，中日之全面战争已有逐渐展开之势。论者往往慑于日本之威力，以为中国与日本作战，恍如累卵之击石，螳臂之当车，孤注之掷，危险殊甚！此种论调，实系皮相之论，似是而非者也！若放大眼光，加以精密之考察，则便知敌军毫不足惧，我国与之作战绝不致失却最后之胜利。盖日本之武力，并无绝对之优势，每有兵力明明占精强之优势，或因天时地利人和三者突然之不能制宜，以致惨败者，在战史上实不胜枚举。至地大物博，民众且能和衷共济者，始能持久，而操最后之胜券。欧战时德国之兵力未尝不强，在战场上亦曾占长时间之优势，徒因其他种种关系，而不能不终于挫败，不能不放弃以前之占地，而终于屈服者，是其明证。可知胜败，惟视最后之判决，仅恃兵力，未必能得最后之胜利。

紧接着，对中日两国在国际、经济、政治、民众、武力方面情况用数据进行分析对比，吴石在结语时雄辩指出：由国际、经济、政治、民众、武力各方面言之，日本对我，无制胜之理。“战事结局，日本必降低其国际地位，而丧失其历来掠得之属地及一切不正常之利权，是以最后之胜利，定属于我中华民族。”这铿锵的声音，反映出一代爱国军人的铁骨与底气。

当他看到中国军队节节失利，他的内心在流血。淞沪战争正酣，刚刚晋升为军令部第二厅副厅长的吴石从南京赴上海前线视察，一家人入住大东旅馆（上海公共租界内永安公司楼上）。有一天深夜，他从前线回到上海市内，与家人说起前线战况，十分感慨：我军将士奋不顾身，英勇杀敌。但日军炮火十分猛烈，造成我方巨大伤亡，尸骨堆积如山，场面壮烈。大家听了心里都很难过。不久就发生了飞机轰炸上海大世界的惨案，死亡平民 2000 余人，吴石和家人的住处也被震坏。年幼的儿女们第一次见到流血。

在和平环境中生活的人很难想象战争岁月给人们带来的伤痛。保卫国家，保卫平民百姓，是军人的天职。面对淞沪战役，吴石内心感到震动。

作为一个有骨气的中国人，吴石对投靠日军的汉奸或缺乏骨气的民族败类深恶痛绝。八一三刚刚打响，与之为福建老乡的南京国民政府机要秘书黄浚[①]给日本人报信，因此，一夜之间，长江日轮舰艇赶在沉船封江之前，全部逃出吴淞口，竟未俘获一只！ 1940 年 3 月 30 日，汪精卫在南京成立伪国民政府，并发表所谓宣言，汪为代理主席，招降重庆蒋介石政府。吴石在日本陆大的同班闽籍同学萧其昌投靠汪伪政权，成为无耻的汉奸……对此，吴石在家里总是对这些民族败类骂不绝口，教育他的子女：“千万别学他们，败类！败类！”吴石的民族气节深深留在儿女们的记

① 黄浚（1890—1937），字哲维，号秋岳。福建侯官（今福州）人。出身于书香门第，擅诗文，但生活上喜奢侈，好舞姬，在国民政府机要秘书任上被日本间谍策反，出卖国民党封锁长江等情报。1937 年，与其长子一起以叛国罪被处决，成为抗战期间被处决的第一个高级汉奸。

国民政府授予吴石的宝鼎勋章

忆中。

在1936年、1937年中华民族抵御日本侵略者的重要时刻，吴石夙夜为公，呕心沥血，以其重要的情报工作贡献，得到国民政府及军事委员会的频频嘉奖。1936年11月，被国民政府授予宝鼎勋章。1937年，先后被军事委员会在全军传令嘉奖，被授予甲种二等干城奖章、四等云麾章。

苏驻华情报人员的“救星”

1936年5月，吴石出任参谋本部第二厅第二处处长。至此，吴石经历参谋本部第二厅最重要的两个岗位，有了情报工作的完整履历。第二处主要负责除日本外国外情报的收集与研判。该处也是人才荟萃，大部分职员毕业于国内外军事院校，精通多国语言。一批对于国际问题有专门研究的正式军官或国内名牌大学毕业的助理官集合于此，但凭吴石的名望和能力，完全带得动这支高素质的精英队伍。二处做出情报研判，常常让外国情报官员心服口服。吴石1937年8月晋升为军令部第二厅中将副厅长，他与他扉下的参谋们继续加强与美国、苏联等国情报交流，扩大情报研究战果。吴石曾回忆过：“时苏联派来情报人员多人与余合作，见余服务精神振备，均心悦诚服。其后张鼓峰、诺门坎两役叠起，彼等即摭取余所供资料，报告其本国，皆膺重赏，于是争以时计、水笔愧余。”①

上述提到在我国境内发生的张鼓峰、诺门罕战役在第二次世界大战大大小小的数百场战役中并不显眼，在浩如烟海的二战历史中也只是一朵浪花，

① 《萃文叔生平传誌》（手抄本）。

但它的确影响着中国抗战的进程。

张鼓峰战役发生在位于朝鲜、原苏联和中国交界处的张鼓峰。张鼓峰的东边有一个被当地人称为长湖的小湖泊。这里冬天长达 8 个月，大半年为冰雪所覆盖，但到了春天，小湖就成了黑天鹅和丹顶鹤的家园，亭亭玉立的东北美人松在风中摇曳生姿。这是一片美丽的中国领土，但张鼓峰特殊的地理位置决定了它的战略地位。1938 年 7 月，苏日为了争夺张鼓峰这一战略要地进行着空前惨烈的拼杀，夏天的空气里弥漫着血腥的味道。

6 月底，苏军突然占领张鼓峰，在山上构筑工事，布置铁丝网。在已经把东北划为“伪满洲国”、把朝鲜作为自己殖民地的日本人眼里，苏军占据张鼓峰就等于拥有可以控制朝鲜和中国东北的战略要地。但是由于日军正准备进攻武汉，各路日军正作频繁军事调动，一时力量难以集结。大本营为此只好命令日本关东军进入一级战备状态，同时内阁指示日本驻苏大使重光葵与苏联进行调解。苏联明确表态，不可能从张鼓峰撤军。重光葵的外交斡旋陷入僵局的消息传来，日军大本营不得不下达夺回张鼓峰的指令。为不影响与中国军队决战的华中战局，命令驻朝鲜日军完成此项任务。

密切关注事态的苏联最高统帅部通过苏联驻华情报人员从吴石等处得到的情报资料，对日军张鼓峰战役的军事安排已心中有数。

驻朝日军以一个师团的兵力在猛烈炮火和部分装甲车、飞机的配合下，经过三天战斗，夺回张鼓峰。裕仁天皇还没有来得及为这些将士颁发勋章，苏联远东军区于 8 月 1 日凌晨，集结 2 个甲种师 2 万余人的兵力在近百门火炮、200 多辆坦克、上百架飞机的协同下，开始对日军反击。

这一天凌晨，正在睡梦中的日军突然被天上由远而近的滚雷般的轰鸣声惊醒了。还没有等惊慌失措的日军进入阵地，呼啸而至的机群倾泻下雨点般密集的炸弹和机关枪子弹。轰炸和炮击刚一过去，无边无际的大草原上，百余辆苏军坦克排成数百米宽，以决战姿势向日军阵地碾轧过去，沉重的履带在日军工事上压来压去。尽管日军进行顽强的抵抗，其中不乏有全身绑满手榴弹和炸药包、与坦克同归于尽的勇士，但都无济于事，挽救不了失败的命运。

战斗仅仅持续5天，一个师团的日军就被苏军全歼。坂垣陆相紧急奏请裕仁天皇，为遏止苏联的进一步进攻，调派军队重新夺回张鼓峰高地。但小他近20岁的天皇更关注的是中国华中的战局，他不愿意与苏联扩大争端而陷于被动，于是终止了战事。日本政府迫于此，在8月11日与苏联签约，表示维持日军进攻前的边界状态。

次日，莫斯科塔斯社向世界宣布苏军的胜利："苏联红军远东第一集团军歼灭入侵日军8000余人，击落飞机24架，击毁坦克47辆……"

同样充满神话般的诺门罕战役也书写了二战前夕的传奇。诺门罕旧译"诺门坎"，是位于内蒙呼伦贝尔盟与外蒙之间的一片半草原半沙漠的荒原。1939年5月至9月，日本关东军、"伪满洲国"军与苏、蒙军几十万人，在这块贫瘠的土地上进行鏖战。苏联最高统帅部认为此役关系战争全局，专门指示驻华情报人员收集日军部署及准备情况。苏联情报人员为此苦苦查寻，最后将目光盯到"日本通"吴石的身上。当时，中苏间有情报协作的协议。被誉为"国宝"的日本第一坦克师团高级将领多出自日本陆大。对其军情部署，吴石可谓了如指掌。面对苏联情报人员的恳请，吴石答应帮忙，迅速整理出日军相关情报，情报详细到日方的布兵排阵。苏联情报人员如获至宝，立即发电给苏联最高情报部，苏联最高情报部即转报苏联最高统帅斯大林，为苏方制定正确的战略提供了重要的参考。

在这场作战中，苏日双方调动除海军以外的所有兵种和现役装备，大动干戈。被誉为"国宝"的第一坦克师团是日本当时仅有的一个坦克师，指挥诺门罕战役的苏军朱可夫司令员使日军尝到了血肉之躯不能抵御钢铁的苦头。苏军在此战役中全歼日军第一坦克师团。据战后统计，日军伤亡近5万人，而苏军伤亡不到6000人，从此日本大本营放弃了进攻苏联的打算，也使苏联能够从容地抽调西伯利亚部队和朱可夫用于苏德战场，避免了苏军两线作战德国的被动局面。事后，日本陆军省被迫承认："诺门罕之战是日本陆军自成军以来首次惨败。"

日军的惨败一时留给中国国民政府对大势的悬疑。徐州会战一结束，日军大本营就已经拟定了进攻武汉的作战计划，开始了一系列军事动作。把驻台湾的波田支队编入华中派遣军第十一军作战序列，让该支队在海军配合下从镇江乘船溯长江往西进攻，第十一军主力向九江和黄梅集结，第二军 4 个师团和一个旅团在合肥、舒城一带集结。命令要求各部于 1938 年 6 月底前集结完毕并发起对武汉外围中国军队的总攻，于 8 月占领武汉，消灭中国军队主力。但是因为发生张鼓峰战役推迟了这个计划的执行，这也就是中国军队统帅部一直没有判明日军进攻态势和意图的根本原因。

张鼓峰战役推迟了日军进攻武汉的时间表，反法西斯战争从此翻开新的一页。张鼓峰、诺门罕战役已淡出历史，不为人们所津津乐道，但吴石所供情报，包括日军军官情况、军力部署等全面资料，确实为苏军帮了大忙。跨越时空的隧道，吴石的幕后贡献是任何勋章难以彰显的。

得到蒋介石的赏识

1937 年 7 月 7 日，卢沟桥事变爆发后，全国迅速掀起抗日救亡运动的浪潮。在延安，中共中央发表《为日军进攻卢沟桥通电》，呼吁只有全民族实行抗战，才是出路。7 月 17 日，蒋介石在庐山发表著名的“最后关头”的讲话，明确表示，只要还有一线希望争取和平，仍会争取和平。“如果战端一开，那就是地无分南北，人无分老幼，无论何人，皆有守土抗战之责任，皆有抱定牺牲一切之决心。”

此时，正在丰台进行战地报道的新闻记者范长江看到，一列列车皮正在加紧运送日本兵。“中国的头二等客车，中国的司机，开着中国人民血汗钱买来的火车头，载着日本人的军队，经过中国的领土，开到中国的卢沟桥附近去打我们中国人！”接着北平、天津沦陷。

8 月 14 日，国民政府正式发表《抗战自卫声明书》宣布：“中国决不放弃领土之任何部分，遇有侵略，惟有实行天赋之自卫以应之。”一天后，日本宣布全国总动员，成立作战大本营。中日之间从此踏上不分胜负不罢休的全面战争。

武汉会战，是继徐州会战之后发生在武汉外围的一次中日大战。武汉地处江汉平原东缘，踞长江与汉水之间，扼平汉、粤汉两铁路的衔接点，是我国心脏腹地，又是东西南北水陆交通的枢纽，战略地位十分重要。在上海沦陷、南京弃守之后，国民政府虽宣布迁都重庆，但政府机关大部及军事统帅部仍在武汉，这里实际上是当时全国政治、经济、军事的中心。日军大本营陆军部认为，只要攻占武汉，控制中原，就可以支配中国。于是，日本御前会议决定，迅速攻取武汉，迫使中国政府屈服，尽快结束战争。为此，日本制定以攻守武汉为目标的“速战速决”的作战计划，意在打垮中国军队的主力，摧毁中国人民的抗战意志，迫使中国政府投降。日军先后调集了 14 个师团，飞机数百架，火炮数百门，坦克装甲车数百辆，军舰 140 余艘，兵力总计 30 余万人。敌人兵分三路，对武汉实行大包围，左路在长江北岸登陆，沿麻城、黄陂进逼平汉路南段，形成对武汉的左翼大包围；右路在长江南岸登陆，经阳新、大冶，直逼粤汉路的北段咸宁、贺胜桥一带，形成对武汉的右翼大包围；加之日军沿长江水道游弋的战舰配合陆上作战。

国民政府军事委员会于 1937 年 12 月 13 日召集刘斐、吴石等在内的将领及军事专家在武汉也拟定了《军事委员会第三期作战计划》，即“保卫武汉作战计划”，决定确保武汉。1938 年 6 月，国民政府又制定了武汉会战的指导方针和作战计划：长江以北第五战区和长江以南第九战区联合作战，保卫武汉。于是，调动 130 多个师，计 100 余万人，迎战日军。

这时，国共两党为了抵御民族大敌，进一步加强合作，在武汉召开了国民参政会第一届会议，大会庄严宣告：“中国民族必以坚强不屈之意志，动员其一切物力、人力，为自卫，为人道，与此穷凶极恶之侵略者长期抗战，以达到最后胜利之日为止。”要求全国军民“一切的奋斗，要巩固武汉为中心，以达成中部会战胜利为目标”。中国人民要保卫武汉，坚持抗战，日本侵略者要夺取武汉，结束战争，这就构成了当时中、日双方在战略上的一场决战。

吴石后来回忆：“京沪会战后，大本营移武汉，徐组长调任第五战区参谋长，余以副组长代组长，仍兼第一处处长，如是者一年，劳瘁备至。……忆在汉口时，今主席（指蒋介石）每周必召见咨询一次，深为嘉许……”①

---

① 《萃文叔生平传誌》（手抄本）。

在武汉期间，吴石在幕后默默做着影响全局的情报工作，成为蒋介石的“座上宾”，得到蒋介石的赏识。蒋介石常向他咨询日军动态，对日军的看法及我方应对的办法。

随着战事的进展，国民党军更加认识到敌军情报的重要性。蒋介石在台儿庄战役前的1938年1月27日参谋会议上指出情报的必要性，强调说：“现在的战争是谍报战，做好谍报才能战争得胜。到目前我们的最大失败是无能侦查，情报不正确，甚至没有资料无法判断敌情。因此，在敌情不明中抗战，一再失败。”为此，1938年8月，军令部第二厅在武汉珞珈山举办战地情报参谋训练班。这个训练班在当时是颇有影响的，作为情报专家的吴石当之无愧领取办班的差事，苏联情报专家、军事顾问瓦西诺夫等也参与办班。在办班时，吴石还邀请国民政府军事委员会政治部副部长周恩来、中共代表团成员叶剑英讲课。周恩来在百忙中到班作形势报告，他透彻地分析抗战局势，并阐明怎样通过全面发动群众抗击敌人，指出：中国抗战，经过13个月的英勇奋战，完全证实了一个真理，只有坚持长期抗战，才能争取中华民族解放战争的最后胜利。中国抗战是长期的不是短期的，持久战的方针是确定的。日本强盗既不可能一下子把我们逼上昆仑山，我们也不可能很快地转弱为强，反守为攻，将日本强盗赶出中国。保卫武汉的战斗，从全国的形势看来，它只是第一阶段能否过渡到第二阶段的关键，而决不是能否继续长期抗战的关键。保卫武汉的战斗，固然越久越好，但绝不能在长期保卫武汉的条件尚未具备的今天，想作孤注一掷的侥幸的尝试。这不仅对于保卫武汉并无大的帮助，而对于继续长期抗战是有害的，是不利于转入相持局面的过渡阶段的。只有坚持长期抗战，加强国内团结，才是克服困难，争取胜利的基本方针。他以他那特有的儒雅风度，侃侃而谈，纵论天下形势，使在场的学员很深刻地记住了这位著名的共产党人。在训练班，叶剑英讲授《游击战争概论》。叶剑英穿着那套褪了色的军装，走上讲台，讲得深入浅出，通俗易懂。他那精辟的见解、出色的口才，也深深吸引住了在场的学员。游击战争的革命意义，游击队产生的客观条件，游击战的运用……每一个字，都在每一个学员的脑子里爬过，也都在每一个学员的笔记簿上爬过。周恩来、叶剑英到班讲课，扩大了中共的主张在中央军中的影响。很多国民党军官在同周恩来、叶剑英等接触后，才弄清了中共及其领导的革命军队的真相，从他们身上看到中共大有人才。学员当中有些人潜移默化地接受了中共的主张，在抗日战争中坚持抗战，反对投降；有些人直接或间接地支持敌后游击队，开展游击战争，打击敌人。吴石在班上的讲话中指出：我方对日作战准备不足，在军队中缺乏情报和保密素养，所用四字头密码早已被日军破译，这是造成战场被动的一个原因。这一说法在学员中留下深刻的印象。后来的战局变化也证明了吴石这一分析的正确性。

保卫大武汉会战，从 1938 年 6 月 11 日日军进攻安徽省的安庆起，直至 10 月 25 日日军进占武汉止，历时 4 个半月。中、日双方在长江沿线分 5 路展开激战，战线扩及皖、豫、赣、鄂 4 省数千里。日军集结了 14 个师团、3 个独立旅团、1 个机械化兵团和 3 个航空兵团，加上海军舰艇 140 余艘，约 35 万兵力。我军相对列阵，动员部署了 14 个集团军、10 个军团和战区直属部队以及海空军一部，约 100 万兵力。这一战役，中日双方投入兵力之多、战线之长、时间之久、规模之大，是抗日战争中任何战役所不能比拟的。会战结束后，日军由于战线延长，兵力与资源不足，不得不放弃“速战速决”的企图，抗日战争此后便逐渐进入相持阶段。

尽管武汉会战期间，在吴石抗战生涯中仅仅是一段不太显山露水的片段，但是吴石作为国民党中的主战派，确实全身心投入军事谋划，为武汉保卫战有序进行做了幕后工作；对军事人才的培训也在他的手上经营得有声有色，特别是在国共合作的良好氛围中，他进一步结识周恩来、叶剑英等一批共产党人，从他们身上了解了中共的一些立场、政策，对中共产生进一步好感。

昆仑关战役

1938 年 11 月下旬，在国民政府军事委员会召开的南岳军事会议上，决定设桂林、天水两个行营，分别统一指挥南北两战场作战。桂林行营主任是白崇禧，参谋长是林蔚。桂林行营辖第二、四、六、九战区。12 月，经白崇禧举荐，吴石由南京国民政府军令部调到军委会委员长桂林行营，出任桂林行营参谋处处长，以一腔抗日热忱承担了大量运筹协调擘画的幕僚任务。

吴石来到有“山水甲天下”之称的桂林。此时的桂林是一座政治、军事重地，系国民党广西省政府的省会。国民党中有名的“桂系”即是以桂林为中心的广西军政力量。桂系有新、老之别，“老桂系”是指大革命前主政广西的陆荣廷军阀势力；1928 年陆荣廷死后形成的广西新生代军政力量，称之为“新桂系”，又称国民党广西派。桂系将领李宗仁、白崇禧都是桂林临桂人，省主席黄旭初是玉林容县人。由于蒋介石惯于在国民党内要手段，党同伐异，导致李、白、黄与其隔阂颇深，一度开战。为了与国民党中央和蒋介石“嫡系”抗衡，李、白、黄打着“建设广西，复兴中国”“焦土抗战”等口号，在广西这块地盘上多年苦心经营，拥有自己的财政和军权，发行自己的货币（称之桂币），势力非一般省份能及。在对待中共态度上，亦与蒋介石保持距离。因此，广西成了一个特殊省份，在抗日战争期间一度被誉为“模范省”。自然，桂林就是这一“模范省”的中心。

1937 年七七事变后，广西当局于 7 月 21 日发表声明，拥护蒋介石关于抗战的讲话，并派白崇禧飞赴南京与蒋介石商讨广西出兵抗日事宜。蒋介石接受广西的意见，任命白崇禧为国民政府军事委员会副参谋总长，李宗仁为第五战区司令长官。至此，长年来桂系被蒋介石挤压于广西一隅的局面被打破。吴石被视为桂系的一员，也就迎来被启用的这一天，他到一线参谋作战的愿望实现了。

1939 年 12 月爆发于广西宾阳县境内的昆仑关战役，在中国近代战争史上被军事学家喻为“硬碰硬的血战”。这是一场载入史册的胜利，成为中国军队首次以攻坚战打败日本“钢军”的战例。指挥这场战役的是桂系二号人物白崇禧。

在当时的历史背景下，昆仑关战役的爆发是不可避免的。1938 年 10 月，日本占领武汉和广州。日本非但没有达到迫使中国政府投降的目的，反而遭遇到更顽强的抵抗。日本军部南进派即认定：必须切断中国对外最后的交通线，以期实现一举解决“中国事变”的计划。日本决心发动桂南战役，彻底切断中国抵抗其侵略的最主要补给路线。据日本军事侦察所得情报，中国获得外援最重要的路线即法属印度支那线，仅 1939 年 9 月运进中国总吨位 14700 吨中的 12500 吨即经此路线，达 85%。6 月，日本参谋本部《兵要地志》也强调“一旦进入南宁，以该地为基地，则交通四通八达，远可通往广东、湖南、贵州、云南。所以南宁—谅山的道路，形成了蒋政权联络西南的大动脉。为了直接切断它，首先必须夺取南宁。南宁一旦占领，无须置重兵于东京湾附近即可以完成作战目的。”

同年 9 月 1 日，德国进攻波兰。3 日，英、法对德宣战，第二次世界大战爆发。日本更急于解决中国问题，以便腾出兵力抢占西方列强在亚洲和太平洋的殖民地，以配合德、意两个盟国，并缓解德国对其解除了对苏联威胁的不满。

日本随即在南京设立以西尾寿造大将任总司令、板垣征四郎中将任总参谋长的“中国派遣军总司令部”，统辖华北方面军、第十一军、第十三军、第二十一军。9 月 23 日，日军大本营发出“准备迅速处理中国事变”的命令。紧接着日军第五师团开赴广西作战。日军第五师团为日本陆军第一流精锐机械化部队，号称“钢军”，参加过南口、忻口、平型关、太原、上海、台儿庄、广州等战役，屡次担任主攻任务。板垣征四郎原为该师团长，他升任中国派遣军总参谋长后，师团长由今村均中将接任。可见日本方面何等重视这次战役。

1939 年 11 月末，日军先后攻占南宁和地扼桂越交通线的要隘昆仑关，揭开了长达一年的桂南会战。初期，由白崇禧指挥，以第五军为主力，四个集团军配合作战，于当年 12 月 31 日收复昆仑关，取得了抗战以来攻坚战的首次胜利。昆仑关大战中，吴石负责拟订作战计划，收集大量情报，并组织力量进行详尽的侦察，快速制定了缜密的作战计划。战役爆发后，市面上已经开始弥漫着慌乱的气氛。他全力协助战区司令长官张发奎指挥调度，吴石将军终日面对着军用地图、许许多多的情报，周详地研究着，沉着地计划着，像诊断病症和开方治病的医生一样，有步骤地、精密地工作着。他白天不离地图，晚上不离军用电话，连续几天几夜不曾合眼。当时没电，靠蜡烛照明。在一天的深夜，辛劳交加的吴石困极了，进入梦乡。蚊帐被蜡烛烧着，酿成大火。一时火光冲天，吴石也未能醒来。所幸得卫兵的及时扑灭，吴石才幸运地死里逃生。

昆仑关战役的具体战况是：日军在 11 月 17 日在北部湾的防城、北海登陆，进占钦州，继而于 24 日攻陷南宁。重庆统帅部命第五军、第九十九军集结广西与湖南待命。第五军是当时中国唯一的机械化军，军长是杜聿明[①]。他奉命攻击北进敌军。该军第二百师，在师长戴安澜率领下，向南宁方向进发。该师第六百团先行，24 日与敌在头塘、二塘相遇，双方激战，随即移师大高峰坳及甘圩一带，占领阵地，防敌北犯。第二百师主力乘汽车赶到七塘、八塘，占领阵地，阻敌北进。12 月 4 日，日军占领桂南战略要地昆仑关。杜聿明认为，占领南宁日军不足两个师，因交通阻塞，敌之重武器及机械化部队均无法使用，因而向重庆建议进攻南宁，恢复国际交通线。

桂南要塞昆仑关

12 月 16 日，桂林行营发出一号攻击令，第五军担任邕宾路正面攻击，先行击破昆仑关及八塘之敌。当时，统帅部集中四个集团军与日军决战。第五军属徐庭瑶三十八集团军，是负责对昆仑关攻坚战的主攻部队，

① 杜聿明（1904—1981），字光亭，陕西米脂人。抗日名将，指挥取得昆仑关大捷。

第五军的荣誉第一师师长是郑洞国。战斗从 18 日拂晓打响，战斗十分激烈。双方时有白刃战。新编二十二师则绕道侧击，终于占领昆仑冈。但 19 日午后敌军在大批飞机掩护下反攻，昆仑冈又被夺去。但杜聿明、戴安澜志在必得，将士们众志成城，不怕牺牲与敌死战，双方伤亡甚重。杜聿明运用灵活战术，命荣誉一师一部袭敌侧后，右翼则加强攻击，终将敌指挥部及炮兵阵地摧毁。敌军开始动摇，昆仑冈残敌被四面包围。杜与各师长研究，采用要塞式攻击法，逐步缩小包围圈，一部分一部分地消灭敌人。第二百师师长戴安澜亲自督郑庭笈团及刘少峰团，奋战一昼夜，夺取界首阵地。杜聿明不禁欢呼："界首高地占领了，昆仑关大门打开了！" 28 日至 30 日，邱清泉新二十二师亦以凌厉的攻势，占领全关和敌最后一个堡垒。

这一场激战，中国军人奋勇杀敌，沉重打击了日军王牌第五师团，但双方都伤亡惨重。据日本战后公布的材料，昆仑关一战，日军第五师团第十二旅团长中村正雄、第四十二联队和二十一联队的联队长，第一、第二、第三大队的长官均被我军击毙，该旅团班长以上的军官死亡达 85% 以上，士兵死亡 4000 余人，被俘的有 102 人。中国方面阵亡仅第五军就有 5600 人，负伤 1 万人。

喜讯传出，举国欢腾。昆仑关大捷极大鼓舞了中国抗日军民。1940 年 2 月《良友》刊出《昆仑关捷报特辑》"血战昆仑关"，其中《古战场上之新胜利》颇为真切地抒发出中国军人的豪情：

抗战两年半来，中国军队的愈战愈勇，从这次昆仑关争夺战的大胜利之后，又得一证明。为了要割断中国的西南交通线，日本派了有名的精锐第五师团，准备控制沪宁的外围，于去年十二月二十一日起，开始用猛烈的炮火直扑沪宁路上的要塞昆仑关。

昆仑关地势险要，是历史上兵家必争之地。宋代元祐间，蛮皇依智高叛乱，占据云南，号大南国，进兵两广，师次南宁，分兵抵守昆仑关，被狄青用计击破。清朝刘元清曾有诗歌诵这个有历史价值的古战场，其中有"粤之西兮有昆仑，嶙峋耸拔势独蹲，一山两踞界，不减泰行与剑门"之句，可见这个关隘的险要，是自古有名的。

1940年2月，《良友》特刊刊出《昆仑关捷报特辑》。图为主持此次大战的国民党军队方面将领白崇禧、蔡廷锴、张发奎（自左至右）在广西某岩洞中召开紧急会议

参加这次昆仑关大战的日军，除第五师团外，还有二十八师团，都是很强悍的队伍。从十二月二十四日起，三日之内，华军以神勇的姿态，三度攻入昆仑关。因为中国将领的运筹策划，兵士的骁勇善战，人民的合作，空军的助威，终于在第三次攻入关口时，占领全关，把青天白日旗飘扬在满布金黄色阳光的山头之上，作了抗战史上二十八年度光荣的结束。

这次血战，日方损失之大，简直无从统计。就昆仑关附近的伤亡者来说，第五师团伤亡五六千人，而战利品的俘获，为数更巨。这些战利品，在一月十五日运到桂林，共装二十一卡车，由昆仑关起运，一路上高扬着国旗和党旗，迎风飘扬，象征着无限的光辉，沿路上驻足民众，都鼓掌祝贺这新年的礼物。

吴石在自传中提到：“昆仑关之役，亦因余之指导而告大捷，杜光庭即以此一战成名。”

随后由于日军增兵，昆仑关再度失守。无论整个桂南战役最后失败得如何惨烈，昆仑关攻坚战都是光辉永驻的。中国军队抗击外国侵略军，能全歼一个精锐旅团，基本消灭了它的全部指挥官，尚无第二例。日军战史称之为：“通观中国事变以来全部时期，这是陆军最为暗淡的年代。”

太平洋战争爆发后，东南沿海大批人员撤退到西南。吴石凭借闽籍将领的身份，牵头创建福建旅桂同乡会，并被众乡亲推任为理事长。他以同乡会为桥梁，广泛联系闽人和从海外归来的闽侨，团结动员他们参与抗日救亡。同时，还吸引南洋华侨和福建青年到广西来入学、参军和就业。这些人一批又一批地来到广西，吴石千方百计为他们解决衣食住用问题，引导他们投身解救民族危亡的运动。由于昆仑关之战后期的失利，蒋、桂之间的矛盾激化起来，国民党又实行所谓限制异党活动办法，开始大肆迫害革命力量，全国的政治形势越来越恶化了。

在艰难中成长起来的厦门儿童救亡剧团是中共宣传抗日的重要阵地。此时，厦门儿童救亡剧团成员渡尽劫难，从海外辗转到了桂林。眼看厦门儿童救亡剧团陷入危险，团党支部根据党中央“隐蔽精干，长期埋伏，积蓄力量，以待时机”的方针，提出利用一切可以利用的国民党的法律、条令和社会习惯所许可的条件，积蓄力量。作为扎根之计，研究决定在保留厦儿团名称的同时，立即筹备学校。作为福建旅桂同乡会理事长的吴石得知来自福建家乡的厦儿团要办学校，十分关心，专门派同乡会理事曾希亮前去和厦儿团商量合作事宜。经酝酿，双方达成协议，一致同意将校名定为黄花岗纪念学校，一则以纪念黄花岗七十二烈士，特别是闽籍烈士；二则选担任，校务主任由厦儿团推荐的人选担任，经费从福建会馆房租项下中

1939 年厦门儿童救亡剧团在桂林团部所在地国民小学校门前合影。左一站立者为张兆汉

拨付。学校建设基金所需，由厦儿团到各地公演筹款充之。教师由团员许岱君、叶耀来、周定南、王憨生以及童晴岚、陈松子、叶近智担任。部分年幼团员也进校读书。就这样，黄花岗纪念学校在艰难中迈出第一步。起先，黄花岗纪念学校没有固定校舍，更谈不上有课桌椅。学生都要携带坐凳来校上课。学校组织学生进行课外劳动，由厦儿团团员带头，清除天后宫废址上的瓦砾、泥土和垃圾。

为筹款兴建学校，厦儿团决定在桂林举行义演。吴石得知后，提出以福建会馆的名义举行义演。厦儿团通过成功的义演，收到一批捐款，办校的经费问题逐步得到解决。学校利用在桂林、柳州募集到的基金，在废址上盖起数幢简易的教室和教师宿舍，购置急需的教学设备。为办好学校，吴石还专门聘请德高望重的教育家林素园先生[①]担任黄花岗学校校长，他对林素园先生说："我们闽人多志士，光黄花岗七十二烈士中闽籍人占了很多人。要好好栽培我们的下一代。"学校明文规定，对闽人子弟一律免费入学。随着学校规模

① 林素园（1889—1967），原名林向群，字昌文、放庵，号鹤如，福建长乐人。民国时期著名的教育家，新中国成立后受聘为福建省文史研究馆馆员。

的扩大，教学质量不断提高，学校在学生家长中的口碑一天天好起来。

第四战区参谋长任上

1940 年 5 月，经时任军令部次长兼桂林行营参谋长林蔚举荐，吴石从桂林行营调任第四战区，升任第四战区中将参谋长。从 1940 年 2 月起，桂南作战改由第四战区司令长官张发奎指挥，吴石到任后以参谋长身份配合做好工作。经过艰苦作战，1940 年 10 月末，中国军队终于收复南宁，取得了桂南会战的胜利。吴石敏锐判断了日军撤退的动向，及时组织追击，日军仓皇逃遁出海，使南宁及沿途地方未遭破坏，且缴获了日军大批辎重，扩大了胜利成果。

1940 年第四战区参谋长吴石接受民众的捐献

吴石担任第四战区参谋长长达 5 年。这期间，他为人正直，淡泊名利，埋头苦干，在艰苦的战争环境中和战区司令长官张发奎建立了深厚的友谊，吴石成为北伐名将张发奎的得力搭档，也博得同僚的赞誉与拥戴。

张发奎（1896—1980），字向华，广东始兴人。中国国民党军陆军二级上将。1916 年毕业于武昌陆军第二军官预备学校，回粤军由排长逐级升至旅长。1925年冬任国民革命军第四军第十二师师长，次年参加北伐战争，在攻占汀泗桥、武昌城等作战中，因有战功升任被誉为“铁军”的第四军军长。1927年4月，宁汉分裂，张拥护汪精卫，反对蒋介石。6月，被武汉国民政府任命为第二方面军总指挥，率部入赣，准备讨蒋。7月宁、汉合流后，追随蒋、汪反共。9月入粤，11月与汪合谋，发动兵变，驱逐桂系势力，行使广州军事委员会分会主席职权。12月，镇压中国共产党领导的广州起义。同月，李济深率部配合黄绍竑部进攻广州，张兵败辞职，后附蒋。1929年蒋桂战争中，任蒋军第一路追击军司令兼第四师师长，进驻湖北宜昌。9月，获悉蒋欲消灭所部，遂联桂攻粤，再次反蒋，12月被陈济棠部击败。1930年蒋冯阎战争中，联合桂系支持冯、阎反蒋，出兵岳阳，失败。抗日战争期间，先后任集团军总司令、兵团总司令、战区司令长官、方面军司令官等职，率部参加过淞沪、武汉、昆仑关等战役。1945年抗战胜利后，任广州行营（后改行辕）主任，1947年改任总统府战略顾问委员会委员。1949年3月任陆军总司令，7月辞职后定居香港。

正因为吴石是林蔚介绍来的，初到时，第四战区司令长官张发奎认为吴石是中央空降的将领，很担心如果彼此相处不好，会影响同中央的关系。时间是很好的试金石。很快，张发奎就看清楚吴石的为人，感到吴石是一个可靠的帮手，正派，埋头工作，不搞阴谋、拉宗派。于是，就放手把整个军事部署工作交给他办理。作为张发奎的得力助手，他为张发奎分挑军务的重担。有一次，张发奎在与吴石研究公务时，真心地对吴石说：“自从你来后，我轻松多了！”

这时，第四战区长官部外表看一片和谐平静，但内部各个派系间互不相让，钩心斗角，偶尔也会风波乍起。张发奎少不了身边有一小批自己信任的亲信，如冯少田、余海湛、高若愚等，为他出谋划策、掌握要害部门。比较开明、拥护统一战线的原四军旧部，如张文、郭冠杰、张励、陈宝仓、丘哲、麦朝枢等，也为张发奎所重视。而第四战区长官部政治部主任梁华盛却是陈诚派来的，实际上是监视张的动向，梁华盛经常直接向上密报张的情况。从战地服务队来的一大批进步青年也参加进来，其中不少是秘密的共产党员，如左洪涛、何家槐、孙慎、杨应彬、郑黎亚等。面对这样的格局，张发奎心里清楚：在他身边的这一堆人中，进步力量主张团结抗日，不会给他带来什么麻烦；倒是梁华盛之流拿着上头的令箭，随时有被告发的危险，要小心应对。

在第四战区内部，深受西方民主思想和爱国主义思想影响的吴石与张发奎步调是一致的，始终站在支持团结抗日进步力量的一边。为提高一班开明的资深将领的发言地位，吴石提议设立高参室，以与政治部相抗衡。吴石对战地服务队来的进步青年原本不太了解，听说是与张发奎私交很深的郭沫若[①]从上海介绍来的，一开始就有好感。特别是经过一段时间的接触，感到这些青年很有朝气、很有作为，就尽量帮助他们，替他们说话。后来，有人在第四战区散布左洪涛、何家槐思想“左”倾、不适合在张发奎跟前当秘书时，吴石公开站出来说话：“这些年轻人有文化、能力强，不要相信没有根据的话。”有一次，抗敌演剧队在柳州演出，剧中讽刺一些不抵抗主义者。政治部认为，要修改台词才能继续公演。吴石仗义执言，认为政治部管得太多了。为表示支持，他特意约副参谋长陈宝仓、高参高若愚一起去观看，在演员谢幕时还登上舞台同演员一一握手，祝贺演出成功。这一明显支持的举动，让政治部无可奈何，原先要求修改台词的事只好作罢。

1940年初，第四战区长官司令部从韶关转移到柳州，驻扎在柳江南岸窑埠街后蟠龙山下。柳州古称龙城，建制于西汉。柳州虽是蛮荒之地，却因柳宗元的出现而出名。唐代文学家柳宗元曾任柳州刺史，虽仅做了四年刺史，并病逝于此，但留下劝农桑、修道路、修寺庙、放奴婢等五大政德及旷世之作《永州八记》等诗文，当地百姓为其修建柳公祠。尽管吴石崇拜柳公，偶尔也到柳侯祠走走，但这时他没有多少时间用于自己的兴趣和爱好，更多的是思考战局的演变，部署战事。

8月，陈嘉庚组织南洋华侨回国慰劳团风尘仆仆访问柳州。陈嘉庚（1874—1961），爱国华侨领袖，福建厦门人。18日，陈嘉庚一行乘车抵柳州。陈嘉庚的到来，给抗战中的桂林带来难得的信心。陈嘉庚与吴石这两

① 郭沫若（1892—1978），名开贞，号尚武，四川乐山人。诗人、作家、历史学家、考古学家、社会活动家。

位福建同乡、好友重逢了。

第二天，吴石等同乡专门举行茶会，欢迎陈嘉庚的到来。举行中，因警报突响，只得中断。吴石单独邀请陈嘉庚到官邸一叙。吴石高兴地把陈嘉庚迎进客厅，唤妻子王碧奎为客人沏上散发着清香的茉莉花茶，相互交谈起来。

吴石与福建同乡、华侨领袖陈嘉庚先生私交甚笃，特别是对陈嘉庚先生坚持抗日的微言大义深为佩服。吴石清楚记得，1938 年 10 月，陈嘉庚以国民参政员的身份从新加坡打电报给正在重庆召开的国民参政会第二次大会，提出议案，建议确定："敌人未退出国土之前，公务员谈和平者便是汉奸国贼"（列入提案时文字改为："敌未出国土前，言和即汉奸"）。当时担任议长的汪精卫，在宣读这一提案时，脸色突然变得苍白。提案很快获得通过，人心大为振奋，使一时笼罩重庆的企图对敌妥协的气氛顿时消失大半。著名记者邹韬奋当时兴奋地报道："这寥寥 11 个字，却是几万字的提案不及分毫，是古今中外最伟大的一个提案。"[①] 吴石也为之击节叫好。

陈嘉庚谈起前不久延安之行的印象："虞薰兄，我看延安与重庆大不相同。在重庆，不顾敌人轰炸，大兴土木；在延安，我所见到的是朴素。几个海外归来的女学生进屋见毛泽东，没有鞠躬行礼，有什么就大声讲，毛也毫不介意。晚餐时就把一张圆桌放在小方凳上，铺上几张报纸就行了。餐桌上最贵的菜是一碗鸡汤。我看，中华民族的救星在延安。"吴石将军沉默一会儿，说道："国军中一些腐败情况确实令人痛心。抗战已进入重要阶段，请陈先生多费心，多联系闽侨，大家要有钱出钱，有力出力。"

陈嘉庚

"我是福建人，我闽省出兵力不及他省，我闽侨应多出钱，以补省内出力之不足。"

① 邹韬奋：《抗战以来》，第 53 页。邹韬奋（1895—1944），原名思冷，江西余江人。著名新闻记者。

谈着谈着，两个爱国者的心连在一起。临别时，他们两双有力的手紧握在一起，使劲地摇着，是那样热烈、那样深情。

20 日晚，陈嘉庚乘火车赴桂林，吴石到车站送行，目送好友在火车轰鸣中离去。

吴石感到一种责任压在自己的肩上，解救中华民族于危难“匹夫有责”。在他的办公室内挂满军用地图，所有作战计划都由他本人亲自草拟。每天清晨 5 点多，天刚蒙蒙亮，他已出现在崎岖的山道上，一匹枣红色的战马在驰骋。马蹄声声，唤醒了沉睡的山林，也唤起官兵们出操练武的积极性。据《张发奎传》记载：“张发奎不论寒暑，喜在凌晨跑马，极少间断。参谋长吴石也爱骑术，少不了双双驰骋，彼此角逐。”时光在周而复始中消逝。

1941 年 1 月上旬发生的皖南事变在国统区引起震动。

1939 年后，新四军 10 万之众，在华中数省地区坚持抗战，日军视其为眼中钉，不断“扫荡”；而合作抗日的蒋介石竟然也忌恨新四军，几次派国民党军队制造摩擦，甚至武装进攻。3 个月内，蒋介石利用最高统帅的地位，连发三道“金牌”，令皖南新四军限期北移。

1941 年 1 月初，新四军军部及主力部队 9000 余人开始北移，6 日行至皖南茂林地区时，国民党第三战区司令长官顾祝同和国民党第三十二集团军总司令上官云相预先布置好 7 个师 8 万余人，把他们重重包围于穷山大壑之中，加以袭击。新四军被迫还击，奋战 7 昼夜，终因寡不敌众，弹尽粮绝，除 2000 余人突围外，大部被俘、失散或牺牲。军长叶挺在同国民党谈判时被扣，副军长项英突围后被叛徒杀害。

1 月 17 日，蒋介石反诬新四军“叛变”，说什么蓄意消灭皖南新四军是“整饬纲纪、贯彻命令”，还借此宣布取消新四军番号，并要将叶挺交军法审判。

这段时间里，广西的形势也十分凶险。中共特别党员吴仲禧担心这会影响四战区抗日统一战线的局面，也担心好友吴石的态度。到柳州的第二天，吴仲禧就去见吴石，两人攀谈起来。

吴仲禧说：“对这段发生的事怎么看？”

吴石紧接着说："皖南事变完全是第三战区的事。我看，目前还不至波及这里。我们现在的任务重要的是对付日寇继续南下，做好各种作战准备，国共之间的摩擦不应扩大。"

吴石继续说道："两党联合抗日已感力量不足，再要反共，只有降日。"

吴仲禧提醒说："有人说你的后台是白健生，你怎么看？"

吴石不无遗憾地答道："对白崇禧与何应钦发表的皓电，不管如何。有人说我依靠白健生，难道我在国内外军校名列前茅也是靠他吗？我从来不依靠任何人，谁真正爱国，我就跟谁走。"

从一些史料看，皖南事变发生后，在张发奎、吴石等高级将领的坚持下，第四战区没有追随国民党中的顽固派进行反共，一直坚持中立的态度，局势稳定。第四战区成为当时全国 10 个战区中唯一没有发表所谓声讨新四军反共通电的战区。在一片反共喧嚣中能够这样做，确实是难能可贵的，这与张发奎、吴石等高级将领的开明态度是分不开的。

作为战区参谋长，吴石把相当的精力用在军事部署上。在危急时刻，他还亲自奔赴第一线，指挥战斗，摘得胜果。1941 年 5 月，蒋介石以"该员计划周详缜密，各时期战斗指挥无不合适"[①]，要求国民政府给予吴石奖章。同月 29 日，国民政府给予吴石"干城甲种一等奖章"。

当时，美军将领史迪威、魏德迈都有打通滇缅路的意向，国民党军事当局对广西的防务难以顾及。广西只是起后方兵站的作用，兵力部署显得十分单薄，特别是桂北没有安排重兵。对此，吴石感到极度的担忧，极力主张及早周密部署、防止日军由湘入桂或由粤西入桂。看到军队调度困难，他提出实事求是的解决方案，建议国民政府调杜聿明远征军的一部留驻桂北，可惜没有得到批准。

1942 年初，敌人从南宁撤退。吴石对此早有预见，及时准备，果断派出邓龙光、夏威部追击，使地方上所受损失大为减少。他后来回忆："当敌开始撤退时，余自广播得情报，适张长官（发奎）不在柳，未及请示，乃

① 《行政院院长蒋中正呈国民政府为请核给吴石等二十一员奖章》（1941 年 5 月 24 日），台北"国史馆"藏。

将邓龙光、夏威之部队集中作追击之部署。命令既下，翌日，敌即退出南宁，余电请张长官回柳主持，自任追击之责，以吾人追击颇为活跃，故所获战利品亦多，敌仓惶逃遁不及进行破坏，地方赖以保全者甚多，邕市区内之建筑物，桥梁及水电设备完整无缺，不可谓非得追击迅速之效果也。”①

桂柳战役开始后，抵挡强敌的只是处于劣势的队伍，吴石作为战区参谋长，感到“指导上之困难已臻极点，殆毕生所未经”②。为了掩护战略物资，他不辞辛劳，亲临怀远前线组织阻击。这时候，他手中仅有一个工兵团的兵力，重炮不过三四门、战车不过七八辆。可他心中已有对敌良策，下令官兵坚筑阵地，据河固守。部下人心惴惴，明白眼下情况是敌众我寡，恐难抵挡得住。吴石将全体官兵召集起来，运用敌我态势图详细分析敌方之不足、我方之优势，强调只有坚守，才有希望。要大家举手宣示誓死守住阵地，一下子鼓舞了士气。为使战情了如指掌、督促官兵坚守，每天他都到前线一次，躬亲指挥。就这样，吴石率部与敌相持七天七夜，敌人最终不敢渡河。我军终于守住了独山至百色一带的战略要地，将敌阻于黔川大门之外。

吴石以他的胆识最终化解危局。

筹划第三次长沙会战

1941 年 12 月 8 日，日军偷袭美国在太平洋上的海军基地珍珠港，宣告太平洋战争爆发，第三次长沙会战已不可避免。战前，国民政府军事委员会高度重视，责令李济深、贺衷寒、熊式辉、张发奎、薛岳、顾祝同、白崇禧、林蔚等人拟订作战计划。在具体起草中，这些名将并没有具体参与，具体拟订工作由吴石负责。

在制订作战计划中，吴石与参谋们反复论证，认真总结抗战以来历次会战失败的教训。根据第一次长沙会战、上高会战，尤其第二次长沙会战的实际情况，提出要改变以往会战分散兵力层层设防，与日军进行阵地防御战而

① 《萃文叔生平传记》(手抄本)。
② 《萃文叔生平传记》(手抄本)。

被日军的飞机重炮大量杀伤的呆板模式。认为只要以部分兵力坚守正面既设阵地结合铁丝网、明暗火力点，逐次消耗日军的有生力量，并主动转移至日军的侧翼、继续进行抗击，结合夜袭、侧击、伏击、尾击等各种手段消耗日军战力，待日军进入预定决战区域，看准时机，趁日军攻击受挫之时，集中绝对优势的兵力，将日军一举围歼。明显改变的作战思路，充分显示吴石将军和参谋人员过人的智慧和胆识。自然，经过深思、比对制订出的作战计划得到各方首肯，也得到薛岳[①]在内的一线作战人员的良好贯彻。

以下摘录的是作战计划中的一部分内容，其具体、周详、周密，在实战中得到检验，也证明此作战计划的科学性、针对性。

敌情判断

敌人再次向本战区进犯时，仍有两种可能，一种可能是：以全力由湘北进犯，重点仍保持于其左翼，索取我军右翼包围攻击。另一种可能是：以主力由湘北进犯，其重点指向与上项同；各以一部分由南昌、武宁、通城进犯，策应湘北的作战。

作战方针

战区为诱敌深入后进行决战之目的，在敌进攻时，以一部兵力由第一线开始逐次抵抗，随时保持我军于外线；俟敌进入我预定决战地区时，以全力开始总反攻，包围敌军并歼灭之。

指导要领

（一）敌以全力由湘北进攻时，预定在长沙外围与敌决战，重点保持于长沙以东地区。

（1）湘北守军于敌人进攻时，先应利用既设工事拒止敌人。继应，一面采取逐次抵抗，消耗和迟滞敌人（在逐次抵抗中，敌压迫我左翼时，可作适当的抵抗；敌压我右翼时，则主动先撤退左翼，再适时撤退右翼，防止陷入内线，招致失败）；一面在逐次抵抗中，适时作如下处置：以一部向梅

---

① 薛岳（1896—1998），原名薛仰岳，字伯陵，广东乐昌人。早年曾任孙中山大元帅府警卫团一营营长。1934 年任第二路军总指挥时，率军追击红军 2 万余里。1946 年任徐州绥靖公署主任。1947 年调任总统府参军长。1949 年 1 月任广东省政府主席，兼任海南防卫总司令。赴台后任“总统府”一级上将战略顾问等职。

仙、平江以东外线转移；以一部分别潜伏于汨罗江、捞刀河间各偏僻地区；以主力向相公市、沙市街以东外线转移。尔后，各潜伏部队应俟敌大队通过后，自动起来攻袭敌后，并阻止敌军撤退；并于总反攻时，待命以一部向西进攻，扼守汨罗江北岸，遮断敌军退路，以主力向捞刀河以北攻击，使围攻长沙之敌不得退过捞刀河北岸。

（2）赣中、赣北守军，在敌军进攻时，应以一部守备原阵地，以主力向浏阳以东地区前进；于总反攻时，待命由浏阳地区向长沙以东攻击。

（3）战区直辖各军：以一部及炮兵占领长沙岳麓山核心阵地，构筑坚固工事并确保之。直辖各军主力于总反攻时，待命由株洲、普迹地区向长沙以南攻击。

（4）湘北各挺进部队在敌军开始进攻时，于新墙河以北扰乱敌后；俟敌主力渡过汨罗江后，转移至新墙河以南地区活动；尔后阻扰敌军的撤退。鄂南挺进部队于敌攻击开始后，集中力量向蒲圻、临湖线及崇阳、通城线不断攻袭破坏，扰敌后方。

（二）敌以主力由湘北进犯，同时亦各以一部由南昌、武宁、通城向我军进犯。

（1）赣中、高安方面

南昌方面之敌沿湘赣公路进犯时，高安方面守军应利用现阵地拒止敌人；继应保持袋形态势，向上高附近进行逐次抵抗，以消耗迟滞敌军；尔后依该地区控制部队之参加，重点保持于上高东南，反攻敌军并歼灭之。

赣北挺进部队于敌进攻开始后，应向德安、南昌线，德安、安义线不断攻袭破坏。

（2）赣北修水方面

武宁方面之敌，经修水、铜鼓进犯时，修水方面守军应利用现阵地拒止敌人；继应保持袋形态势，向铜鼓附近进行逐次抵抗，以消耗迟滞敌军；尔后依该地区控制部队之参加，重点保持于铜鼓东南，反攻敌军而歼灭之。

（3）鄂南通城方面

通城崇阳方面日军，经白沙岭、长寿街进犯时，九湖山、幕阜山地区挺进部队应扼险阻止敌人；尔后保持袋形态势，向嘉义附近进行逐次抵抗，以消耗迟滞敌军；南茶、九宫山地区全部挺进部队，应迅速向长寿街方向前进，由东向西进攻敌军左侧背。

梅仙、平江以东部队，必要时应以一部由西向东进攻敌军右侧背。

（4）湘北南江桥、新墙河方面

湘北守军、战区直辖各军及炮兵的行动，见指导要领（一）（略有不同）。湘北各挺进部队的行动与指导要领（一）的指导同。

兵团部署

（一）第十九集团军应以主力守备高安、奉新方面现阵地，以一部控置于上高附近。

（1）敌全力由湘北进犯时，应抽一个师向浏阳以东前进，待命归第三十集团军指挥，向长沙以东攻击。

（2）敌一部沿湘赣公路进犯时，第一线部队先应利用现阵地拒止敌人；继应进行逐次抵抗；尔后依控制部队之参加，在上高附近与敌决战。康景濂纵队应向德安、南昌线，德安、安义线不断攻袭破坏。

（二）第三十集团军主力应守备澧溪方面现阵地，以有力一部控置于修水附近。

（1）敌全力由湘北进犯时，以一部守备现阵地，主力向浏阳以东前进，并指挥第十九集团军一个师，待命向长沙以东攻击。

（2）敌一部由武宁方面经修水、铜鼓进犯时，第一线部队先应利用现阵地拒止敌人，继应进行逐次抵抗，尔后依控制部队之参加，在铜鼓附近与敌决战。

（三）湘鄂赣边区总部所属各挺进部队，应以九宫山、太湖山为根据，在幕阜山地区活动。

（1）敌全力由湘北进犯时，应集中力量向蒲圻、临湘线，崇阳、通城线，不断攻袭破坏，策应湘北的作战。

（2）敌一部由崇阳、通城方面经白沙岭、长寿街进犯时，幕阜山、九湖山方面部队先行扼险阻止敌人；继应进行逐次抵抗；尔后依南茶、九宫山方面部队之参加，在嘉义附近与敌决战。

（四）第二十七集团军

（1）第二十军应守备南江桥方面现阵地。敌全力或以主力由湘北进犯时，应先利用现阵地拒止敌人；继应一面逐次抵抗，一面向梅仙、平江外线转移；尔后待命向西进攻扼守汨罗江北岸断敌归路，或依情况派一部向窜至长寿街地区之敌攻击。

（2）第五十八军应守备新墙河方面现阵地。敌以全力（主力）由湘北进犯时，先应利用现阵地拒止敌人；继应一面逐次抵抗，一面向长乐街至三眼桥、汨罗江南岸转移。

第九十九军应守备湘阴至临资口、营田现阵地；第三十七军主力守备长乐街以西汨罗江南岸现阵地。

敌向汨罗江进攻时，第五十八、第三十七军一方面由汨罗江继续逐次抵抗；一面以主力向相公市、沙市街（按“指导要领（二）”为高桥、路口余田）以东外线转移，以一部潜伏于汨罗江、捞刀河间偏僻地区。俟敌大部队通过后，潜伏部队自动起来攻袭，尔后并阻敌军的撤退。俟总反攻时，待命以主力向捞刀河以北攻击。

（3）第十军控置于长沙、株洲地区，加强长沙工事，准备固守长沙。

（4）由第七战区增援之第四军控置株洲、衡山地区，准备协同新增部队，向长沙以南或以东以南攻击；并依情况（敌单独由赣中或赣北进犯时）准备参加上高或铜鼓方面的决战。

这个计划除了上述敌情判断、作战方针、指导要领、兵团部署外，还有兵站设置及补给、交通、通信设施及破坏等项，并附有各种要图，铅印成厚厚的一册，发给军长以上人员研究，并让各集团军按照计划规定的任务和行动，侦察地形，制订局部计划，报长官部备核。这个计划下发不过一个多月，第三次长沙会战就开始了。由于长官部及各部队对这个计划要领研究到位，有效统一了高层军官的认识，一切指导和行动，全战区都是一致的，都能符合这个作战计划的要求，没有发生龃龉。

至1942年1月16日，第三次长沙会战，日军以伤亡万人以上、被俘139人，被掳获步骑枪1138支、机枪115挺等的惨痛代价全线溃败。敌炫耀战力之企图彻底破产。

长沙之战之后，外国记者由军令部派员和中央通讯社及各大报记者陪同前来长沙，先由薛岳接见，然后由赵子立向新闻记者发布报告。报告内容中关于会战经过部分是真的，关于战果部分，如日军伤亡、我军所获战利品等则有所夸大。报告后，把作战计划拿给记者们看，一名美国记者问："你们墙上挂的《会战经过要图》怎么和这计划中的《作战指导要图》一样，你们这个本子是不是打过仗才印的？"报告人反问："要是打过仗才印的，是不是还可以叫作作战计划呢？"那个记者摇着头说："怎么这样巧呀，神话！神话！"报告人说："先生，认为这是神话吗？不是神话，是现实。任何一个战争，如果没有一点超前思想，根本就不能打胜仗；凡是打胜仗，或多或少地总得有些超前思想表现在计划上。你们国家作战也是这样。"

解救胡志明

1940 年 9 月 22 日，日军撤出南宁，侵入越南。与此同时，盟军建立起中国战区统帅部，中国军队开始在中越、中缅边境与盟军协同作战。当时，第四战区所属的广西边境，成为重要的抗日防线。1942 年夏秋之交，在广西边境发生一件富有传奇色彩的事情。据时任第四战区参谋处情报科上校科长陈一林回忆："当年的越南共产党主席胡志明如果不遇上吴石参谋长、陈宝仓副参谋长，他在中越边境就被糊里糊涂地枪毙了！"①

胡志明

胡志明（Ho ChiMinh，1890—1969），越南革命家、政治家。越南共产党的缔造者，越南民主共和国主席（1945—1969）。原名阮必成，从事革命活动时改名阮爱国，后又改名胡志明。

① 吴韶成 1986 年 8 月 3 日访问陈一林录音资料。陈一林时任广州市政协主席。

1942年8月20日，在地处中越边境的广西天保县足荣乡，胡志明受到乡警向福茂的盘查。当时胡志明从口袋里掏出一张证明书，上面写着："兹特派胡志明晋谒中国政府，希沿途给予援助，不得留难，此证。"落款是"国际反侵略协会越南分会"。胡志明所持的特约通讯员证以及第四战区长官部的军用通行证等所有的证件，都是1940年签发的，已经过期失效。当地政府看到这么多不同单位、不同名字的过期证明，怀疑他是日本间谍，于是将他扣留。陈一林写道："天保县政府打电报给第四战区长官部，说捕获一名日本间谍，请求就地处决。电报上并未注明被俘者的姓名。"战区参谋处情报科收到电报后，陈一林回忆："当时我是二课主办此项业务的上校参谋，有这样一个日本间谍对我收集情报实在是太重要了。"立即签呈吴石批阅，吴石在征求陈宝仓副参谋长的意见后，指示陈一林发出一份限两小时内到达的急电，令镇边县县长"将此人立即押解柳州长官部，一切费用由长官部报销"。陈一林立即以限二小时到的急电令其派专人将"间谍"押送来柳州长官部处理。于是，胡志明被押解着，经过田东、隆安、天等、南宁、武鸣、宾阳、来宾、柳州等地，于1942年12月10日到达桂林广西省政府，又关押了一个多月，辨明实情后，才送交第四战区司令长官部审查。到达柳州时，已经是1943年春天了。

胡志明在足荣被捕的消息传回越南后，越共中央机关的同志非常着急，曾进行一系列营救胡志明的活动：

1942年10月下旬以国际反侵略协会越南分会的名义致电当时国民党立法院长孙科，要求释放胡志明。孙科接电后，转给中国国民党中央执行委员会秘书长吴铁城。吴铁城随即电告广西省政府，要求"查明释放"。由于当时胡志明正在押解途中，尚未到达桂林，广西省政府无从查找。11月9日，吴铁城又发电到第四战区张发奎处查找，由于胡志明尚未押至柳州，张对吴铁城的电报也未曾立即答复。

1942年11月15日，又以国际反侵略协会越南分会的名义，向驻重庆的苏联塔斯社发电，呼吁营救胡志明。

陈一林说："胡志明被押送到柳州已经是1943年春节时候了。我是第一个接审他的人。胡志明个子瘦小，留有山羊胡子，穿着破烂不堪的老百姓的对襟布衣，乍一看，像个算命先生。但双眼炯炯有神，说的是带有广东口音的普通话。他对我承认他是越南共产党，现阶段他们党的宗旨是抗击日本帝国主义。他到中国来的目的是要到重庆面见国际反法西斯同盟主席宋庆龄和英国大使，争取国际上对越南抗日战争的援助。我了解到胡志明的真实身份后，临时先给他改善了居住、饮食条件：在拘留所里架起一张床（数月来他一直睡在潮湿的地上，身上长了疥疮，关节肿痛），与拘留所的工作人员一同开饭。并且立即向张发奎长官报告，建议留下他在长官部为我军入越抗日的顾问。左洪涛（第四战区司令长官部中共地下特别支部书记，当时公开的身份是张发奎的侍从副官）告诉我：'张发奎看了胡志明在狱中所写的诗篇，对胡志明本人的抗日主张和博学多才十分敬重。但这么大的事，必须向国民党中央机关报告。'张治中代表中央催着回电：只要越共与中共没有直接联系，可以联合他们共同抗日。对胡要表面友好，暗中软禁。胡志明即移居柳州窑埠街'斌庐'，以礼相待，视为上宾。"

当时，出于对在中越边境协同盟军作战的军事需要，第四战区参谋处情报科在越南建有情报网，对越南的情况（包括各政党和团体的情况）有所了解。吴石深知越南共产党是越南抗日的一支重要力量。从共同抗日的目标出发，他和陈宝仓等高级将领促成长官部帮助他促进越南各个党派联合抗日，在柳州组建越南革命同盟会，同盟会组建过程中，有人提议推举越南国民党的阮海臣任主席，胡志明表示不能接受。吴石与陈宝仓及张发奎商量后做了协调工作，同盟会终选举胡志明为主席。之后，长官部还协助越南革命同盟会举办军政干部训练班，让200多名越南男女青年进入柳州学习。这批学员越干班结束后，参加到越南挺进纵队，回国后在越南复国斗争、接收日军投降和建立新政权中，均发挥了重大作用。当时，第四战区对越共很支持，提供了经费和军事装备，还派肖文将军去帮助他们。后来由于受到军统方面的反对，才不得不把肖文撤回。在临别时，胡志明主席还送给他一面锦旗，上书"越南之友"四个大字。

1944 年 9 月，胡志明在第四战区司令部帮助下带领部分工作人员离开柳州，经南宁、龙州，从水口关入越，回到北坡革命根据地，领导越南人民反帝反殖的斗争。

创办《国防研究》

尽管战火纷飞，变故不断，生活、著述以及印刷出版的条件极其艰苦，然而正是为了适应战争并进一步驾驭战争的需要，吴石始终坚守自己的学术心灵与志向，结合战势动向，耕耘于兵学理论研究，进入个人军学研究的一个新阶段。创办《国防研究》、写就《新国防论》《新战术论》是当时吴石做的在军界有广泛影响的三件事。

为倡导国防建设，1942 年 12 月初，征得张发奎的同意，吴石策划、创办了《国防研究》。吴石不愧为军事专家，在战时各方面条件有限的情况下，仍能驾轻就熟，一方面协调出版事宜；另一方面积极组稿，除自己挂帅、担任主编外，还把麦朝枢、王辉成、张佩文、黄中廑、何家槐、张励、邓圣象、孙宝刚、黄炳寰、骆来添等军中秀才聚集在一起，悉心研究。经过夜以继日的操劳，《国防研究》月刊于 1942 年 12 月 15 日创刊，以第四战区司令长官司令部军事研究会名义在柳州出版。《国防研究》坚持出版一年多，成为当时有影响的军事刊物。吴石既是热心的创办者，又是重要的撰稿人，为这一刊物投入极大的心血。每期可看到吴石的文章 3—4 篇。在《国防研究》（创刊号）上，吴石撰写了《发刊词》《新国防论》（连载）、《今次大战各国战时经济概

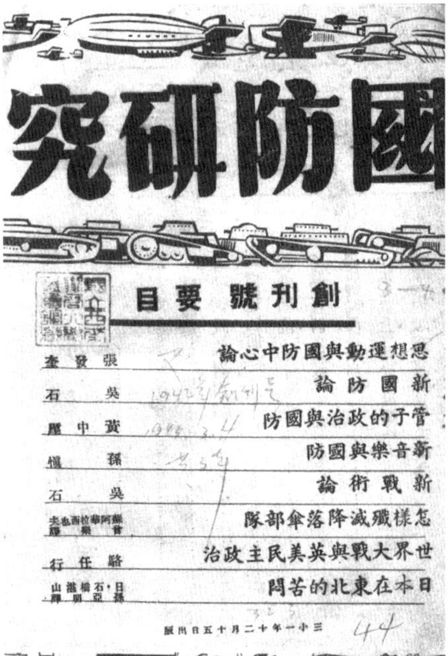

國防研究

創刊號要目

思想運動與國防中心論	張發奎
新國防論	吳石
管子的政治與國防	黃中廑
新音樂與國防	孫愼
新戰術論	吳石
怎樣殲滅降落傘部隊	蘇阿華拉西也夫 曾樂譯
世界大戰與英美民主政治	駱任行
日本在東北的苦悶	日·石橋湛山 孫亞明譯

三十一年十二月十五日出版

《国防研究》创刊号

述》，“国防史料丛钞”专栏下的《夹谷之会》《子贡存鲁》《华元保宋》等7篇文章或评述，这些文章或评述支撑起了这份刊物。

其中《新国防论》系吴石颇有心得之作，但他对此是谦逊的，表示：“篇中内容先逐章作原则的阐释，最后以国民一分子之资格，对我国今后国防之建设，略申管蠡之见，窃愿与高明之士共商榷之。”在《新国防论》一文中，吴石谈到国防建设的意义。指出：“本篇旨在论列国防最新意义与原则，俾资海内人士研究国防问题，涓壤之助，且期国防学识，普及于国内同胞而成常识化。抑我国古籍载，所示国防问题，綦周且至，此爱国精神，与护国措施，诚吾人所当拳拳服膺，用是辄加稽讨，发扬，藉明我炎黄华胄国防文化之高超，由来已久，而免有数典忘祖之讥。”

《新战术论》是吴石在《国防研究》上发表的另一部重要著作。为什么要重视新战术？吴石在文章开头凡例部分作了精要的解说：

> 第二次欧战发生后，因兵器特殊发展，战术上乃显极大之变革，各国军事家或阐释一般战术之经纬，或豫言来日战术之趋势，或检讨最近作战之失败，巨著宏篇，层出不穷，用是抽绎特质，综合要义，藉供袍泽研究新战术之便利，殊感必要，兹篇编述微旨此其一。
>
> 一国典令之编成，要以其编制、装备、国民性、作战地，为之根基，而尤须着眼实战经验，是夷考此次世界大战各战役之用兵术策，而归纳为原则的意义，藉供纂编战术典令刍荛之采！
>
> 二十世纪五十年代战争之方式与术策，已成常识化，一国国民，不与时代之战争，不足以言国防，一般国民不解时代之战术，不足以见文明，际此举国上下，提倡“国防第一”之会，对于新战术之读物，似为海内人士之需要。

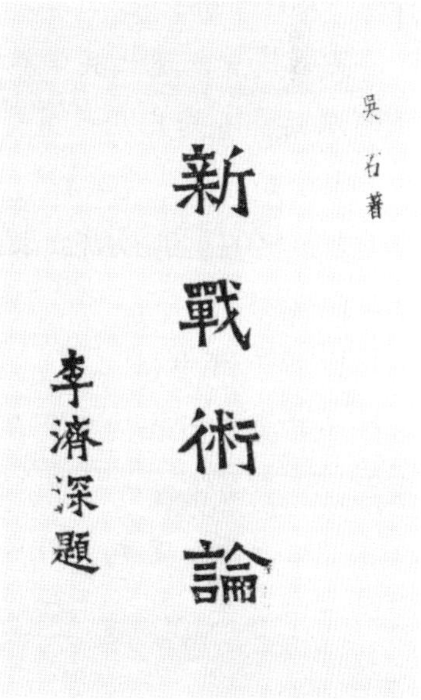

《新战术论》封面

1942年11月《新战术论》结集出版，吴石的好友李济深、林蔚分别为《新战术论》作序。李济深在序中指出：

凡一法之立，必求其合于时，应乎事，其效乃大者，然时有蜕变，事无恒蹊，故法亦随之以为兴革，往往在昔为良法，在今则扞格而穷敝，势必更新以趋于时，设仍因循墨守，则未有不事者也，况用兵之道，千变万化，尤不可端倪。苟不与时俱进，迎合时机，更何以策万全操胜算哉。此次世界大战，广衍剧烈，空绝古今，运用之繁，亦从来所稀有，其能惩前毖后，推陈出新，以应其神征者，必足致人，而不致于人。篇中德法优劣之判，即由于此，著者盖基于流血所得之经验，是有其真知灼见者，故能深入肌理，语无虚发，纵横引证，皆切实有本之言。非区于得失成败之原者，固无此精富也。嗟乎，暴德以于已往之教训，即能改进，不肯少，得致其效果，肆其凶顽；而我抗战五年，所获亦殊不，乃鲜能通时以合变者，其或改而未尽能行者也。古云：法者利于时者也，兵者以时变者也，不可忽亦不可泥。读是书者，宜体其立言之微旨，以振其神思机智，而跻于新途，厉风变，用扬我武，则胜利之期，足可待矣。

林蔚兴奋地为吴石佳作接连作了两篇序，以表达支持和钦佩之情。林蔚在第一篇序中称：

吴君虞薰，现代兵学界之权威。抗战以来，本其平日治军作战心得，巨制鸿篇，不知凡几，盖蜚声海内外矣。近复以《新战术论》一书嘱余序，余受而读之，觉其探讨之，审理论之明确，对策之中肯，要旨最适合当前抗战之用。其以新战术名，名实尤符也，余幸获先睹，为摘记其要点于次：

著者于书中第二章，首予新战术以明确之概念谓："现代化之战术……其要点所在，不外合全面作战、纵深作战与快速运动战三者而构成之。""全面作战……即：敌我之战斗，从一线而变成面，从平面而演成立体，从一面而变成多面。""纵深作战……即将敌军第一线与后方部队，同时一举突击，深入而毁灭之也。""新运动战最主要之因素，即奇袭与机动。"

其于第三章阐明新战术之由来谓："大凡战术原则，有永久性与变迁性之两面。永久性者，千古不磨之原则……变迁性者则因军事技术，军事工业之发达，而递嬗演变。”“新战术之集大成，当推德国，更夷考其对新战术之创立，在乎鉴知已往之失败，而完成其战术思想，完备其整军计划。”

其次第四章为全书之主体部分，著者于此就新战术之要义，进作全面细密之分析，首言：“新战术之思想旨在使用快速猛烈之兵器与奇突之手段，迅速收得决定效果”。以次分言其目的与手段曰：“新战术之作战目的，不外乎予敌以强力打击，使无再起之可能，予敌以不意奇袭，使无抵抗之余裕。因是，如消灭作战意志，残害神经中枢，破坏指挥系统，摧毁作战力量，迅举作战效果等，均为最重要之着眼。”“现今战术之趋势，实以迅举作战成果为归依，即战争指导方针上，以持久战为目的，而战斗上仍采用速战速决，吾人不可不察也。”其于手段方面则曰：“现今战术之特异点加以归纳，即：实的战斗、智的战斗、勇的战斗是也。”“采用适时奇袭之战术，以收不意打击之效，……所谓闪电战之要诀悉在乎是。”“对敌作战于数量与质量占绝对优势，为战略上最上乘。”“新战术……必依快速部队……强迫敌人行迅速的决战……，并利用以行高速之迂回包围。”“机动性可分为兵器机动与技术机动之两种，兵器之机动，亦即可谓质的机动，……技术的机动，则赖指挥官与幕僚等，奋其敏活，不失时机之指挥与处置。”“作战之威力，亦当由组织立之加强，方克收最效之成果。”

最后著者于第五章中综合其全盘研究，而结以我国当前可能采取之对策，其论战术原则谓：“战术原则，实含有精神的与技术的两面，而精神方面，要以战术思想与战术主义为中心所在，开章已道及之，故新战术原则，苟脱离乎是，则不啻舍精华而崇糟粕，遗灵魂而存躯壳。”对策方面认为：“国军今后战术思想之着眼点……自以遵循最高统帅所昭示战略上行持久战，战术上行歼灭战，战斗上机械化为主体与步兵为主体之战斗，并行不悖，是为至当不易之要义。”“攻击为战胜唯一方法，亦为战斗唯一方法，更为战术思想第一要义……在军队无论战斗员与非战斗员，必须具高度攻击精神，绝不因敌之策动，或状况之变迁，而有动摇。”“安全之保障，……是为现代战最警策之原则。”“在闪击战法、全面战法推行之今日，奇袭之重要性，诚已达于极点。惟吾人对于奇袭战法，有不能不明了者，即奇袭战法用之于作战则可，用之战争则不可。”“奇袭之要诀有四，即：（1）秘密完善；（2）欺骗巧妙：（3）准备周到；（4）行动神速是也。”“奇袭之对策……平时不可因主观之判断，对于一切武力之防备，陷于疏忽……战争开始后，应无论时地之若何，战场之巨细，均应立于不败之地，确实防御。”“独立自动战斗应具之要素：（1）深切之认识。（2）训练之确实。（3）小部队各种火器之配合。”“游击战乃实行全民战争最确实本质的战斗方式……故我国对侵略国之作战，必须运用游击战，已成不拔之论也。”“军队干部之良窳，为军事胜负与国家安危所系……为军官者，须兼知一切战术与兵器之运用。”

以上摘记均本书所明白提示之要点，读者诚能精加钻研，则于其立论之富有根据与裨益抗战之重大，当自有定论，而无待余之唾赘也。

林蔚在第二篇《序》中写道：

战术思想之演变，基于军备技术的革新。其说尚矣，而义有未尽。军备决定战术，战术亦改进军备，两者实互有因果不可畸重畸轻者也。超越现实军备基础之战术为空想，反之则为落后。落后与空想，均足以丧师而覆国。唯明敏天纵之士，方能鉴于过去胜败得失之机，以鼓铸其新的战术思想，故不徒可以制人地时物之宜以求胜，又能转以促进军备技术之独特发展。近年，德法胜败之局，盖亦于此兆机焉。抑战术思想不可以国界囿也，各国之技术水准与军备状况，原不能尽期于一致，然必有一划时代之最高水平、能适应此最高军备技术水准，而制立之战术，方为世界最新之战术，亦唯能彻底了解此最新战术而后可以与言于现代之战争，盖战者敌我人、智、物综合对抗之行为也。若不于当前各种最新战术有深切透彻之领会，则泥执旧法，而不应变，鲜有不败者也。德国著名军事评论家麦克司温纳评法国之言曰：“彼想未能理解现代之攻击战术，故亦未能采取有效之防御方法。”斯言也诚亦一切军学家之所宜戒，故吾人对于现代新兴战术，应毋囿于一己之环境，务须努力研究，以争取世界全般之最高水准，而尤须依战术主义之抉择，以改进其所需之技术和军备。世有以战术消极追随之军备，或以已之不能立时采用而放弃研究者，均锢蔽偏曲之见，为祸殆不可胜计，有识之士必将憬然于当前抗战建军之急务，乃特以世界最新兴战术之研究为首要焉。

吾国自抗战，军与忠勇将士之奋厉无前、出死入生，以立功疆场者众矣，而独于躬亲锤炼之各种新兴战术，或习焉而不察，或由之而莫审其道或故守一得以为之心得，其能毋固毋我对于现代战术之变，虚怀研究介绍系统之言，以于抗战建军之前途者，盖未尝多焉。

吴子虞薰，慨然有感于斯，而又邃于兵学，力足以济其志。乃自抗战以来，本其治军作战心得，发为著述者不知凡几，近复手著《新战术论》一篇，综集当前世界各国最新采用之战术为之释名，为之析义，为之汇列所要点法则，为之搜陈其运用实例，论其利害得失之道，而结以我国当前可采之对策，行文精要，言简而意赅。我抗战将士诚能于此一册，精勤研讨，触类而广推之，则于现代世界最新战术，当不难得其全貌，以进其堂奥，是不独可以，优游肆应倭寇之黔技，以操胜利之左券，且于我建军前途辟一康庄焉。余惟深慕吴子之志，而佩其学养事功之日进，受书快读一过，爰乐之为申序云。

而在《今次大战各国战时经济概述》刊于1942年12月15日《国防研究》创刊号上，吴石就战时经济与战争胜败予以定论。他指出：

今次大战发生以来，世界经济状况顿呈极大变化，是诚战争时期必然之现象，兹就从事战争各主要国最近期内财政状况，述其梗概，俾窥现代战争经济之庞大性与重要性，兹亦关心现代战争经济诸君所跂望也。

自军缩会议以后，世界各国对经济之措施，无不相率入于战时状态，经济理论亦由自由经济转向统制经济，如严格统制贸易，巨量增加军费及国家预算，保有管理军用资源等，孜孜汲汲，未雨绸缪，豫行军事上缓急之准备。

今次大战乃集近代科学之精华，以决定战争之胜败，所谓闪电战，即为新战术表现之一端，此种战术之重要武器如航空机与机械化兵器等，其装备烦贵重，与战斗时消耗之巨，远非昔日可比，以是今日交战各国如军事费用需要巨大量额，而充实国防阵容，更不得不顿改旧观，尤以对于国防设备以及观念上，亦发生新旧之革命，同时近代战争更非以前之单纯的武力战争，除武力之外，更有经济、思想、文化，各种之战争，所谓全面战争是也。就中最重要者为思想战，而思想战之焦点，又为广域经济圈的实践运动，即应付变幻无穷之国际政局，无论交战与非交战国皆锐意以扩军为国防之第一要义，故一国预算一经趋于国防与扩军之途，其数字便急激上升，政治状态为战争色彩所笼罩，结果国库财政负担不了军费之要求，而赤字公债遂一年增多一年，是亦必然之趋势也。

先就倭寇言，倭原为经济上先天不足，后天失调之国家，其对外冒险发动侵略战争，无非欲求经济问题之解决，结果反因战争之消耗，而损害其固有之经济现状，致危机愈陷愈深，自对华侵战以来，先则罄其所储备之物资、现金，再则因战争打断其对外贸易之路，不但未由以对外贸易填补其战争消耗之部，且其对占领地之贸易反成为其本国经济之一种增加负担，结果战时财政陷于山穷水尽之地步，于增税、节约之外，唯有赖赤字公债以维持，战前倭公债不过九十万万日元（以下同此），去年冬因太平洋战争临时议会通过六十六万万日元，今年度之公债亦达一百四十万万元之巨。统计倭公债已逾四百万万元，其通货发行额至一九四〇年夏，大藏省公布发行纸币三十九万六千二百万元，连朝鲜、台湾、伪联银、伪蒙疆及军用票达八十余万万元之多，一九三六年倭普通岁出预算不过二十三万万元，一九四一年度普通岁出及临时军事费共达一百一十九余万万元，较之战前增高将近五倍，而战费一项约三倍于政费之额，其在政费中本来尚含有军事费用犹未计入。自太平洋战争发生以来，今年度仅临时军事费为数已达一百八十万万元之巨，其中有一百四十万万为发行赤字公债，已如上述，其他则取给于增税，与国民储蓄，吸取国民脂膏亦至于枯竭干涸之境，最近所谓行政机构简单化，其中欲求紧缩经费，即因财政困难稍求补救之明证。再就倭国民所得以观，据查三九年倭国民所得总额为二百七十万万日元，而战费占国民所得额之百分七十，其率之高，即表示倭国贫穷深度之标尺也。

再就德国言，德国国库财政全部统计，虽未见正式发表，而其战时财政计划，则已采取公债租税各半主义，柏林财政家计算德国国库收入每月租税二十五万万马克，借数三十万万马克共五十五万万马克，至其用途在战费一项为四十五万万马克，一般行政费不过十万万马克而已。财政次长莱哈特发表德国国库岁入总额为七百二十万万马克，其中租税收入为二百七十二万万马克，战争费数额占岁入一半，按照下列统计，短期公债之增加足可反映战争之急需状况，是为最明显之事实。德国银行总裁发表国民所得约计为一千万万马克而战费所占之比例，约为百分之五十五至百分之七十之间。

次论及同盟国方面之战时经济状况。第一英国，英国贸易在世界上本占第一位，政治力量亦无其匹敌，海岛国家航海比较发达，殖民贸易之保护均赖海军，故其海军睥睨世界，惟以现代战争规模庞大，战斗激烈，英国于经济方面仍不能不求援于友邦，以遂行其长期作战，是乃英美两国于今次大战以来，关系益趋密切之由来。英国战时资金全仰殖民地是为人所共知者，战时财政之筹措，之依赖在外资本之运用，至其国内财政状况，在未开战前数年因急于扩军与国防准备，预算数字历年增加，赤字亦日渐增多，至于开战以后，单就国库税收已不足应付局势，以其得有美国援助，遂能加强其战力。按英国国库收入，公债财源占有一半租税收入，对战费之支持率在四一年度为百分三十七，到四二年度增至百分四十五，自美国军火租借法案通过后，便为宽松，故新年度预算数字无何增加，严格比较，当较上年为低。

四〇年国民所得比三八年增百分二六.五，共为五百五十八万万镑，按此战争费用占国民所得之百分七十弱，第二美国，美国国防在五年以前，已开始准备，国家预算亦逐年膨胀，一九三八年国民所得总额为六百三十九万万金元，但国防费预算一九三九年度增加十倍，为数已达一百五十五万万金元，再加上各种追加预算，合共三百余万万金元，此项国防费与岁出总额比较，在一九四一年度占岁出总额百分四十九，到四二年度增至百分七十，其用途多半为扩军，所谓扩军实际即战时预算是也。自从援英政策公布以后，更一路踏入战争大道，第三苏联，苏联财政状况较不容易明了，据所发表数字以观，其财政因扩军关系，有增无减，自四一年六月开始对德战争以后，其费用更急激增加，自不待言。

在层层剖析论证的基础上，吴石总结道："综上以观，今次大战，各国战时财政，均因扩军与战费而急激增加国家支出，其弥补方法，不外增税、募债与增发通货以求收支之平衡，其中以英苏美等同盟国家较为稳定，轴心国家之德日等国情况均极恶化，是就战时经济，已足以窥知战争胜败之数而有余矣。"这些观点在当时是掷地有声、独具慧眼的。

经历六寨惨案

1944年秋，日军第二次进犯广西。11月11日，柳州据点被敌突破，守备两团被围，蒙受重大的损失。同日，中方桂林据点的守军发出悲伤的呼声，敌人已由漓江的东岸渡河，突破了核心工事，第一三一师师长阚维雍将军自杀。东岸各独立据点的守军，成千成百地被敌人的毒气窒息于岩石的洞内。城防司令韦云淞在电话中说了一句"桂林已无法支持了"之后，一切电讯均已中断。此后不到两周的时间，桂林就被日军的铁蹄踏破了。随着情况日益紧张，第四战区长官部即作后撤的部署，计划分两步撤退：第一步撤至南丹六寨镇；第二步向贵州的独山、都匀、贵阳方向撤退。广西省政府从桂林迁往百色。

六寨是黔桂公路上的一个市镇，数万的难民和很多后方机关的人员，麇集在这个广阔不及三公里的街市。为指挥南丹部队作战，指挥所设立于此。当时，距南丹县城东南方向约50公里的六甲、拔贡、八圩等火车站已经无人管，车厢货物无主。为了不资敌，国民革命军第九十七军军长陈素农电报重庆，请派飞机轰炸六甲、拔贡、侧岭、八圩一带车站，破坏军用物资，并阻击进入六甲和拔贡的日军。

1944年11月27日上午9时许，17架机翼下涂着白色五角星标志的盟军飞机飞到六甲、南丹一带上空盘旋，遂折向巴平、六寨一带沿公路投下漫天传单，内容是简单语句和方框图画，方便文盲看到知道走小路最安全，走大路最危险；图画表示，美机要轰炸、封锁公路，叫难民避入附近山村。由于飞机标志是盟机，又是散发传单，难民谁也不害怕逃避，挤在水泄不通的市街里和麻尾的铁路车站目击着美机的翱翔。六寨大街依然是难民挤肩后撤，路边饮食摊点照常营业。17 架美机往南丹转一圈后向北飞去。是日下午 1 时许，17 架飞机突然出现在六寨街上空，盘旋一阵后俯冲低飞，扔下大量重型炸弹。六寨不是火车站，根本没有火车箱，从汽车站往街里约 100 米处开始落弹，正是难民群集之处。飞机又盘旋俯冲用 12.7 毫米机关枪轮番扫射，然后向麻尾方向飞去。刹时间，轰隆雷爆、烟尘蔽日、血肉横飞、哀号遍野，未死伤的人疯狂地向四郊狂奔。

六寨惨案后经查明是美机误炸，原因是尚有大量军用列车的物资武器车厢停在六甲、拔贡、八圩等火车站，无法运出，日军已进入六甲，国民党重庆司令部得到第九十七军电报后与美军研究决定派飞机轰炸，不许资敌。六甲距六寨有 50 公里，又不是火车站，第九十七军对空联络指明是要求炸六甲。美机领航译音错误，把“甲”译成“寨”。无线电译音中“六甲”被译为“六寨”之误，造成了战争的一大悲剧。其死亡人数当时无法统计，所有一切后方的物资，都毁于火海中。一位叫方兮的战地服务团成员提道：“吃完午饭就睡了。刚躺下不久，忽然听到飞机的呜呜声，转间，就是震耳欲聋的炸弹爆炸声，一时地动山摇。我们急忙跳出窗外，卧倒在一个沟里。如此断断续续炸了半个小时。我们站起来一看，只见焰火漫天，死伤无数。我自从参加抗战以来，经常在敌机轰炸扫射下行军、工作，也曾多次遇到敌机的大轰炸，但从没遇见过规模这么大，这么集中、悲惨！”[①] 六寨惨案亲历者张发奎后来回忆：“这是我一生最难忘的往事，对于盟机的作战史上亦是荒唐愚昧的一幕。部队里的一个中将、两个少将、八个上校和很多员官长、八百多名士兵都葬身于盟机的炸弹下，其他民众的死亡最少在五千以上的人。”[②] 每个人死亡的噩耗传来的时候，居住在车站幸免于难的吴石将军沉浸在悲痛之中，流泪满面，伤感不已。这些久经征战的官兵和义民没

① 《我们的特别支部——战斗的熔炉》，中共广东省委党史资料征集委员会、中共广东省委党史研究委员会编：《特支十年》（1937 年 9 月—1947 年 8 月），广东人民出版社 1988 年版，第 291 页。

② 胡志伟译注：《张发奎回忆录选译》，《近代史资料》总 107 号，中国社会科学出版社 2003 年版。

有战死沙场，谁能想到却被盟机夺去他们的生命？这是吴石将军心中挥之不去的痛。

长官部抵百色后，奉命改为国民革命军第二方面军，吴石出任二方面军参谋长兼副司令官。他的妻子儿女千辛万苦挤火车，有一顿没一顿地辗转到贵阳，一家人凄然相对，心爱的图书散失了，心爱的儿子吴竟成因战乱缺医少药离开了人世，吴石不禁万分悲痛，血压陡生，大病一场。吴石在病床上浮想联翩，一幕幕惨景在脑海里闪现：成千上万的军人浴血奋战，惨烈死去；成千上万难民扶老携幼，啼饥号寒，奔走在荒山野岭……思来想去，痛心疾首，扼腕长叹，做出一个人生的抉择："溯余自第四战区参谋长历时五载，颇有倦意，现既改方面军，去志益坚。"[①] 左洪涛在《忆特支十年战斗历程》一文中也证实这一点："国民党军队在湘桂沿线大溃退，吴参谋长很有意见，故坚决要求辞职。"[②] 这时候的吴石愤懑到极点，开始醒悟：自己一手制订的桂柳会战作战计划一败再败，是注定了的事。豫湘桂战役之败，绝非军队装备、训练差或指挥失当问题。政府腐败，专制独裁，脱离民众，"前方吃紧，后方紧吃"，岂能不败？

就在吴石愤懑之时，他的好友、军政部次长林蔚来电，邀请吴石赴重庆到中央任职。这个电报来得正是时候，去意已定的吴石开始起程陪都的准备。

1945 年 3 月，吴石自百色乘美军运输机赴昆明拜谒参谋总长何应钦。在办公室，何应钦单独接见了吴石，并对吴石慰勉道："吴参谋长，希望你仍留在二方面军，继续任原来的职务，或者干脆就留这里，出任陆军司令部副参谋长。"吴石诚恳地表示："谢何总长的美意，在下返中央任职之意已决。"他婉谢了何应钦的挽留。4 月 1 日，吴石离开昆明乘机飞抵重庆。

在重庆，吴石出任军政部部长办公室主任参事。吴石虽然仍身着戎装，但跟此前所做的事情大相径庭。军政部参事室主要处理例行公文，业务清简。主任参事虽为高级幕僚，做的是处理军政事务。吴石到位后，参事室、

---

① 《萃文叔生平传誌》(手抄本)。

② 中共广东省委党史资料征集委员会、中共广东省委党史研究委员会编：《特支十年》(1937 年 9 月—1947 年 8 月)，广东人民出版社 1988 年版，第 140 页。

秘书室合二为部长办公室，业务视从前已增加三分之一。面对这一大摊未曾做过的活，文史素养极高的吴石很快适应，干得头绪分明。凡一切章制计划之拟订，皆由自己牵头起草；全部案牍，皆须过目。由于吴石将军文史功底深厚，批改公文常常笔下生花，妙语连珠，深得同仁的敬佩。

1945 年 8 月 15 日日本宣布投降，艰苦的抗战胜利了！吴石与所有中国人一样欣喜若狂，激动的心情无以平复。在 9 月 20 日中秋这一天，也是吴石 52 岁的生日，他抄录自己的新诗赠给好友陈孝威，诗曰：“烦抱滞息拨未开，喧街铙吹亦何哉。降书忽报出三岛，佳气悬知充九垓。妄负吞天沈陆想，终悲解甲曳戈来。八年戎马关山老，且喜收京醉菊杯。居然三剑定天山，净扫夷尘弹指间。九野长线卒骑骨，群伦□□□缀班。回天事业轻蚊负，唾手功名许柱攀。底事范公拘后乐，归期堪数足欢颜。”

1945 年 10 月 10 日，吴石被国民政府授予“忠勤勋章”。这时，吴石的工作更见紧张。关于受降、复员、整军、建军等一系列计划的统筹协调摆到他的面前，他殚精竭力，通宵达旦。因劳顿过度，高血压的毛病再次复发。医生嘱其必须静休三月，但吴石知道，事不等人，见病情稍有好转，就把养病的事抛到九霄云外，又投入工作。这样，关于处理日本投降后的一系列指令再次从他的手中发出，引导着全局的发展。

忠勤勋章

在工作之余，吴石曾多次去北碚、南温泉，畅游北温泉与缙云山，在寄情山水中释放疲惫的身心，寻找精神的寄托。

南温泉是重庆著名的风景区。这里山奇水秀，建文峰下山峦起伏，林涛如海，一湾花溪，烟水迷离。泛舟花溪上，犹如人在画中行。日本友人鹿地亘那时就住在南温泉。吴石除了自己常去外，偶尔也带家人同往。据吴石之子吴韶成回忆：“当年在重庆南温泉，我们全家到鹿地亘家做客，和他们一家人整整玩了一天。那种轻松愉快、自由自在、

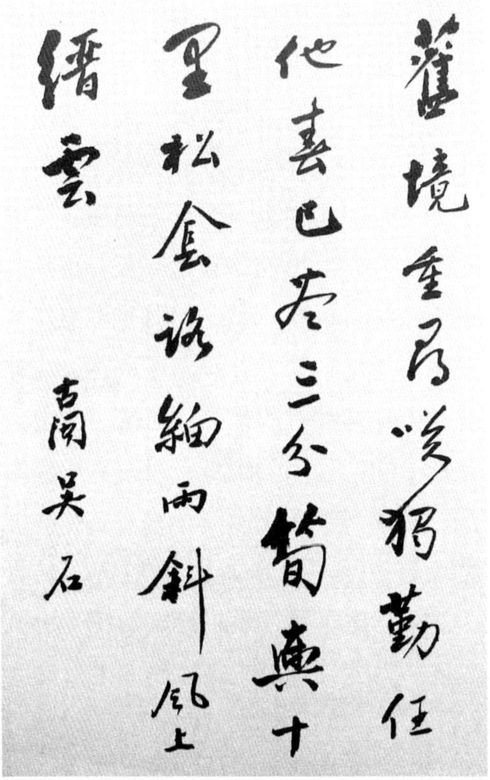

吴石题缙云寺

有歌有舞的诚挚气氛，为反战抗日的共同目标开怀畅饮的场面，在我幼小心灵中留下不可磨灭的印象。”①

重庆缙云山的缙云寺则是一处宗教圣地。1946 年 1 月，隆冬时节，吴石约好友何遂、陈孝威一同游历缙云山。沿着石阶，来到汉藏理教院，三人抑制不住喜悦，当场或赋诗或作画，情绪亢奋。何遂用他擅长的指画创作了《狮子峰下缙云寺》，吴石欣然为好友题写七绝一首：“旧境重寻笑独勤，任他春已尽三分。笋舆十里松阴路，细雨斜风上缙云。”② 诗韵流畅，笔走龙蛇，大家一致称羡。

陈孝威也即席赋诗一首：“轻风吹我出郊原，夜宿临江第一村。破晓窗光疑是月，出山泉水竞分湿。河清何日怜天意，石破无言吊国魂。却喜岁寒三友共，松荫十里问真源。”③ 全诗情真意切，记下此次三人行，三人会心一笑。

吴石与好友何遂、陈孝威的字画历经战火、“文化大革命”，奇迹般地保留下来。

这里要叙述的是，陈孝威也是一位传奇的人物。陈孝威（1893—

① 吴韶成：《忆父亲》，中国人民政治协商会议福州市郊区委员会等编：《吴石将军英魂略》，1993 年版。

② 北碚区政协学习文史委员会编：《世界佛学苑缙云山汉藏教理院名人书作典藏》，第 14 页。

③ 北碚区政协学习文史委员会编：《世界佛学苑缙云山汉藏教理院名人书作典藏》，第 73 页。

1974），本名增荣，后改名向元，福建闽侯人。1936年，经陆军大学校长杨杰举荐，在陆军大学研究对日策略。第二年，七七事变爆发，入白崇禧部参加浙沪作战。同年10月离开军界，携家到香港。11月在香港创办《天文台半周评论》，致力于宣传抗战言论和策略，积极从事“国民外交”活动。1940年9月，发表《论大不列颠之战应使用之政略、战略、战术》一文，文中准确预言德国必将对苏联开战，斯大林读后一笑置之。次年6月22日，德国果然大举进犯苏联。1941年，陈孝威发表《德、日、意对苏、美、英三国作战的前景判断》一文，预言日军势必南进，发动太平洋战争。次年12月，日本偷袭珍珠港，不久席卷南太平洋。自此，陈孝威和他的《天文台半周评论》名声大振。《天文台半周评论》一出版，各国驻港外交官都抢先阅读，当作重要情报译发回国。美国总统罗斯福和英国首相丘吉尔都亲自写信给陈孝威，赞赏他的见解。陈孝威也被誉为“神奇的军事预言家”。在军事领域的共同爱好及福州老乡的情谊，让吴石和陈孝威在常来常往、互通讯息中成为亲密的朋友。

第八章
携手前行的朋友

在人生的路途上吴石邂逅不少朋友和挚友。其中有军界、军校时的故旧，如张治中、白崇禧，也有何遂、刘通。有诗家，也有僧人，福州籍名诗人林北丽[①]就是其中的一员。1945年秋，在桂林应诗家林北丽之邀，吴石题诗贺其30初度："四海滔滔者，斯人气独奇。不（甘）求甘淡泊，自得固融洽。世俗那径眼，冲怀祇寄诗，智符原在握，底事苦伤时。"这首五言诗见证两人间的乡谊和友情，也留下文坛佳话。有民主人士，也有中共朋友，如前面提到的张兆汉；有闽籍挚友，也有海外朋友。这些朋友和挚友都成为影响吴石人生的人。吴石对朋友的事非常上心，身上有侠义之气，往往利用自己的职位的影响力，为友排忧解难。1946年底，"国防部"监察局派吴仲禧到广东查办广州行营仓库失火和海口接收敌产贪污嫌疑两案，同时还派了一个上校科长随行，名为助手、实为耳目。他们到广州后，先拜见广州行营主任张发奎，张发奎听说要查行营仓库失火有无虚报一案，十分生气，冲着那个监察局科长说："一个行营主任连仓库失火损失的报告材料都不可信，那行营主任还能当下去吗？要查张某有无从中舞弊也可以，就请陈总长（陈诚）派大员来查吧。"张发奎声色俱厉，讲完就走了。那个科长为之哑然失色，很久讲不出话来。时任"国防部"监察局局长彭位仁闻报虽无可奈何，但怀恨在心，埋怨吴仲禧没有出来替监察局说话，甚至怀疑他挑唆张发奎来压他。1947年初，吴仲禧到海口查案时，军统特务蔡劲军因过去在韶关时密告未成，现又来查其部属的贪污案情，便指使人诬告吴仲禧接受贿赂，彭位仁趁机借题嫁祸吴仲禧，下令将他扣押，移送"国防部"军法局看守所候审。这个莫须有的罪名当然不能成立，但吴仲禧被关押于看守所近两个星期。吴石知道好友遇到麻烦后大为光火，当面责问彭位仁："哪里有没查到实据就扣押高级将领的道理？"后亲自派车把吴仲禧接到家里，这一风波才得以平息。吴石就是这样一位敢为朋友主持正义的人。

为什么吴石有众多的朋友？除了他的特殊身份外，很大程度跟他的才华和为人有关，也证明"物以类聚、人以群分"的道理。他在自传中评价了

---

① 林北丽（1914—2007），字幼奇，福建福州人，是民国时期享誉诗坛的女诗人。其父母林寒碧、余蕴华皆为辛亥革命先驱，著名的南社社员。她与柳亚子是莫逆之交，曾在1946年与柳亚子共同出版《丽白楼自选诗》。

自己："余性忠厚，待人以诚，为人谋而忠，一生成败皆系于此。以能尽力为人助，故能得生死患难之交"。究其一生，这些话说的是中肯的，或许这就是答案。正因为有吴石和他的志同道合的朋友们出现在历史的不同拐点上，才有今天动人、多彩的历史画卷。

与何遂的"生死患难之交"

何遂

被国民党指责为"在近代中国政治上最喜欢兴风作浪的捣乱分子"[1]何遂，有着非一般人所有的传奇人生，与吴石有着生死不渝的友谊。

何遂（1888—1966），字叙甫，与吴石是同乡，福建福州（闽侯）人；是军中将领，官拜中将；是文人，深受中国传统文化的浸润，又都有欧、日观战留学的经历与视野。他们参与了辛亥革命、反袁护法、民国肇建、抗日战争、解放战争至新中国成立，始终站在了历史进步的一方。吴石自诩为"戎马书生"，从军一生，但以文化传人自居；何遂则是"武胆文心"，效仿"鲁仲连"，合纵连横，但骨子里是中国传统的"侠"与"士"。

1904年，16岁的何遂进入福建武备学堂，结识了林觉民、方声洞、陈更新等革命党人，开始参与反清革命活动。

何遂长吴石6岁，他们同为福建人，在1918年护法运动中即成为莫逆知己。何遂与共产党人早有联系，早在1937年5月即应叶剑英之约，把吴石、张维翰、缪秋杰（张时任立法委员，后曾为台湾"监察院"院长；缪时任两淮盐运使，后为国民政府盐务总局局长。此二人均为吴石好友）等

① 李资生：《台湾大间谍案破获始末》，刊香港《新闻天地》，1950年7月。据江南《蒋经国传》第190页，李资生"真实姓名夏晓华，原供职保密局"。

介绍给周恩来、叶剑英、博古、李克农等人。何遂本人并没有在组织上加入中共，但他与中共的关系十分特殊。据张执一回忆：何遂“抗战初即与我党发生关系，他的三子一女一媳（三个儿子是何世庸、何世平、何康，女儿何嘉，媳缪希霞），均为我党地下党员。他在旧军政界的关系很多，我经常与他接触，运用他的关系开展工作。蒋军现役军人吴石，就是通过他的关系，为我方工作”。何遂之子何康说，其父“和吴石之间的交流，没有什么隐晦”，“吴石也表示，希望通过父亲和共产党方面的代表建立直接接触”。

20 世纪 80 年代担任过农业部部长的何康当时的公开身份是瑞明企业公司总经理。瑞明公司公开业务是做西药、货运等生意，实际上是中共上海局一个核心的经济机构。他和两个哥哥（大哥何世庸是延安抗大第五期的，二哥何世平是抗大第四期的）的组织关系都转至中共中央南方局，由叶剑英直接领导。叶剑英调回延安后，由董必武直接领导，直到 1946 年年末一起转到中共中央上海局。何康一直在张执一的领导下与吴石联系，直到吴石牺牲的消息传来后，还叮嘱吴石的儿子吴韶成，为了保密不要声张此事。

1907 年，何遂考入河北保定陆军随营军官学堂（后改称陆军大学）。这一年，由方声涛主盟，加入了中国同盟会。此后，再没有加入任何政治组织。鉴于何遂忠心耿耿地为革命奔走，所以近年有老同志及报章在回忆录或文章中称他为“中共特别党员”。事实上，何遂不是中共特别党员，他曾向周恩来提出入党要求，周经考虑后认为，还是留在党外便于工作。他也不是民革成员，因他只参加同盟会，没有参加国民党。新中国成立后其政治身份一直是无党派民主人士。

1909 年秋，何遂在陆大第二期毕业后随耿毅第一批青年志士，到广西训练新军的机构督练公所参谋处担任筹略科科长兼陆军干部学堂教官。1910 年，他和耿毅、刘建藩、杨明远等几位同盟会会员创建了同盟会广西支部，耿毅为支部长，何遂为参议，赵正平为秘书长。在桂林福棠街 2 号设立机关，积极发展组织，出版《南报》（后改为《南风报》），宣传革命。

武昌起义爆发时，何遂是清军北洋第六镇统制吴禄贞的参谋。吴禄贞是革命党，在北方军人中颇有声望。山西宣布独立后，清廷任吴为山西巡抚，命他攻取山西。吴禄贞派何遂和协统吴鸿昌率部进驻石家庄。清廷电促吴鸿昌进攻娘子关，何遂得悉山西革命党实力空虚，便利用吴鸿昌畏葸不前和首鼠两端的心理，用缓兵之计阻止了进攻。吴禄贞抵石家庄后，派何遂到山西去联系，消除了阎锡山的顾虑。何遂又随吴禄贞到娘子关与阎锡山会晤，组成燕晋联军，推吴为大都督，阎副之。当时，吴禄贞已与驻滦州的二十镇统制张绍曾、混成协协统蓝天蔚有约，准备同时起义，直取北京。并接受何遂献策，扣压清军运送辎重的列车，截断北京通往汉口前线的铁路交通。因此，吴禄贞的存在，对清廷和袁世凯构成极大威胁，这是吴禄贞被刺杀的背景。吴禄贞在石家庄火车站被刺的那个晚上，何遂宿于隔壁屋子里，听见枪声后冲出去，吴的人头已经不见了。何遂在慌乱中没有找到手枪，只拿了一把短剑。看到吴统制被害，悲愤到极点，曾用短剑自刎，那把剑恰恰没有开刃，很钝，把他的脖子割破了，血流下来，疼痛使他猛醒：不能这样死，要继承吴统制的遗志。何遂率领第六镇部分官兵宣布起义，被推为燕军大都督，他抱着失去人头的吴禄贞的尸体到娘子关。阎锡山对他说："如今燕晋联军仍然存在，我比你年长几岁，也不客气，我就担任联军大都督，你屈任副都督吧。"何遂只求他厚葬吴禄贞。吴的坟后来修在石家庄火车站旁，立下巨碑，碑文中记下何遂的这段经历。

1915年，何遂应黎元洪的邀请，到陆军大学任战术教官，与李济深同事，他们从此相交甚契。云南护国战争发动后，何遂潜往山西大同，策动晋北镇守使孔庚通电反袁，电文是他起草的。这是北方先起来反袁的。结果，孔庚被阎锡山抓起来，何遂则由山西警备司令胡谦"陪送"出境。袁世凯死了，黎、段政府派何遂和沈鸿烈、郑桓等为代表，赴欧洲观战。何遂到过法、比前线，还去过英、美等国。归国后，写了一本《欧洲观战记》。这段生活以及何遂1913年去日本考察学习的经历，对他的资产阶级民主思想的发展，产生较大的影响。护法运动时，何遂曾由广州护法政府委任为靖闽军司令，在福建从事倒李厚基的活动。失败后，再次东渡日本。1920年何遂经直系军阀曹锟卫队旅（十五混成旅）旅长孙岳引进，做了曹部军官教导团的教育长。1924年，冯玉祥联合孙岳、胡景翼发动北京政变，囚禁了贿选总统曹锟，建立国民军，通电欢迎孙中山先生北上共商国是。何遂作为孙岳的参谋长和挚友，始终参与策划和行动。国民军时期，他任第三军参谋长、第四师师长（第三师师长是杨虎城将军），还担任北京政府航空署长、国民军空军司令。这时，何遂极力劝说孙岳离开中原、华北，把有限的军队带到甘肃、新疆去，取得苏联的援助，实行军事割据，由此来实现他的资产阶级政治主张。孙岳对此最初是同意的。军队已经由陕西向甘肃进发，可是后来，孙岳变卦，决定回去就任直隶军务督办兼省长。何遂和他闹翻了，拂袖而去。

九一八事变的炮声，震醒何遂内心深处强烈的民族意识。他对蒋介石“攘外必先安内”的政策和对日不抵抗，放弃东三省的卖国行为，义愤填膺。1932 年春，他在北平，与朱庆澜将军一起组织辽吉黑抗日义勇军民众后援会，朱任会长，他任副会长兼主任干事。何遂以极大的热情，到处奔走呼号，演讲抗日，募集捐款。他自己也毁家纾难，捐款 4 万元，并多次到热河前线慰劳抗日义勇军，还拍过一些纪录影片。但是，由于反动派的破坏，后援会被迫撤销，何遂不仅受到许多莫须有的指责，连他在北平察院胡同的家，也遭到一群有政治背景“强人”的洗劫。

西安事变发生后，宋美龄曾让蒋介石的侍从室副主任林蔚（林是何遂的学生）找过何遂，要他设法利用和杨虎城的关系，保护蒋介石的安全。当时，何遂虽曾找过沈德燮计划飞往西安，但他内心认为蒋是活不成的。西安事变的和平解决，出乎何遂意料，使他更看清了：真正从民族大义出发，爱国抗日，富有政治远见的是中国共产党。他热诚拥护枪口对外、国共合作，建立抗日民族统一战线的主张。1937 年，中共代表团到达南京后，他结识了周恩来、叶剑英、博古、李克农等中共领导人。这时，何遂任国民政府立法院军事委员会委员长，这是个亦政亦军和各方面联系很广的职务，他在各种会议和交往中，坚决拥护国共合作，一致抗日。他对中国共产党的态度很真诚、很热情，中共领导同志也把他看作真诚的可以信赖的朋友。何遂讲过这样几件事：周恩来和他见面时，称赞他同冯玉祥将军等组织国民军，电迎孙中山先生北上议政，是进步的行动，希望他能为团结抗战多作贡献。他非常高兴，立即通过孙科上书蒋介石，要求担任国民党驻十八集团军代表，未被蒋采纳。当时，国民党释放一批“政治犯”，有许多刚从监狱里出来的衣衫褴褛的同志纷纷聚到傅厚岗十八集团军办事处，国民党中某些别有用心的人便谣传共产党要暴动。那时南京市市长马超俊是孙科的亲信，何遂受叶剑英的委托，特为此事向马作了解释。有一天，何遂在家里宴请中共代表团，叶剑英告诉他，中共代表团驻地要加强警卫，缺少枪支，他立即把家中的4支长枪和2支手枪送到十八集团军办事处。

吴石与何遂两人拥有一样的爱国情怀，携手前行在抗战崎岖的途中。1937年11月，吴石与何遂同离南京，共赴武汉，共举抗日大业。在何遂《满江红·与虞薰同离南京》词里，鲜明地表白抗战决心。词曰：

白下斜阳，惊满目江山无恙。谁过问：梁空燕去，乌衣门巷。戎马秋郊清角怨，龙蛇大陆哀歌抗。凭唾壶击缺肯勾留，骑驴往。

铁甕城，何苍莽。秦淮水，休惆怅。正纵横胡骑、谁堪乘障。半著已教全局误，大言不自今朝诳。抚无弦谨上且羁迟，吾犹壮。

在抗战中，程潜将军出任第一战区司令长官，何遂任该战区高级幕僚室主任。而吴石则出任第四战区参谋长，两人在不同的战区为消灭共同敌人作战。这期间，何遂曾陪同周恩来乘一辆小汽车由河南前线赴山西五台山八路军总部。在路上数日交谈中，何遂深获教益，对抗战形势及中共的主张有了更深的了解。在山西境内，公路被日机炸毁，何遂让副官到村里去找老乡抢修，一个人也没有找来。周恩来笑着对秘书说："你去，你去。"不久，就找来了一群乡亲，周恩来亲自和他们一起搬石填坑有说有笑，使何遂大为惊讶。后来，他多次对他的子女谈及此事，一再赞叹："共产党真会做群众工作。"这次在五台山八路军总部，何遂见到朱德总司令、彭德怀将军等，相谈甚欢。他利用同阎锡山的旧关系调解过八路军与阎的矛盾。当时八路军的给养较差，他对阎锡山说：共产党在前面替你挡着日本人，既然是联合抗日，不让别人吃饱穿暖怎么行呢？他还通过当时在军令部任要职的林蔚去疏通，给八路军增加了一些军饷。

可以成篇背诵《左传》《战国策》的何遂，挚爱中国的传统文化，诗词书画在他生活中已不可或缺。这一共同爱好，使他与吴石将军常常诗画合璧，两人的友谊在艺术的交流中得到升华。1941年4月，何遂在广西桂林创作了长达66米的《长江万里图》长卷，吴石分别在川江段、三峡段、武

吴石在何遂《长江万里图》上题诗

汉段、九江段处题写律诗，诗画合璧，抒发心志，留下一段佳话。

其中题在川江段的七律一首为：

恕无俊语酬风物，
如此江山处处幽。
杰阁凌虚吞远势，
孤城衔日入深秋。
四峨隐约云中辨，
三水飞腾峡里流。
胜地故应人杰萃，
摩挲往迹思悠悠。

题在三峡段的七律一首为：

远览方知天地宽，
心安蜀道未为难。
香溪初望昭君里，
险水又经崆岭滩。
艨艟顺流飞鸟过，
峰峦当路怒猊蟠。
欲探何处闻猿峡，

题川江段诗

一为停舟着意看。

首联“远览方知天地宽，心安蜀道未为难”，看似平淡，却凸显出深刻的哲理：人只有眼光远大才能知道天地的宽阔；只要意志坚定，心态平稳，面对蜀道也不以为难。

题在武汉段的七律一首为：

武昌夏口大江流，
廿二年前忆旧游。
几度探幽攀古阁，
也曾寻醉踏芳洲。
孤心郁勃凭双剑，
共济安危托一舟。
楚客江篱无限感，
秋风斜日更添愁。

在诗中，吴石回顾了与何遂1919年过武汉的游踪，“孤心郁勃凭双剑，共济安危托一舟”，道出了他们之间“共济安危”的非同寻常的关系。

题在九江段的七绝一首为：

依旧烟岚入画图，

年时游屐遍匡庐。

云中五老女相顾，

识得劳人面目无。

《长江万里图》问世82年以来始终由何家珍藏。2023年6月10日，这个73年前吴石将军在台湾殉难的日子，中国国家博物馆专门举办了庄重、大气的捐赠仪式，在仪式上吴何两家的后人将《长江万里图》捐赠给中国国家博物馆，了却了先辈们的心愿。从此，《长江万里图》成为国家宝藏。

1943年（癸未）中秋，吴石时年49岁，按中国人的传统这时要过50岁大寿。"五十而知天命"，在中国人的传统观念里，50岁是一个从成熟走向智慧的分水岭，也是一个"老成"的代名词。何遂特意写下《百字令》作为贺礼送给他，表达"尔汝交期。能无对酒当歌，一洗胸中块垒"的默契。词曰：

癸未中秋，虞薰五十初度。尔汝交期。能无对酒当歌，一洗胸中块垒。

前身谓汝，恰中秋，明月人间能几。收拾乾坤归腕底，吾辈固应如是。多少英雄，古今人物，去去长江水。蓬莱清浅，望中澄澈无际。

相与高唱分题，清谈据坐，莫问今何世。且尽平原旬日饮，侧身羽书闻喜。荡涤倭氛，廓清禹域，方快平生意。老松仙鹤，一声横笛吹起。

全词气势磅礴，道出他们"收拾乾坤归腕底，吾辈固应如是"的共同抱负。

抗战胜利后，何遂对蒋介石发动内战是反对的，他目睹国统区黑暗腐败，民不聊生的现实，从几十年的切身感受中认识到：只能把振兴中国的希望寄托于中国共产党。解放战争时期，寓居上海的他与刘晓、刘长胜、张执一等同志经常接触，尽自己所能完成党托付的任务。

在他的影响下，在共产党的帮助下，何遂膝下的三子一女先后参加地下党，被誉为"情报世家"。

长子何世庸，于1938年7月加入中国共产党，时任第一战区政训处李

“情报世家”。何遂、陈坤立（何遂夫人）居中间，环立者子女。左起何嘉、何世平、何世庸、何康、何达

士章机要秘书，后利用父亲与盐务总局局长缪秋杰的关系，隐蔽在广西盐务系统工作；二儿子何世平，于 1938 年 5 月，在抗宣二队加入中国共产党；三儿子何康，1939 年 5 月在重庆南开中学加入中国共产党，时年 16 岁；女儿何嘉，1949 年在复旦大学学习时踏着兄长们的足迹，成为一名年轻的女共产党人。吴石不仅与何遂的私谊深厚，而且与何遂子女间的关系也不一般。何遂的子女都亲热地叫吴石为“吴伯伯”，吴石也成为他们心目中的良师益友。1944 年桂林失陷前，何世庸接到董必武“向桂东转移”的指示，特地去向吴石咨询，吴石向他分析了当时敌我双方态势，指出：桂东三角地带，日军兵力暂难顾及，是相对安全稳定的地区。这个分析帮助了新任桂东盐务办事处处长的何世庸利用控制的 5 万多担存盐（战乱中每担盐市价 1 两黄金），放手支持桂东自卫抗战，保护民主力量。后来事情的发展证明吴石的判断是准确的。

与桂系智囊人物——刘斐从相识到深交

刘斐是中国近代史上在关键时刻闪现光芒的一个人物，也是吴石的挚友。

小吴石 4 岁的刘斐（1898—1983），字为章，湖南醴陵人。早年，刘斐入醴陵朱子祠高等小学攻读。这位勤学好问、成绩优良的少年，深得师长的钟爱。他和同学对昏庸保守、不学无术的校长张效良强烈不满。县教育局劝张辞职，张不肯离职，刘斐写了一张“三舍而出昼，学生庶几而留尔乎”的条幅，贴在张的住宅门上，被师生传为佳话。

1917 年夏，刘斐因家庭经济拮据，高小毕业后辍学在家，与当地名中医邹益经之女邹辟坤结婚。同年秋，广西督军谭浩明任湘鄂桂联军总司令，率部援湘，抗击北洋军的进攻。当时任排长的白崇禧奉命驻扎醴陵，因瘟疫流行，大多士兵染病，白崇禧也病倒，昏迷不醒。邹益经被请至营房，药到病除。白崇禧非常感激，问邹有什么要求，邹请白引荐刘斐到军中当差，白欣然允诺，刘斐被安排当了一名文书。1918 年 5 月，护法战争结束后，白崇禧升任连长，刘斐接任排长。1919 年，刘斐被送到南京陆军讲武堂学习。

1921 年 6 月，粤桂战争再次爆发，刘斐提前结业回到桂军继任排长。时桂系内部新旧两派矛盾激化，刘斐站在新派一边。为了支援孙中山援桂伐粤，他说服白崇禧在百色通电起义。起义失败后，他跟随白崇禧将所部编为田南警备军，下辖三个营，白为司令，刘任参谋。

翌年春，白崇禧部与黄绍竑部会师于田东，黄、白分任第一、第二统领，刘斐仍任参谋，并奉派入肇庆李济深主办的西江讲武堂学习，在此较多地接触了孙中山三民主义和南方革命潮流的影响。1924 年初，刘斐毕业后，任广西讨贼军指挥参谋。6 月，广西讨贼军与李宗仁的定桂军合并为广西定桂讨贼联军，李任总指挥，黄任副总指挥，白任总参谋长兼前敌总指挥，刘仍任参谋。不久，刘改任第三路指挥部参谋长，协助白在前线指挥作战。联军对旧桂系采取“各个击破”“先陆后沈，再回师拒唐”的策略，至1925年7月，消灭了旧桂系势力，统一了广西。其间，刘斐制订作战计划和攻城方案，施展了他的军事才能，深得白的倚重。

自国共合作后，刘斐与白崇禧多次到桂林阳桥演讲孙中山改组国民党、实行三民主义和三大政策的重要意义，思想与时俱进，投身到国民革命的洪流中。

1925年7月，在中国共产党的倡议下，国民党大元帅府改组，成立广东国民政府。1925年2月和10月，国民革命军两次东征，统一粤境，为北伐提供了基地。时李（宗仁）、白（崇禧）、黄（绍竑）为代表的新桂系政权亦在广西建立。刘斐认为是实现其政治抱负的时候了，便与桂林国民党党务实际负责人李宗仁一起力主继承孙中山的政治主张，先求得两广统一，再实现全国统一大业。他得到李、白、黄的支持，接受委派，前往广州联系。他利用与谭延闿、程潜等的乡情旧谊，很快便把两广统一和准备出师北伐等问题谈妥，并拟好初步方案后，回到广西向白汇报了情况及广东方面的态度。白与李、黄协商后，于翌年2月上旬同刘斐一起赴广州，向国民政府正式提出有关两广统一问题。几经会谈，终于实现了两广统一。

1926年7月9日，国民革命军出师北伐。白崇禧调任该军总司令部副参谋长，代行总参谋长职权。刘斐随白任总司令部上校主任作战参谋，由穗入湘，经鄂转赣，在前线协助指挥作战，为白排忧解难，深得白的信任。同时，刘斐与国民革命军内李富春、朱克靖、林伯渠等共产党员接触，深受影响和教益。

刘斐先于吴石到达日本。1927年初，刘斐作为北伐有功人员被选送日本留学。其实，他是因察觉蒋介石有悖孙中山的主张，原打算去苏联学习，白恐怕他被“赤化”，故送他到日本专攻军事。春节后，他离开家乡，抵上海，入一短期日语学习班。不久，由沪乘轮船到达日本。他在日本东京先学习三个月日语，然后，经人介绍至离东京不远的千叶县佐仓町第一师团五十七联队，见习大队以上的战斗教练和野营演习等。半年后考入日本陆军步兵专门学校。

1928年冬，他回国向白报告学习情况，领取次年学费。并到北平观光，邀李宗仁同去西山碧云寺谒拜孙中山灵柩，摄影留念，在照片背后题写：

“孰为真革命，孰为假革命，总理在天之灵可鉴焉！”

刘斐

白崇禧想留刘斐在国内助自己一臂之力，但刘斐求得白的理解和支持后，仍回日本攻读。1930年，刘斐以优异成绩被推选到日本陆军大学深造四年。在此期间，刘斐与吴石相识，共同的爱好和志向，很快把他们联系在一起，成为至交。由于两人住所相近，上学时相邀同行。吴石之子吴韶成回忆：“每天一大早，刘斐（字为章）伯伯就到我们家门口喊：‘弟弟！弟弟！’我就跑出来，刘伯伯逗我玩了一会儿，父亲出来了，提着包和刘伯伯一道上学去了。”身处异国他乡，两家人常常欢聚一堂，开怀畅饮。刘斐的爱妻王佩琴不幸在日本去世，吴石一家人前去吊唁，帮助料理，给深陷悲痛的刘斐以及时的安慰。

1934年春，刘斐从日本陆军大学毕业回国，拒绝为蒋介石充当幕僚，仍回广西，报答白崇禧、李宗仁的知遇之恩，出任第四集团军高级参谋，并以广西民团干部学校教育长的身份，协助白崇禧培养民团骨干。8月，刘斐应程潜之约去广州见蒋介石，成功撮合蒋桂联合。

全民族抗日战争时期，任国民政府对日作战大本营作战组中将组长，后改为军令部一厅，即作战厅厅长，主管对日作战计划的制订和各战区作战协调工作，是国民党中坚决抗日派之一。抗战胜利后，因不满蒋介石的内战独裁政策而从1945年秋便开始辞职，直到1948年秋末，经过8次辞职，才获批准——免去国防部参谋次长的职务，只挂最高战略顾问委员会委员的空衔。在南京，刘斐与吴石每隔一两天就要见面或联络，交换看法，抨击时弊。

1949年春，刘斐作为南京政府和谈代表之一，参加过国共两党谈判。吴石则从福州赶到南京，受中共的委托，去规劝李宗仁接受中共八项和谈条件，后文将另有陈述。4月2日，他听了在南京大学经济系就读的儿子吴韶成描述南京四一惨案[①]中同学被打伤和被捕的情景后，非常明确地说："日子不会太久了。"并告诉吴韶成："李宗仁他下不了决心，不接受中共八项条件，我在南京没什么事好做了，打算明天回上海。"从此，父子不再相见。刘斐、吴石两人一个前台，一个后台。尽管最终没有促成和平的到来，但足以在青史上留下浓重的一笔。

刘斐对中国革命的贡献不仅如此。1958年反右扩大化，有些人认为刘斐腐化、右倾，政府不仅不应给他职务，还应该清算他。毛泽东出面为刘斐解围，动情地说：你们不要以为国家对刘斐同志太好了，其实今天共产党能够解放全国，刘斐同志是曾经立下了大大的功劳的。因为他曾经冒了非常大的危险，勇敢地把国民党的军事作战计划，通通供给了共产党，共产党才能按原定计划把国民党打垮。1991年12月，罗青长在接见并宴请吴石之子吴韶成等人时曾说："我们在渡江之前有刘斐，渡江之后有吴石。"一语道破天机。

与日本友人鹿地亘的"忘年交"

鹿地亘是吴石在抗战中结识的日本朋友，他们间的友谊堪称中日友好的典范。

鹿地亘（1903—1982）是日本知名作家。青年时代，他受马列主义和工农运动的影响，曾参与创建全日本无产阶级艺术联盟。由于从事左翼运动，1931年起他成为狱中常客。

① 1949年4月1日，南京中央大学、金陵大学、戏剧专科学校、政治大学等院校6000多名师生示威游行，到"总统府"向李宗仁递交请愿书，要求国民政府接受中共中央的八项和平条件，实现真正和平，遭国民党当局残酷镇压，致伤195人，致死3人，造成震惊全国的四一惨案。4月4日，毛泽东就四一惨案发表了《南京政府向何处去》一文。指出："4月1日发生于南京的惨案，不是什么偶然的事件。"指出南京政府正面临抉择向人民靠拢或与人民为敌的关键时刻。

七七事变和八一三事变爆发后，鹿地亘因坚决反战遭到日本特务的追捕。1936年，鹿地亘不得不秘密来到中国上海。经内山完造的介绍，他与鲁迅相识，两人一见如故。他惊叹鲁迅作品的博大精深，决心介绍给日本人民。在这期间，鹿地亘一面创作文学作品反对战争，一面致力于7卷本《鲁迅全集》的翻译工作，翻译了《野草》《热风》《坟》《华盖集》《续华盖集》《而已集》《二心集》等。即使在战乱的上海，日本特务也没有放弃对鹿地亘的追捕。面对日益到来的危险，鹿地亘不得不离开，流亡到广州、香港。

鹿地亘与妻子池田幸子

1938年4月，经第三厅厅长郭沫若推荐、陈诚同意，鹿地亘来到武汉，被委任军事委员会政治部少将设计委员，协助第三厅对敌宣传处，从事对敌宣传工作。8月，在一次各国记者招待会上，鹿地亘发表了加入中国抗日队伍的声明，开始对侵华日军的反战宣传工作。9月7日，应蒋介石的要求，鹿地亘撰写了向日本国内各界宣传中国抗战正义和两国人民友谊的传单。9月19日，中国两架空军轰炸机携带着上万份传单飞临日本九州的各大城市上空散发，一时间震惊中外。年底，他撤退到广西桂林。在对敌宣传处科长冯乃超支持下，他向军务委员会桂林行营参谋处长吴石建议，在桂林设立临时日军俘虏所，教育改造俘虏，从中培养出日本人反战同盟的成员。

对于日本军国主义者和日本人民之间的区别，这在当时环境下大多数人是分不清的，是过不去的坎。而在视野、格局开阔的吴石这里，完全不成问题，他对他人的言语也不在意，一心一意去支持这件有利于抗战的难事。在吴石全力支持下，桂林成立了临时俘虏收容所，收容从湖南、广东前线转来的俘虏，开始对他们进行教育、改造。在排除种种干扰后，于1939年

11月，成立日本人反战同盟西南支部准备会。准备会出版《人民之友》刊物，吴石为其题词，表示祝贺，给予鼓励。

鹿地亘曾在文章中多次提及吴石对他的俘虏工作的支持和帮助。“就是他（吴石）同意我提的根据日本人的自发性组织日俘的反战同盟，这给将来的日中人民带来很大影响的反战同盟构想，立即劝告崇禧并通过白向蒋介石申请。还有，尽快将西南战场运送来的日俘集合于桂林，在桂林设立特别收容所（系宪兵团的临时收容所，别称为桂林第三收容所“苏生学园”，纳入48名日俘——笔者注）。吴石将军一贯热情地支持我们的反战运动。”[①] 这是1939年4月前后的情况。

吴石为何热情地支持鹿地亘等人的反战运动？其考虑是多方面的。他最初最重要的考虑是为了延伸情报工作。这一方面证明吴石非一般之人，情报天赋超群。按照1939年12月8日的行政院军国民政府呈军事委员会军令部组织及服务规定等件备案，其附件二《军事委员会军令部服务规程》第4条——（军令部）第二厅之职掌，第4项有如下具体执掌内容：

1. 关于战场及敌国情报之收集、整理、研究、判断、编纂事项。

2. 关于其他各国情报之收集、整理、研究、判断、编纂事项。

3. 关于国内及边区情报之收集、整理、研究、判断、编纂事项。

4. 关于俘虏之审讯及战利品之研究事项。

……

8. 关于军事宣传、反宣传及军事新闻发布事项。

……

10. 关于各国驻华兵力及在华外人之行动、调查、登记事项。[②]

从这个资料看，有关俘虏的情报方面的事项也属于军令部掌管范围。

鹿地亘在《日本兵士的反战运动》中又写道：“这就是我构想的反侵华的日俘组织的计划，‘反战同盟’的初步草案，吴石将军和廖济寰（吴石部

---

① 鹿地亘：《第二次世界大战时期在华日本人的反战运动》，载《劳动运动史研究》40号，劳动旬报社，1965年9月，第19页。

② 周美华编：《国民政府军政组织史料》第1册，台北“国史馆”，1996年，第209—302页。

下）支持这个建议，亲自把它交给白崇禧，白崇禧在1939年4月向蒋介石提交了这份文件。”[①] 鹿地亘教育日俘而使其组成日本人反战同盟的构想于1939年4月23日得到军事委员长蒋介石的批准。鹿地亘在日记中写到其后的结果：“我回到桂林时，参谋处给我寄信，我就去见吴将军，他高兴地告诉我：‘蒋介石委员长批准下来了，因此请你赶快起草具体的计划书’。万岁！我的愿望终于公布于世！”[②] 后来，招请反战同盟桂林支部派遣工作队到前线，促使鹿地亘尽快组成反战同盟的人就是吴石。鹿地亘在回忆中几次提到吴石在1938年4月25日至1939年10月7日任军令部第二厅副厅长，厅长是徐培根。

上述的这些资料表示，俘虏收容所的设置和管理一向是军政部管的，但是关于俘虏本人的审问等属于情报方面的事项属于吴石的军令部第二厅的职掌，并且可以看见当时军令部和吴石对俘虏工作包括情报工作很重视。

1939年4月2日，鹿地亘在桂林行营吴石、廖济寰及三厅冯乃超的帮助下起草了《关于俘虏工作的建议》[③]，把它提交给蒋介石。主要内容有4项：

一、关于组织俘虏的可能性——提出武汉会战以后的日军士兵的心理变化，介绍有些日俘自发地参加朝鲜义勇军和抗日阵营政治工作的情况，阐述现在就是组织俘虏的良好契机。

二、关于组织日本士兵（俘虏）的意义——指出过去中国的对敌宣传的消极性，建议应提供给日俘进入抗日阵营的道路。还提到组织日俘对国际方面的效果。

三、关于组织日本士兵的具体手段——在桂林设立小规模日俘收容所。还有，要避免重蹈朝鲜义勇队的覆辙，鹿地亘明确阐述了日本人反战组织与中国政府的关系，认定反战同盟是日本人的自主组织，中国政府仅是支援者而不是主宰者，否则，就不会得到国际上的支持和信任，也不会对中国抗敌发挥作用。这一条反映出鹿地亘对国民党顽固派的高度警惕。“因为

---

① 鹿地亘：《日本兵士的反战运动》上，同成社，1962年，第40页。
② 鹿地亘：《抗战日记》，九州评论社，1948年，第143页。
③ 鹿地亘资料调查刊行会编：《日本人民反战同盟资料》第3卷，不二出版，1994年，第195—200页。

不让狭隘的人把我们的组织变为自己的御用团体或傀儡组织。”①

有理由相信，日本人反战同盟应该是日本人自发、自主的组织。这个与国际法即《日内瓦条约》相契合。日中战争时，中国的俘虏规定是基本符合第一次世界大战时的国际法《日内瓦条约》的。《日内瓦条约》规定，禁止强制俘虏提供军事情报，同时禁止使俘虏做有关军事工作，以及做军事宣传传单②。因此，如果国民政府主宰日本人战俘组织，使他们从事对敌工作，那么就有违背国际法的可能性。鹿地亘的建议巧妙地击中了国民党政府的要害。

四、关于主要活动——1. 对敌宣传、广播，在前线对敌宣传；2. 参加游击队等，还有反战同盟的经费问题，由政府以补助金的形式支付。

在桂林行营参谋处长吴石、参谋科长廖济寰③及科员林长墉④的协助下，鹿地亘于 1939 年 10 月在桂林开始筹备反战同盟西南支部。

为了促成反战同盟西南支部成立，桂林行营参谋处长吴石设立了反战同盟西南支部顾问室，他任顾问，任命科员林长墉作为顾问室常驻顾问。林长墉将顾问室设在桂林南郊七星岩一座旧庙南岗庙内，由行营顾问室先派数名职员、卫兵、炊事兵等，一切按计划紧张进行。

关于南岗庙的生活，鹿地亘曾有过描述：

南岗庙外有大树，大门外，挂着有香味的厚木板做成的牌子，上有两行字：“日本人民反战同盟西南支部”。大门内，右侧是卫兵住处，左侧是日本人寝室，里面放三排棕棚床。过了中庭，再上几个台阶，是庙殿。内有饭桌、办公桌，这里是食堂兼课堂，庙殿左右用砖隔开，左侧是我和林长墉

① 鹿地亘：《如火如风》，讲谈社，1958 年，第 187 页。

② 秦郁彦：《日本人俘虏》上，原书房，1998 年，第 536—556 页。

③ 廖济寰：桂林行营参谋科长，陆军上校。出身于湖南衡阳县一个地主家庭，1927 年湖南农民运动风起云涌时，家人离散，16 岁的廖济寰流落广东，入黄埔军校，后被政府派往日本东京帝国大学经济系留学，抗日战争期间归国，又入庐山军校受训。鹿地亘在桂林广西学生军事训练班（培养大学生军官的机关）演讲时，廖担任鹿地亘的翻译，两个彼此意见相和，后来成为反战同盟西南支部的热情支持者。

④ 林长墉，吴石将军在桂林行营参谋处的心腹助手。他是鸦片战争名将林则徐的孙子，是反战同盟西南支部的直接协助者。

的寝室，还有文书的住房。右侧是妇女房间，住着濑野公子（沟口良子），其后是炊房，庙殿后面的树林中建造了浴室。[①]

同年 9 月，鹿地亘在陪都重庆南泉刘家湾的博爱村（镇远和平村第二俘虏收容所分所）发表《日本人民反战同盟组织化方针》。11 月 27 日，在桂林七星岩南岗庙发起反战同盟西南支部筹备会。

鹿地亘和反战同盟西南支部筹备成员在 1939 年 12 月 23 日在桂林乐群社[②]礼堂紧急召开反战同盟西南支部成立大会。先成立的桂林的反战同盟为什么成为西南支部呢？反战同盟西南支部成立宣言中写道："这是近年来在华全日本人民革命的反战同志团结的先声"。[③]按后来成立总部的计划，称为"支部"。这是所谓公开的说法，其真实背景上面已经论述过。大会宣言明确地写到反战同盟西南支部的宗旨和任务，尤其强调反战同盟与国民政府的关系："反战同盟是日本人民革命的一个海外支部，因此我们当然受国内革命运动的指挥。"它虽然属于国民政府政治部三厅，但其身份应是为了解放日本，由日本人在海外建立的独立机构。

1939 年 12 月，日军从中国南海向广西的 10 万大军进攻，桂南战事紧张。12 月 22 日[④]，鹿地亘接到桂林行营参谋处长吴石从迁江前线指挥部发来的急电："现在侵入桂南的日军与中国主力军在昆仑关正在对峙中，出现对敌政治工作的好时机。请率领反战同盟同志紧急出发到前线。"[⑤]

---

① 鹿地亘：《如火如风》，讲谈社，1958 年，第 321 页。

② 乐群社是军事委员会在桂林的招待所。沱源：《在华日本人反战同盟西南支部》，载《黔东南社会科学》1993 年第 2 期，第 51 页。

③ 鹿地亘资料调查刊行会编：《日本人民反战同盟资料》第 3 卷，不二出版，1994 年，第 242 页。

④ 反战同盟西南支部筹备会日期的说法有几种。鹿地亘自己在《日本士兵的反战运动》上，第 178 页中写 12 月中旬之后，中国研究者沱源在《在华日本人反战同盟西南支部》（载《黔东南社会科学》1993 年第 2 期）中写 12 月 21 日，同孙金科在《日本人民的反战斗争》（北京出版社 1996 年版）中写 12 月中下旬。但鹿地亘向陈诚提出《关于第一工作队出勤桂南会战工作的报告》中写的是"'反战同盟'西南支部成立大会的前天"。参见鹿地亘资料调查刊行会编：《日本人民反战同盟资料》第 3 卷，不二出版，1994 年，第 279 页，即 1939 年 12 月 22 日。本文采取这个根据。

⑤ 鹿地亘资料调查刊行会编：《日本人民反战同盟资料》第 3 卷，不二出版，1994 年，第 278 页。

很快，5名成员组成反战同盟西南支部第一工作队，组队后第三天他们带着发电机和扩音器坐卡车奔赴桂南前线。就这样，鹿地亘和反战同盟工作队伍在前线一边对日军做鼓动厌战情绪的宣传广播，一边鼓励和慰劳中国士兵。

1940年2月2日，在前线工作的3名反战同盟西南支部工作成员牺牲。工作队在后退中，松山大腿受伤，大山、鲇川用担架抬着松山搬到上林县村里，他们在村里休息时，遭到日军飞机的轰炸，3名成员同时牺牲。在重庆和桂林为3位烈士举行了隆重的追悼会，白崇禧、林蔚、吴石等国民党将领出席，吴石为3位反战烈士敬献祭文。

维

中华民国二十九年四月二日，在华日本人民反战同盟西南支部桂林行营总顾问吴石谨致祭于桂南前线殉难烈士松山、大山、鲇川三同志之灵曰

太和浩劫　产此鸱鸮　兴戎悟国
荼毒生灵　侵略华夏　师出无名
压抑人民　墨动大兵　民生凋弊
农作不兴　灾黎遍野　哀哀其鸣
懿欤烈士　先觉天民　蒿目日弊
急谋自新　誓除军阀　拯溺国魂
一致反战　联结同盟　昆仑广播
警惕愚顽　正义浩荡　河狱星辰
天胡不吊　斫丧鸿熏　闻者哀悼
风悲日昏　英灵不灭　长存永生

尚飨

反战同盟西南支部3位成员的战死，再次引起国统区领导阶层对鹿地亘等人的同情。

反战同盟3成员（其中松山速夫，本名陈松泉，台湾人，翻译）牺牲在前线的消息在中国国内引起震动。尽管国共两党已经开始摩擦，但“‘殉难三烈士’扩大了‘反战同盟’西南支部的影响力，打开了推动组成‘反战

同盟’重庆总部的徘徊不前的局面。”① “政治部和军政部没办法不答应我的要求（重新组织反战同盟总部）。”②

1939年，重庆《新中华报》发布旅华日本人反战同盟在桂林成立的消息。消息称旅华日本人反战同盟发表文告，说：“在目前之侵略战争中，日本军阀剥削了我们最后一滴血，吾人绝对反对此种惨无人道之罪行……只有中国革命成功，亚洲人始能得到解放，吾人将尽力协助中国人民达到目的。”

鹿地亘等也得到了社会各界的广泛支持。“《救亡日报》总编辑夏衍等抗战文化界人士，（广西大学校长马君武等）教育界人士，加上朝鲜义勇队人士，组成了对‘反战同盟’的广泛支持网。‘反战同盟’西南支部驻地南岗庙，一时成为到桂林访问的国内外来访者的重要访问地之一。”③

1945年，毛泽东赴重庆与蒋介石谈判期间，曾由周恩来陪同，在桂园单独接见了鹿地亘、池田幸子夫妇，进行了长时间的交谈。毛泽东盛赞日本反战友人们的出色工作，感谢他们为中国人民的抗战作出的特殊贡献。

鹿地亘一直很钦佩吴石。鹿地亘回到日本后的1949年，在日本再见正好访问东京的吴石。那时，鹿地亘率直问吴石：“你认为国民党的前途如何？”吴石表情抑郁地说：“国民党没有前途，国民党不知道人民。”鹿地亘曾写道：“我在华活动中如果没有吴石这样人，在像泥沼那样的国民党的环境中，决不能进行由日本人组织的反战运动。”④

据1982年7月27日日本共同社东京电讯：鹿地亘于1946年回到日本，参加日中友好运动，在新日本文学会工作，1965年参加创立日本民主主义文学同盟。著有《日本士兵的反战运动》和《揭穿阴谋》等书问世。1982年7月26日上午8点25分，因患肠癌在东京清濑市国立疗养所东京医院逝世，享年79岁。

鹿地亘走了，带着推动中日友好的成果与遗憾走了，一路安详！

---

① 鹿地亘：《日本兵士的反战运动》上，同成社，1962年，第107页。

② 鹿地亘：《续如火如风》，讲谈社，1959年，第21页。

③ 鹿地亘：《日本兵士的反战运动》上，同成社，1962年，第70页。

④ 鹿地亘：《第二次世界大战时期在华日本人的反战运动》，载《劳动运动史研究》40号，劳动旬报社，1965年9月，第19页。

第九章

醒来的梦中人

一声叹息

抗日战争结束后，国民政府于1946年5月还都南京，吴石也随国民政府回到阔别9年多的金陵。在胡雄的帮忙下，吴石一家租住位于国民政府外交部旁的湖北路翠琅村一号连排小院落，与胡雄一家共住一处，房租大约耗费他薪水的一半。回到南京，对于吴石来说，从前那个熟悉的南京已不再存在，生活、工作甚至心情都在重新开始。1946年9月的一个周末，吴石与家人及儿子同学一起去郊游。“那天车刚开出不久，在市内大道一个骑自行车的年轻人在我们吉普车前抢道横跨过去，虽然急刹车但仍把这人绊倒了。伯伯赶紧下车把这人扶起，并令司机赶紧驾车把他送入就近医院……经过急诊检查，并拍了X光照片，最后确定只是外表轻伤，大家才松了一口气。但伯伯仍给他留下了车号、电话，并掏出了身上所剩的钱给他才离开。”当时年仅20岁的罗伯鹏在事过几十年后写下这段真实的回忆，否则很难让人将之与挥斥方遒的将军联系起来，将军仁爱之心苍天做证。

还都以后，百废待兴，他面临着新的使命。军事机构改组工作即行展开，由蒋介石指定“国防部”参谋总长陈诚为改组委员会主任委员，林蔚、刘斐、刘士毅、袁守谦为副主任委员，钱企农等15人为委员。吴石作为秘书组组长，负责指导业务及拟订计划，历时6月，改组工作初告完成。同时期，吴石还参与编印《剿匪手令本》，在国民政府军令部战史会档案中可看到吴石8月31日的呈文：

查剿匪手本前于本（八）月十二日以钧座名义签呈主席亲核，顷奉主席未皓已府军仁宗代电批示准照办，但不必所印年月日，等因奉此，兹送请第二厅印刷所估价代印五万册（册之大小拟作六十四开本，封底面用红色），俾便分发排以上各级部队长研读，可否之处，敬祈鉴核示遵。谨呈次长刘、总长陈。

附呈主席未皓代电一件，剿匪手本（修正本）一册。①

① 《剿匪手令本》，彭明主编：《中国现代史资料选辑》第6册，中国人民大学出版社1989年版，第186、187页。

数年后这位出谋剿匪者竟为他的“敌人”工作，难怪知道吴石的国民党政要们后来感到惊讶和不理解。吴石人生的转变并不是突然的，而是始于抗战期间，发展于史料局（1948 年 5 月改为国防部史政局）局长的任上。

1946 年春夏之交的一天，吴石突然接到蒋介石侍从室的电话：“速来此，蒋委员长有要事面谈。”吴石立即赶往总统府。蒋介石正站在军事地图前察看，见吴石报告进来，便示意他坐下，蒋对吴说：“这次让你来，是要调你到国防部任史料局局长。史料局工作很重要。国民革命军八年抗战的历史和丰富经验，就要靠你这个部门来编写，总结战例、战史，以利发扬传统。”

1946 年 6 月，吴石被任命为国防部史料局局长。

7 月 1 日上午 9 时，吴石参加了国民政府在国民政府大礼堂举行的国民党中枢文武官员的宣誓就职典礼。

这次就职典礼，是国民政府还都南京后的首次，又是所谓在吸纳了社会贤达加入国民政府、担任主要行政部门长官之后，意义非同一般。因此，典礼聚集了国民政府陆海空军最高长官于一堂。除了白崇禧、陈诚、王云五等 9 人授印外，仅参加宣誓而不授印者，计有副总司令汤恩伯、国府典礼局局长吴思豫、国防部次长林蔚、次长秦德纯、次长刘士毅、次长刘斐、次长郭忏、次长郭寄峤、副总司令范汉杰、副总司令陈良、交通部次长谭伯羽、经济部次长萧铮、次长潘序伦、资源委员会副主任委员孙越崎、国防部厅长钱卓伦、厅长郑介民、厅长张秉钧、厅长方天、厅长钱昌祚、司令张镇、参谋长林伯森、参谋长

吴石在史料局局长任上所摄

周宪章、局长吴石、局长邓文仪、局长余正东、局长杜心如、署长郑恩绥、署长吴中直、署长杨继曾、署长林可胜、署长孙作人、处长钱寿恒、司长刘慕曾、处长陈春霖、处长吴子健、局长徐思平等45人。济济一堂，衣冠之盛，为还都之后所未见。典礼进行了一个小时。由于大礼堂不够宽敞，光线也不够充足，全体人员往国民政府的二进大厅前排列，拍了合影照。从排序上看，吴石并不是很靠前，在国民政府中算不上一个很起眼的职务，但意味着他已是中央中枢的重要官员。

设立史料局是一项创举。鉴于以往军事机构无专门负责史政业务的部门，以致史实湮没，无从借鉴。为此，参照美国做法，于1946年6月1日中央军事机构改组时成立了国防部史料局。史料局工作无成规可循，颇具挑战性。对于酷爱军事研究的他来说，起初还认为此颇为适合自己的职位。一开始，他很想干好工作。在他看来，史料局工作虽然在国民党军军史上并无先例，但还是件蛮好的事，正好能发挥自己的特长，一边编写战例、战史，总结经验，一边向总部提点具有战略性的建议。为此，他投入满腔的热情。这一点从他给好友、同乡学者魏应麒的信中是可以看出的。信是这样说的：

瑞甫吾兄惠鉴：

手翰敬悉。前此得大函并惠寄西宁照片，均已收到。即经奉复，至今未达，为念。

局中有简单宿舍，足下来京不虞无下榻处，兹有一事着就正吾兄者，弟居恒研究中国古代立国之本，要以文武合一精神为首要。如戎政与文治并重，文武官不分，兵农不分，即子弟之六艺教育，亦文武参半。礼之要为文，乐射御为武，（乐常以武和，故可谓武）夏商周之盛治，实源于文武之途不分。而宋季之亡，坐于重文贱武不为过。吾以是窃立一原则：文武并重者强，重武轻文者乱，重文轻武者亡。不识尊意如何？如荷首肯，烦代考证史实，敷陈成篇，或编为小册，以资提倡其理。我国自古之国防政策，在以德服人，至不得已，始言用兵。《易经》云：师克，注师兵众也，下坎上坤，伏至险于大顺，藏不测于至静之中。师之为用，唯守一克其众齐，义在世界大同。须求小康，世界大同致和平，根于伦理。与前国联、今之联合国，徒期以约法致和者，相去不可以道里计。小康则尚德修好，虽有武备，纯为御侮禁暴之用，稽古经典不外此理，史乘不出此事实，亦恳详加引证成篇寄下为幸！[①]

瑞甫，为魏应麒的字，新中国成立后为福州大学教授。信中的字里行间可以看出，魏应麒与吴石友谊的深厚。在信中，吴石告诉魏应麒已为他准备住处，请他到史料局一同“代考证史实，敷陈成篇”，共修战事。吴石致魏应麒的信，尽管历尽战火，魏应麒始终珍藏。

吴石对战史研究的真知灼见至少在1936年就已形成。如本传第六章所提及1936年印发吴石所撰的《将官讲习班欧洲战史讲授录》之专著《国境会战与麻伦会战纪要》，对研究战史已作出源于心得的阐述，底气满满。他对于战史研究不仅停留在认识的层面，而且在军旅生涯中也有过成功的尝试。他在《自传》中提到在他担任第四战区参谋长的5年里，“个人所作《南宁战后战史旅行之实录》及《参谋业务》两巨册，传诵一时，各方皆认为信史为范本。”

吴石一到位，就着手史政局组织架构的系统配置及工作规则的研究制定。经酝酿，其架构设置为史政局直隶国防部，受参谋总长指挥督导，设局长一名、副局长二名，下设办公室，办公室由第一处（编纂）、第二处（行政）组成，第一处下设第一科（抗战史）、第二科（国防史），第二处下设第三科（资料收集）、第四科（审查），到当年11月，机构人员悉数配齐，到1946年底，入职史政局人员达121人，史政局的组织框架由此成型。到了1947年2月，组织编纂的《史政业务纲要》正式印发，史政局工作步入正轨。

1947年7月19日至22日，吴石率美国顾问艾克上校由南京赴重庆视察战史编纂委员会，对编纂《中日战史》进行指导，9月战史编纂委员会铅印的《国防部史政局吴局长视察战史编纂委员会纪事》作了实录。吴石在视察时强调：“战史编纂委员会在重庆，而国防部在南京，中间业务联络，有时难免隔阂，故趁此次视察机会，将业务互相联络并商同解决有关各项

① 信原为魏应麒珍藏，后由其子女交给吴韶成。

问题。”22日，在研讨会上就史政业务若干问题提出工作看法：

此次奉派到战史编纂委员会来视察，在业务上商讨已经有两天工夫，各方面的业务已经明白一个大概，所觉遗憾的就是未与大家见面谈谈，同时想个别向各位领教又不易做到。所以，今天藉同各位见面的时候，将视察经过大略分作三点，向各位报告：

第一点是各位所关切的，就是国防部史政局成立及工作经过。恐怕大家远隔的关系，有不明白的地方，故为各位报告：史政局之成立，是根据以前的经验。因为以往对史政过于隔膜，对战史问题及战史业务不甚注意。我们经过八年抗战，战争的牺牲和军民的努力，在历史上实在是很重大的事件。在以前虽然有战史编纂委员会的设立，但规模很小，编纂完善的战史不易做到，故国防部改组的时候，根据美国顾问的建议，应该成立史政机构，所以目前的史政机构，乃由此而产生，史政局到现在已经成立有一年之久，这一年来，已做到的有两件事情。第一是“正名”——史政局最初叫史料局，乃翻译未确当的关系，外国本身则称历史局，是包括历史资料之收集，及历史行政事宜，但最重要的还是史政业务。以前我们一切业务均未正式展开，过去各部队送来的战斗详报甚为简单，完全是被动的。现在对史政业务应该主动的去做，必须做到上至最高统帅，下至一个士兵，各人均应该明了各人所应该做的事。其次在训练方面，要使大家必须都有认识，故由最高统帅以至机关学校，一级一级均有认识，怎样去做？怎样指导？怎样分配？如陆大之课程中，有作战，有后勤，但没有学史政业务，至于史料的保管、战史的编纂都是史政业务中的一部分，故名词应该明白清楚。以前史料局成立的时候，预定半年改组，所以，今春开会检讨的时候，我才建议改称史政局。而史料的保管及战史的编纂，当然包括在史政以内，今后我们就可以知道战史业务与情报、作战、后勤、人事等均同等重要。现代历史的重要性是与日俱增的，在美国正在天天研究改善。我们检讨以往，觉得史政业务非常重要，故先将名词正起来，业务才易于推动。所以，头一步工作为“正名”。第二是“立法”工作——我们知道，部队的训练有典范令，作战有作战的原则，做起来才有准绳，对的有所根据，不对的可以看得出来，一件事情完全与否就看他有没有准确的绳据。故本人到史政局以后，首先制定法则，编定《史政业务纲要》一书，这本书乃局中同仁全体力量所制成。举凡一个名词，一条条文，一种体例，一种规定，均经过详细的研究，赶到今年春天开始全部完成，颁发遵行。此纲要虽不敢说十分好，但可说是尽了我们最大的努力去做成的。《史政业务纲要》经讨论半年之久，才做出来，现在可以报告它里面包含有几种重要的意义：（一）拟订精神所在是恢复固有历史精神——中国历代的文化，就是专靠历史的记载，在唐虞三代的时候所编的《书经》，里面包括行政、做人、做事及用人等等原理，一切做人、做事均可以此为准则，可以说是中外任何学者，均没有这样完全的见地，能够似《书经》在唐虞三代时候所表现的光彩，历代历史之编纂，及列传之记述，与及第一个朝代每一段行政设施之记载，一言一行均可作为治理国家，及个人修养及国际间之联系借镜。现在中国人很少研究中国古书，古书自有不合现代的，但许多许多的古书的内容，可以告诉我们有关精神修养以及政经原理等方面的学问，一切表现真是了不起！又孔子著《春秋》，一字之褒，荣于华衮，一字之贬，严于斧钺，是异常慎重的，可知过去历史精神之伟大，故应恢复固有历史精神。（二）采取现代友邦历史的效用——历史并不仅仅记载史实，现时何国进步的情形，何国发展的情形，完全可以由历史看得出来，大舌头历史之功效甚大，但须我们肯加研究，如科学的研究，乃根据以往各种的经验衔接下来，中国固有历史家很好，但被我们忽视了，我国习惯往往有一个主官，新到一个机关接事，一到任就不顾以前的一切历史，好的、坏的便全部推翻旧者，重新做起，我认为革新是对，但不可失却历史的根据。而但凭一己直觉，及主观一意孤行，须知任何事均须有根据。如果不要根据，就是不知道历史的效用所致。故历史的效用，应该特别的提出。（三）统一全国军队史政业务——这可以说是一种很痛心的教训，因为过去各部队呈军事委员会的资料，无一定的规定，有些部队因此藉故不报，而越高机关越不愿意报，这都是因为无统一规定所致。如果能够如典范令之规定，则由最高统帅以至每一士兵均知同负史政之业务。（四）训练史政业务技术——因为过去不知怎样做，做起来又很辛苦，以后根据《史政业务纲要》，各学校、各部队互相督导，习惯成自然，自可循序去做，故《史政业务纲要》实为初步工作。《史政业务纲要》其内容又包含有五种重要业务之部门，兹分述如次：（1）收集——收集乃编史上最重要的东西，故必须根据事实，如战争经过来说，当时不记载，不即收集，而后便无从收集。例如，现在对日赔偿数字来说，因当时没有在当地收集材料，故现在多没有根据。假如以前有《史政业务纲要》，则知道何时应到何地方去收集。现在提出之赔偿数字，因无根据，将来别人是否容易答应，则尚是问题。故过去如果能注意收集资料，当不会感到困难。我过去在军令部第三厅的时候，对敌人之笔记簿均力求妥为保存，有些日记里记载日军当时自己的行为很清楚，例如有的记载他会用自己的指挥刀，亲自杀死三十几个中国老百姓，在何时何地都记载极详。这些资料能够保存下来，对于目前审判战犯，不是可以作为有力的证据吗？（2）整理——因各人的眼光不同，各种需要不同，整理亦各有差异，但只要合乎科学方法，有系统的整理即可，而随时要用的时候随时即可以拿到。（3）审查——整理和审查本来是一件事情，为何要将他分开呢？因为整理注意在格式方面，审查则重在眼光，一个人有一个人的眼光不同，真伪条件之分亦有差异，故不得不将资料审查列为第三个重要部门。（4）编报——部队对战史资料不单是编，编后尚须要报，故定第四部门为编报。（5）保管——如材料不加以保管，则收集之材料白费工夫。过去许多材料因为保管不好，故现在多无法用得。

以上收集、整理、审查、编报、保管等，乃《史政业务纲要》中最重要的工作，亦即其精神内容最重要的所在。

《史政业务纲要》今年二月份颁发以来，现在已经快半年了。这半年之中，虽然部队作战甚忙，但现在已经收效甚大，各部队所报阵中日记亦很多，且可以得到史料上有价值的东西甚多，以后再编纂史书时，想一定比以前容易得多。史政局年来之工作，大概如是，其他陆陆续续也有些零星编纂工作，但可说不十分重要。

第二点是编纂抗日战史个人的几点意见。抗日战史之编纂，各位现在都做得很好。现在有几点意思，提供大家参考：（一）精神方面，编史有编史的一定使命，我们此次抗日战史与日俄战史，及第一次欧洲战史等，自不能相同而有其固有的个性，这就是史的精神，我们要把握编史的精神，先要明了我们抗战八年的特性，就是劣势装备对优势装备之敌人作战，以无战争准备的国家对有战争准备的国家作战，以没有训练的部队对已有训练的部队作战，在我最高统帅领导下，经过八年艰苦抵抗，及许多军民的血肉牺牲，才能打胜战，但到底是如何胜利的，我们应该把握胜利中心，检讨胜利的所在。我们之所以能抗战胜利，可说是由于以下诸点：（1）高度精神团结的成功——我们能够团结全国军民的精神，这是最大的成功，本来最初在外国人眼光看来，中国军民不易团结，所以敌人也说三个月可以将我打败，也看不出我能团结，而结果我们始终能团结到底，这在战争指导上收到很大的效果。如日俄战争，真面目战斗开始后，俄国大多数人民尚未全体认识战争的意义，结果仅是一部军队在作战，终于失败，诸如此类的例尚很多。（2）战争方针之强固把握——我国因据缺之国防准备在“九一八”以后，早有抵抗侵略之决心，终限于国力，不能完成适当之军备，是以采取持久战略为方针，求以空间换时间，积小胜为大胜，而不以初期劣势之兵力，作无把握之决战。吾人基于此方针所定战争之目的，在由消耗敌之战力，进而挫折其战争意志。于是极力请求军民合作，强化政治战、经济战与思想战，俾我持久战之威力，能够继续发扬，尤其彻底协调同盟作战之精神，配合欧洲为主之世界战略，使远东持久方面不为敌所强迫决战，以待盟军之反攻，此皆我战争方针之确固，所以能达成胜利之原因。（3）作战指导的适切——我们能够利用特殊的地形与敌人作战，这在战史上不易找到的。即使能找到，亦仅有一部分而已。如上海作战的时候，我们能利用许多小河流施行逐次抵抗，虽敌人用陆海空军联合攻击，但是亦经受了很大的牺牲，这是我利用特别地形之好处。又如武汉会战，最初敌人也预想不到我们能作四、五个月长久之抵抗，终因我利用武汉外围之山岳地带，一步一步抵抗，使敌人牺牲甚大，结果敌人对我山地战始终不能发挥其优势装备，这都是利用特殊地形所收的效果。其次，如游击战我们亦应该作明显的记述。在政略方面，我们能迅速争取与国，由单独作战诱致联合作战，使侵略者多树敌国，加强对抗侵略集团的壁垒，这点我们应该在历史上明示。在第一次欧战的时候，就没有一个国家能够这样做。所以，我们自武汉会战以后能使英、美另眼看待，都是最高统帅合理指导的结果。

再次是经济作战。作战开始，我们从沿海将各种工厂与资源冒极大之困难，迁到内地，一则使敌人不能掠取我大量物资，一则建立后方国防工业基础，在每一个战场每一个战区都有极伟大的表现。故编纂战史，必须把握这种精神加以表现。不但全战史应该如是，即第一会战或每一个战斗，均应将其特点及特性记载出来，则编史才不致如记流水账，各位学术经验都比我高，希望能将此点加以强调。

其次在技术方面，各位都是专门人才本来无须特别报告，不过有必须告诉大家注意的，例如编纂体例问题，本来编史是最好一人一手编纂，但现在不易做到，故只有采取分编，可是体例一定要统一。如“章节”说以“时”为经，以“事”为纬，或以“时”为大章目，以“事”为小章目，均应统一。又记载不应有研究性质，例如作战指导有几个案，在研究里面可以多载，但是战史的记述，由应仅有一个案，如全案公开记载，事实上又不好写述，此乃个人一点意见。

其次文字方面应通顺，能够联系一贯，比方做一编文章，文气前后都应该有联系，故在每一章开始的时候都应该有联系。

其他在美化方面亦应该注意。例如图表应力求美化，各种统计亦应注意，因为由统计可以得到许多经验、教训。总之，在精神与技术方面都应共同注意，并应认识战史编纂不是平凡的事。

最后一点就是各位的使命。一般之观感中认为军人不应到编史之路，但我自己应有自己的抱负，应有自己勉励自己的精神，我可以说现在编史乃国军中最有意义的工作，抱负亦最大。刚才说，恢复固有历史精神，如孔子、司马迁、司马光等史家，都很值得后人崇敬的，历史上多少大人物有了伟大的声誉，但因没有参加编史的机会，多是深感遗憾的。因为历史通传下来，可以作为国家一切设施的轨范。又，史者，师也，素来就值人敬仰。……我们要表现了不得的表现，希望各位稳定我自己的抱负。……

总之，事情是要做好的，如延期问题解决，使大家能够达成千古使命，史稿亦可以早日完成，作为国军改善之标本及国防参考的规律。我们八年来的抗战，受尽敌人的侵扰，就完全因为以前没有国防的充分准备。此后，一切国防的根据及建军法规，培养人材之方法，等等，均以历史为准据。

……

这一大段的讲话，信息量还是比较大的，观点也比较鲜明，点明了史料与史政的关系，阐述了具体工作方法，呈现出学者般的严谨与执着。史政局的工作，对吴石而言是熟门熟路、驾轻就熟的事。

对于战史收集，吴石不辞辛劳，积极奔波，一有机会就发表谈话，以自身的影响力宣传史政制度及史料编纂的意义，大声呼吁各方重视。这一点可从《福建时报》1947 年 10 月 7 日的报道中看出。这篇报道题为《褒贬忠奸发扬正气，吴石纵谈史料编纂与竞选》，提到回福州参加国大代表竞选的吴石的言论，兹录于此：

“（本报讯）记者昨访日前莅榕之国防部史政局局长吴石氏，承接见谈称：本人此次来闽之任务，系为收集抗战八年中吾闽各沦陷县市之翔实抗战史料予以编辑俾昭史乘，使当时沦陷区守节、罹难与抗敌国殇之同胞潜德幽光不至湮没无闻。渠史政之业务解释称：我国昔者对于历史之记叙均均有慎重庄正之编审与批评，作为后人之检讨与策励，任何国家之成功未始非得到历史之教训，惟民国以来对于编撰历史工作几为没落，中枢认为历史关系国家各项政策措施之检讨，甚为重要，特组织史政制度，以便推行。渠复称：拟日内返京后，将前往日本，作我国八年抗战翔实资料之采集。”

1947 年至 1949 年 4 月间，吴石多次访问日本，开展战史考察，搜寻战史线索，协调战史资料的收集、研究、交流等事宜。

在吴石的组织运作下，史政局工作颇有建树。仅从《国防部史料局三十五年（1946 年——传者注）度工作报告书》看，除机构、人员陆续到位外，自成立半年来陆续颁行《抗战全史编纂大纲》《抗战史料收集办法》《受降工作报告大纲》《部队整编工作报告书编造大纲》等规定 17 项，《抗战简史》《抗战八年来经验教训摘编》《世界战争研究会之历次会议记录》等文稿也告完成。

这个位置似乎对他的命运有了暗示。有种种迹象表明，郁闷总与这位表面风光的将军如影随形。随着时间的流逝，他发现这里并非像他当初所想的那样，为官环境险恶，陈诚把权都抓在手里，拨来的经费在国防部里就砍了一半。国防部的其他厅局有钱、有势、有权，他感到史料局比其他厅、局好像矮了半截。特别是看到上层拉帮结派，官场钩心斗角，犹如一盆凉水从天而降，不仅浇灭吴石心中成就战史的熊熊烈焰，而且极大地刺伤他那颗正直、孤傲的心。他的思想处于波动之中，面对残酷的现实，感到心头堵着一口气。这时，吴石想独善其身，的确太难了。

这时的吴石在军界荣膺陆军中将多年，是颇有名气的人物。1947 年 10 月，《军民新闻》（第三期）杂志将吴石作为封面人物，该期内页专栏介绍吴石的履历。作为一名职业军人，吴石前后在直系、桂系、蒋系军中供职，他以自己的智识奠定了在军中的口碑，不知有多少人暗中称慕。一位叫吴大任的高级军官在《我对吴石早年的印象》中写道：“我在花溪工作 4 年半（‘花溪’系 1939 年国民政府军事委员会委员长侍从室成立第三处之代名），所属单位是通讯组……通讯内容包括工作概况、地方党政动态、社会分析、自我检讨、读书心得与建议事项等。其中优秀之通讯，事关治平大计与政经兴革，而有卓越见识之建议，每周必汇呈委座（指蒋介石委员长）亲自核阅。其中使我印象最深者为某集团军少将总参议吴石的通讯。他有关《共党阴谋叛乱及其对策》的研究报告，极其精湛。该文洞烛机先，见解深刻，不独文情并茂，亦且有胆有识。我当时经办此稿时惊由前所未曾有。于是签注‘拟汇呈委座’字样，经主任（陈果夫）批示‘可专呈’，于是将原稿一字不改的项目呈阅。嗣经委座亲批‘继续研究’，继又批‘嘉勉’两字。此文我曾录一副本，以为参考。自此在我心

《军民新闻》（第三期）封面

目中的吴石是一位忧国志士与锦绣才人，使我对吴君的印象，经久不能去怀。后来胜利还乡，我当选东北区立法委员，于民国三十七年（1948 年）四月赴南京开会，偶然在乡长王润生先生府上碰见老友王醒魂。醒魂陪着一健壮的中年人坐在王府客厅，这便是我意念中的忧国之士、现任史政局局长吴石将军。我乍闻吴君之名，立即呈现惊喜之神色，当及询问对方是否为在几年前曾与'侍三处'通讯提出'灭共'建议的吴石？对方连称是后，我立即伸出友谊之手，诚恳的表示曾奉命复函嘉勉，并倾吐个人仰慕之忱！"

居住在歌舞升平的都城，目睹国民党政府腐败无能，独裁专政，他为之奋斗、为之而捍卫的国民政府在他的心中轰然倒塌，他似乎失去了精神支柱，对国家、民族的前途和命运充满着担忧。他经常以宴会名义，邀请知心朋友刘斐、何遂、刘通等多人聚在一起，商讨国是。他与何遂、刘通、王宜汉[①]接触密切。当时，何遂为国民政府立法院军事委员会委员长，刘通为国民政府立法院立法委员，王宜汉为国民政府立法院立法委员，这三人与吴石一起被看成军政界福建籍"四大台柱"。他们不仅关心着福建，更关心中国何去何从。

革命的开端

吴石从国民党的成员到同情支持共产党，最后投身中国人民解放事业，如此巨大的信仰转变绝非朝夕可成。吴石这个转变是如何发生、发展的？这个问题多少困惑着吴石研究者。

吴石被捕后一直坚称自己是一年前（即 1949 年）才开始为中共工作的。

关于"吴石案"最早的公开报道是 1950 年 7 月 8 日在香港的国民党刊物《新闻天地》上发表的一篇长文，由"吴石案"的承办人李资生署名。李资生的记录是："吴次长自承向共党靠拢的时机，是在 1949 年的 2 月间。

① 王宜汉（1882—1974），字一韩，号毅斋，晚年号缄叟、涵叟，福建福州人。系开闽王王审知三十三世孙。王宜汉系国民政府主席林森秘书，一生追随林森。中华人民共和国成立后，王宜汉曾任民革福建省委委员，福建省文史研究馆馆员。

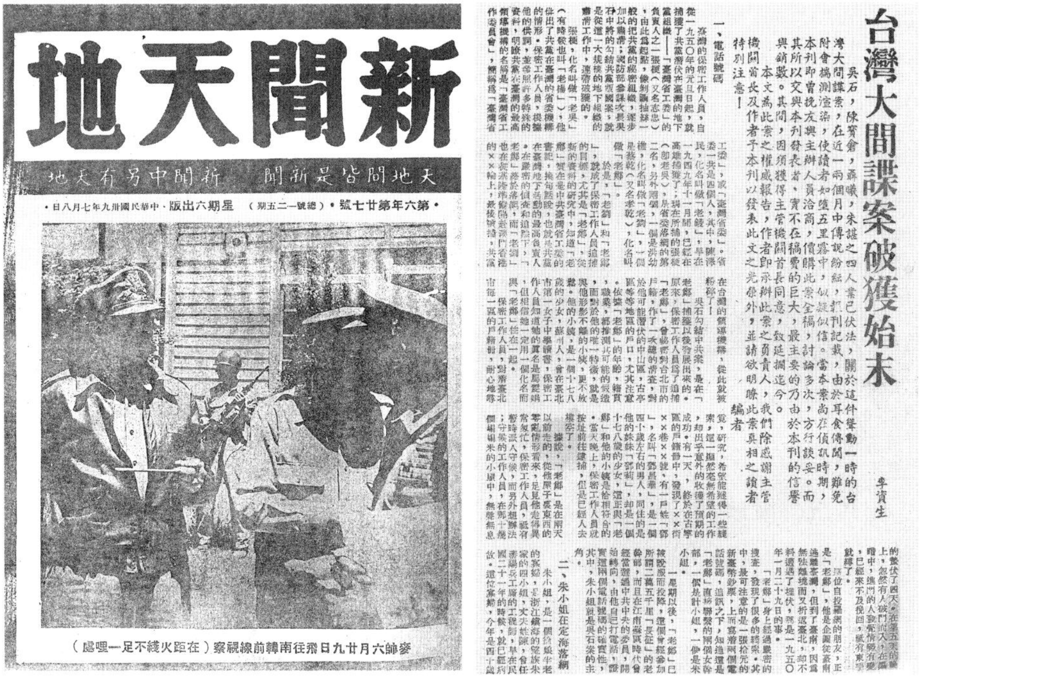
新聞天地
天地間皆是新聞 新聞中另有天地
•第六年第廿七號•（總號一二五期） 星期六出版 •中華民國卅九年七月八日•

麥帥六月廿九日飛往南韓前線視察（在距火綫不足一哩處）

台灣大間諜案破獲始末
李資生

吳石，陳寶倉，聶曦，朱諶之四人業已伏法，關於這件聳動一時的台灣大間諜案，在近一兩個月中傳說紛紜，報刊記載，由於耳食傳聞，難免附會揣測渲染，使讀者如墮五里霧中，似疑似信。當本案尚在偵訊時期，本刊即曾挽友與主辦人員洽商，價購此案全稿，討論多次，方行談妥。而其所以文與本刊發表者，實不在稿費的巨大，最主要的乃由於本刊的信譽與銷數。其間，因須獲得主管機關首長同意，致延擱迄今。

本文為此案之權威報告，作者即承辦此案之負責人，我們除感謝主管機關首長及作者予本刊以發表此文之光榮外，並請欲明瞭此案真相之讀者特別注意！

編者

一、電話號碼

《新闻天地》刊出《台湾大间谍案破获始末》

当时，蒋总统已经引退，李代总统则在倡导和平，并且正与中共进行谈判，他认为当时的政治局势是非常混乱的，究竟前途如何，谁也弄不清楚，大家都认为共产党一定会成功，他自己也有这种想法，于是他就糊里糊涂地和共产党发生了关系。他自己却辩解说：‘这种事情，在当时是很普通的。我相信有大批的政府军政官吏，都和我一样的走上这条路去，政府的政策既是求和，我们为什么不可以和共党联系呢？’”

国民党方面的资料显示，吴石称，1949 年四五月间在沪与中共华东局干部刘栋平会面，刘希望吴能提供军事情报，不过不久解放军渡长江，吴赴福建就任绥靖公署副主任，与中共党人失去联系。然而，解放军很快就席卷整个东南沿海，吴转香港来台，在香港时又与刘栋平取得联络，吴同意来台后收集军事情报。

考察吴石政治倾向的演变过程，吴石与中共发生关系在时间、组织关系上都非李资生所言。由此可见，吴石将军被捕以后千方百计地隐蔽实情和自己的身份，他伪托自己是 1949 年 2 月接触中共便是一种托词。这样既尽力减轻责任，也通过减少与中共联系的时间以保护同志。

那么，吴石何时开始为中共工作？这个问题曾让一些研究者感到费解？随着一些历史档案的公开，这个问题迎刃而解。中共中央有关部门的结论，给出了具体答案：吴石同志于1947年即开始为我党工作。事实上，他同中共中央高层的接触交往，早在1937年就开始。吴石身上所具有的爱国、民主的政治倾向也引起中共高层及地下组织的重视和当时政治团体的关注，成为各方积极争取的对象。

抗战期间，吴石对中共有了一些了解。他亲自到武汉珞珈山听过周恩来的演讲，还同时与叶剑英等人有过交往。其间，他还认真研读过毛泽东的军事著作《论持久战》。他认为，这是一篇了不起的著作，既运用古代孙子的兵法，又透彻分析敌我双方的态势。他建议白崇禧下发给各战区队长阅读。当然，白崇禧不会对此表态。曾有一些文章说，白崇禧下令军队基层阅读，此说不符实际。据白崇禧秘书谢和赓（中共特别党员）回忆：白崇禧从未下过通令要桂系的军队研读《论持久战》，因为白对国共合作的看法，以及对我党的政治影响，其阶级观念还是很清醒的，因此绝对不会这样“天真”。[①] 而吴石在政治上却是颇为“天真”的。

抗战胜利后，吴石回到南京，任国防部史料局局长。吴石在抗日期间就对蒋介石消极抗战、积极反共的做法不满。桂柳战役失利，身处第一线的吴石对“前方吃紧，后方紧吃”的局面痛心疾首；而蒋介石偏爱嫡系，重用无能败将，也让他深为不平。他受过系统的高等军事教育，却始终无缘军队的实权，这是吴石难解的心结。抗战胜利后，国民党“五子（金子、房子、票子、车子、女子）登科”式的“劫收”，造成物价飞涨、民不聊生，特别是蒋介石违背广大民众和平建国的意愿，悍然发动内战，令他感到非常失望，多次发出“国民党不亡是无天理”的喟叹。他面对中国政局有些茫然。在周边人的掺和下，他参加了民社党。

民社党是中国民主社会党的简称。1946年8月14日，由张君劢创立。

① 谢和赓：《我在李宗仁、白崇禧身边工作的日子》，载《文史资料选辑》第35辑，中国文史出版社1999年版。谢和赓（1912—2005），在周恩来直接领导下，曾成功卧底于白崇禧身边，担任机要秘书。新中国成立后任《世界知识》高级编辑兼欧美组组长。

张君劢（1887—1969），号立斋，江苏宝山人。人称“宪法之父”，是民社党的创始人和领袖。1934年与张东荪等在北平组织中国国家社会党，鼓吹国家社会主义。张君劢领导的国家社会党（以下简称“国社党”）与在海外的由伍宪子领导的民主宪政党在上海召开代表大会，决定两党合并，成立中国民主社会党，并加入中国民主同盟。国社党的前身是由张东荪、张君劢、罗隆基等人于1931年10月发起成立的再生社。1933年4月，张君劢在天津召集再生社临时代表大会，成立国社党。该党标榜国家社会主义，反对阶段斗争，反对共产主义，主张保留私有制。新成立的民社党把国社党原来标榜的国家社会主义改为民主社会主义，主张实行“民主主义的政治”“社会主义的经济”，企图建立超阶级、超党派的政府。这是在国民党加紧对解放区的军事进攻，同时下令召开非法的、分裂的国民大会的历史背景下的产物。“旧政协”会议后，张君劢曾以第三者身份参与促进国共两党的和平谈判，但不久即受蒋介石的拉拢，这位民主战士却冒天下之大不韪，让民社党参加国民党一党包办的1946年“国大”。他于1946年11月20日致书蒋介石，表示“在此还政于民之日，自当出席以赞大法之完成”，并于23日向蒋介石递交了民社党出席制宪国民大会的代表名单。此举一出，各界哗然。张的所为不仅遭到广大社会人士的谴责，也在民社党中引发一场“地震”，吴石等党内成员为此深感失望，愤而退出。的的确确，1946年记录着中国政治的种种荒诞与无奈。

关于吴石为中共进行工作的起始时间，此前有过其他说法。

吴仲禧认为，吴石“暗助中共开始于1949年春夏之间”。他回忆道，1949年6月，吴石去台湾之前他们见了最后一面。吴石说：福州绥靖公署已经结束，他已被调任国民党国防部参谋次长，要到台湾去。吴仲禧请他考虑，到台湾去是否有把握，如果不去，也就此留下，转赴解放区。吴石则坚决表示，自己的决心已经下得太晚了，为人民做的事太少了。现在既然还有机会，个人风险算不了什么。这段记录说明，1937年已秘密加入中共的吴仲禧至迟到1949年6月已知吴石是同道，不过此前并不属同一秘密情报系统的“二吴”各在意会之中也未可知。

据史料档案，吴石是在上海真正走上革命的道路的。引导他走上光明之路的是共产党在国统区一大地下组织——中共中央上海局。

吴石的档案及1975年颁发的“因战因公牺牲人员家属光荣纪念证”，均标明吴石于1947年开始为我们党工作。在对当事人何康的访问中，何康就这个问题的回答更佐证这一事实：1947年春，中共中央上海局刘晓[①]、张执一[②]等负责人与吴石进行过特别会面，从此吴石开始为共产党工作的惊险经历。这一史实也告知世人：吴石不是一时的冲动或投机，而是较早觉醒自觉投身革命的国民党军高级将领。

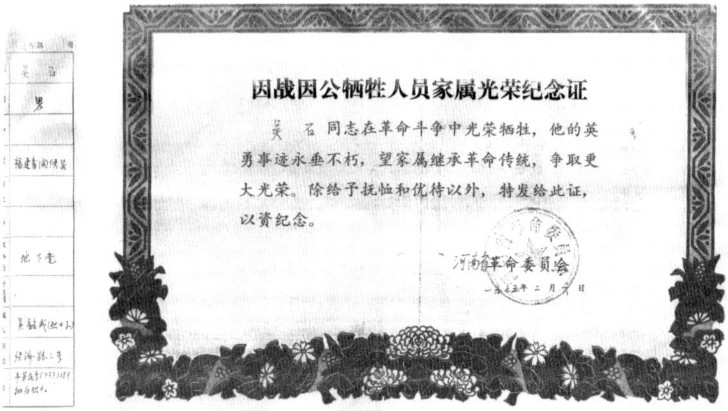

1975年颁发给吴石家属的“因战因公牺牲人员家属光荣纪念证”

在中共隐秘战线上，上海是中共地下党活跃的重点地区。早在20世纪20年代，在周恩来的缔造下，中共早期情报组织特科应运而生，曾屡建奇功，威名远扬。但一度几乎遭到毁灭性破坏，中国工农红军长征到达陕北后开始党在白区工作的重构。

1946年11月19日，周恩来率中共代表团邓颖超、李维汉等人离南

① 刘晓（1908—1988），湖南辰溪人。1926年加入中国共产党。1927年参加上海工人三次武装起义。大革命失败后，从事党的秘密工作。1932年后，任中共福建省委组织部长、代理省委书记。1934年，参加长征。1937年5月，根据中共中央决定，刘晓去上海恢复和重建上海地下党组织，先后任中共江苏省委书记、上海局书记，长期领导上海地下党工作。新中国后，任中国驻苏大使，全国总工会主席等职。

② 张执一（1911—1983），湖北汉阳人。1929年加入中国共产党。解放战争时期，从事国民党统治区的统战工作。新中国成立后，曾任中共中央统战部副部长等职。

京返回延安。在离开南京前，中共上海办事处曾转达周恩来给上海地下党刘晓的指示，指出：国民党地区黑暗严重的时刻又到来了，必须坚持隐蔽的艰苦的斗争，预计5年的时间，胜利必将实现。后来形势的发展比周恩来预言的时间来得还要快。为此，上海地下党在刘晓领导下加紧工作。

1947年是中国革命有决定意义的一年。解放区军民对国民党的全面进攻奋起反击，迫使国民党不得不采取重点进攻。同年7月至9月，国民党的重点进攻也被粉碎。解放军转入全国规模的大反攻。

1947年1月16日，周恩来曾电告刘晓等人，为了更有计划地领导国统区群众爱国民主争生存的斗争，中央认为国统区党组织有调整的必要，决定成立中共中央上海分局，将刘晓、钱瑛两处所管的秘密组织系统，统一管理。分局下设上海市委。上海分局以刘晓、钱瑛、刘少文及另由刘晓从上海党委中推荐一人组成，负责领导与发展国统区秘密党的工作。上海分局直属中央领导，当时刘晓除向中央推荐刘长胜①参加外，还曾推荐3人为分局委员。2月1日，中共中央政治局通过迎接中国革命的新高潮的指示。4月29日，周恩来为中共中央起草的给各中央局、分局的指示中，明确指出：各地城市工作部的任务是在中央规定的方针下，统管党在国民党统治区的一切工作并训练这一工作的干部。5月6日，他又为中共中央起草电报致刘晓等人，告以中央决定将上海中央分局改为上海局。通知指出：为加强与调整蒋管区我党工作的领导，中央决定将上海中央分局改为上海局，管辖长江流域、西南各省及平津一部分党的组织与工作，并于必要时指导香港分局。上海局仍以刘晓、刘长胜、钱瑛、张明（即刘少文）4人组成，刘晓为书记、刘长胜为副书记。在目前较严重的环境中，上海局会议以愈少开愈好。至原在上海党委负责各同志，仍各管一方面的工作。根据中央

① 刘长胜（1903—1967），山东海阳人。1927年加入苏联共产党（布），后转入中国共产党。1935年，共产国际派他回国送密电码给中共中央，为中共中央恢复同共产国际的联系作出贡献。1937年9月受党中央委派，参加恢复和重建上海地下党组织的工作。先后任中共江苏省委副书记、上海工委书记、中共中央华中局城工部部长、上海局副书记。新中国成立后，任全国总工会副主席等职。

指示精神，原刘晓推荐的3同志，即分别在上海局领导下由张承宗分管上海市委；张执一分管外县委员会和策反工作；张登（沙文汉的化名）分管文化统战工作。中央在组织上成立了城工部和上海局，加强了国民党地区党的领导。

中共上海局十分关注吴石对时局的态度，开始了联络与争取他的工作。

这里应当提到中共上海局负责人与吴石将军的最初会面。这次会面的牵线人是吴石的挚友何遂。何遂在爱国、抗日、反蒋这条心路上与吴石十分一致。何遂虽然胸无城府，政治上却敏感而清醒。西安事变后，他明确拥护中国共产党建立抗日民族统一战线的主张，真诚地和中国共产党的一些领导人建立了联系。内战爆发，他对蒋介石政权完全绝望，认识到，要救中国只有把希望寄托于中国共产党。他和吴石之间的交流，没有什么隐晦，这种鲜明的态度对吴石的影响是很直接的。吴石也表示，希望通过何遂和共产党方面的代表建立直接接触。何遂把他的政治情绪及动态向中共中央上海局张执一作了汇报，由他转陈党组织的领导人。党组织很重视吴石这个社会关系，试探是否愿意公开见面，他很爽快地接受了。于是由何遂出面，约吴石在当时闻名上海滩的锦江饭店见面。

1947年4月，中共中央上海局书记刘晓、副书记刘长胜以及负责统战、军运工作的张执一与引荐者何遂以及何遂之子中共地下党员何康在后称上海锦江饭店的华懋公寓会见并宴请了54岁的国防部史政局局长吴石。这是吴石接受中国共产党领导的开始。

华懋公寓是当年老上海无人不知的浮华之地。它于1929年建成，外墙面是花岗岩，棕色面砖、方格钢窗和白色斩假石窗框，是传统英国哥特式风格，可骨架用的居然是那个年代的高科技——钢筋混凝土结构。当年老上海绅士淑女的重要宴饮多要在这里举行以示身份。1951年4月2日，在董竹君等人的努力下，坐落在上海长乐路189号的华懋公寓（现锦北楼）改名为“锦江饭店”。锦江饭店于1951年6月9日正式开业。锦江饭店开张后，曾接待过尼克松、里根、撒切尔夫人等外国元首，毛泽东、周恩来、刘少奇、邓小平等国家领导人也在这儿住过。谁也没有想到，70多年以前，

上海解放时地下组织部分负责人和干部的合影。前左起：王尧山、沙文汉、刘长胜、刘晓、潘汉年、刘少文、吴克坚；后左起：赵先、张毅、刘人寿、张承宪、王清、黄景荷

就在中共中央机关撤出延安一个月之后，中共上海地下党的最高负责人在这里集体会见了以后在敌人营垒中潜伏杰出的无名功臣！

1947 年 4 月，一个阳光灿烂的中午，在锦江饭店进行着一位国民党高级将领与中共上海局负责人之间的特殊会面。在何遂、何康的安排下，中共上海局书记刘晓以宴席的形式与吴石进行了面对面交流。一开席，何遂将刘晓、刘长胜、张执一一一介绍给吴石。根据秘密工作的要求，何遂、何康悄然退席，在饭店门口静静地等待着，约 1 个小时光景，刘晓、刘长胜、张执一、吴石一同走出饭店，微笑地道别。这时，何康很快意识到，吴石与党确立了某种联系。受党的纪律约束，不便于询问。之后，何康接到组织的指示，保持与吴石的单线联系。这次不同寻常的会面，让吴石的政治人生有了转折。这一点在吴石地下工作助手吴长芝的回忆中提及：“1947 年春，吴石秘密地给我看过毛主席《新民主主义论》等，也明确告诉我，何遂同志方面是正确的革命途径。为了革命纪律，他和我分工，民联方面由我保持与吴艺五单线联系，并充当桥梁。”[1]

中共中央上海局领导与吴石联系的秘密联系点安排在何遂寓所。何遂寓所位于上海愚园路，其门牌号为俭德坊 2 号，是一幢有围墙院落的三层西式小楼，何遂夫妇与儿子何康一家住在一起。何遂时任国民政府立法院军事委员会委员长，素以交游广泛知名。何遂身上的金字招牌，为开展地下斗争起到很好的掩护作用。在上海解放前，主要以此为联络点，由张执一和何康与吴石联系。在这里，张执一与吴石有过多次单独会面。至于谈些什么，由于两位当事人均不健在，无从考证。但是有一点是肯定的，通过接触，吴石对中共的信任日益加深，也答应为我们党做工作，主动提供中共急需而重要的军事情报。

民联成员

三民主义同志联合会（以下简称“民联”），是我国民主革命时期的民主党派之一。是由谭平山、陈铭枢等人发起成立的，中国国民党内一部分爱国民主人士为反对蒋介石独裁统治、争取和平民主自由、团结抗日，在抗日战争时期组成的一个国民党民主派组织，吴石是其中积极而出色的一员。

1941 年皖南事变发生后，在中共南方局领导人周恩来、董必武等支持下，谭平山决定团结国民党内民主派人士，与国民党内顽固派势力进行斗争。谭平山的想法得到了陈铭枢、杨杰、王昆仑、郭春涛等人的赞同，大家决定首先举办一个经常性的时事座谈会，以便把关心时政的国民党民主人士联系在一起，座谈时局，沟通思想，团结民主同志，争取抗战胜利。

1943 年 8 月，首先成立由谭平山、陈铭枢、杨杰、朱蕴山、王昆仑、郭春涛、许宝驹、于振瀛、何公敢、甘祠森 10 人组成的筹备小组，负责进行筹建组织的工作。他们最初将组织的名称确定为“中国国民党民主同志联合会”，后改为“三民主义同志联合会”。关于民联的政治主张，他们决定以孙中山联俄、联共、扶助农工三大政策和《国民党第一次全国代表大

① 吴长芝：《我所知道关于吴石同志的概况》，1986 年 12 月 13 日（未刊稿）。

会宣言》为旗帜，团结爱国民主人士，同实行独裁的国民党反动派进行斗争；关于民联的组织路线，10 人小组在讨论中有两种不同的意见。一种主张只发展国民党上层人士；另一种主张也要吸收下层人士。后来实际发展的结果，还是以国民党中上层民主人士为多。并确定了组织公开、负责人不公开的办法。经过一段时间的筹备，自 1944 年上半年起，开始以民联的名义吸收成员，并开展活动。

1945 年 10 月 28 日，在重庆嘉陵江畔爱国民主人士鲜英①公馆——特园秘密召开了三民主义同志联合会第一次全体会员大会，参加大会者 20 余人，代表全体 50 多名会员。民联成立初期，是以国民党内民主改革派的面目出现，它的活动主要是反对内战，促进国民党的改革。成立以后，立即在国民党内和当时的政治斗争中产生很大的影响，特别是得到国民党内反蒋派人士普遍的支持，很快在全国 10 余个省市建立组织，并发展到海外。1948 年初，吴石开始参加地下民联组织。同年秋，经陈铭枢、吴艺五介绍加入三民主义同志联合会。活动地先是上海，后是福建。在上海，他在吴艺五的直接领导下从事情报、策反工作。吴艺五是当时中共驻沪地下组织负责人吴克坚联系的重要对象之一。

历史上出神入化的吴克坚情报系统，是 1946 年中共在南京、上海建立的一个情报组织，由中共在延安的中情部直接领导。在 1945 年抗战胜利后，李克农根据周恩来的指示，找在延安参加中共第七次全国代表大会的吴克坚谈话，要他到国民党统治区的心脏地带，继续做党的地下情报组织、领导工作。李克农说："我管的这摊事，货架上现在是空空的，全靠你们去拿东西来。国民党那儿，有许多空子可钻，你是很有经验的。"②中情部还为吴克坚配备了电台和译电人员。吴克坚于 1945 年 10 月随周恩来到重庆，1946 年径赴上海。

---

① 鲜英（1885—1968），字特生，四川南充人。著名爱国人士。1939 年，他献出私宅特园，作为中共进行统战工作和民盟开展活动的重要场所。特园后被董必武誉为"民主之家"。新中国成立后，历任西南军政委员会委员，四川省民盟副主任委员，全国政协委员、人大代表。

② 开诚：《李克农——中共隐蔽战线的卓越领导人》，中国友谊出版公司 1996 年版，第 274 页。

吴克坚（1900—1986），湖南平江人。读中学时就参加学生爱国运动。1924年加入中国共产党。1927年参加秋收起义。大革命失败后，在中央特科工作，曾任中央特科秘书长，多次机智地完成保卫、情报任务。1932年，他被派往苏联学习。1936年，他被派往法国巴黎，任《救国时报》（巴黎版）总经理。1937年抗日战争全面爆发后回国，先后任中共中央长江局秘书长、中共中央南方局常务委员、《新华日报》总编辑。1946年下半年起，直到1949年夏上海解放，吴克坚情报系统在隐蔽的对敌斗争中，成绩卓著，曾多次受到中共中央的表彰。

吴石常常住在上海陕西北路669号民联成员吴长芝夫妇家里，得到情报后，由吴长芝随即送到南昌路善庆坊吴艺五家里，再由其交给吴克坚。

1948年初，具有反蒋意愿的国民政府福建省教育厅厅长李黎洲[①]在上海见到好友吴石，两人一拍即合，参与了民联的有关工作。经陈铭枢、吴艺五介绍，在上海参加民联组织，在寓所与陈铭枢等商讨在福建省的反蒋计划。李认为，必须取得社会上合法地位，才好掩护地下工作。李返回福州，准备竞选立法委员。这时，刘通返闽竞选立法委委员，李黎洲将原有竞选班底悉数帮助刘通，结果，刘通当选为立法委员，李黎洲被选为监察委员，一起进入国民党政权的权力机关。

曾在黄埔军校任教官、抗战时在盟军总部任翻译的张今铎是吴仲禧发展的关系。1948年，张今铎在储安平主编的《观察》上撰写多篇分析内战形势的军事论文，揭露蒋军失败之经过甚详。在当时许多进步书刊被迫停止出版的情况下，这些论文很受读者欢迎，《观察》销路大增。估计张是根据

---

① 李黎洲（1898—1977），字伯羲，福建古田人。早年追随孙中山参加讨袁、讨段诸役。第一次国共合作期间，受命回闽筹建福建省党部，并先后在海内外主持《福建时报》《泗滨新报》《中南日报》总编事宜。抗日战争前后历任中央监察委员、国民参政会参政员、省政府委员兼教育厅长等职。1948年初加入三民主义同志联合会。新中国成立后，任民革福建省委委员、福建省政协委员等职。

1942年，李黎洲写的《柳州晤吴虞薰》见证了两人的友谊。诗曰：

涧声松韵两悠悠，静趣知非物可囚。（虞薰题画句）
肝胆平生如一日，功名前路有千秋。
相携积臆珍良会，便托看山契薄游。
消尽雄谈江月夜，此行算不负南州。

新华社新闻结合他与军界上层的交往中得到资料写出来的。此事引起蒋介石注意，下令查封《观察》，追究主编和作者。储安平出走，在搜查中发现，所有稿纸是国防部史政局的稿纸，又找不到涉嫌对象。国民党特工人员要史政局除吴石局长之外所有人员写字对笔迹，事情就被张扬。吴石把这一情况告诉吴仲禧，吴仲禧即通知张今铎出走香港。张今铎在唐宝璋等进步人士帮助下安全抵港，躲过搜查。今天看来，如果不是吴石通报情况，不是吴仲禧及时通知，张今铎在当时必定是凶多吉少。

吴艺五

1949 年初，沈向奎[①]调任新军军长，进驻福州。沈向奎是原四十九师张贞部的团长，与李黎洲同为张贞部属，与吴石也认识。吴石利用与沈同有留学日本经历的关系，与许显时[②]、李黎洲等与沈进行接触，动之以情，晓以大义，动员其反正。虽沈部不久即调往闽南，未能如期进行阵前起义。事后沈军部的一部分弃暗投明，与先期所做工作是不无关系的。

1948 年春夏之交，在南京、上海的福建同乡发起拥戴吴石出任福建省政府主席的活动。这一活动的幕后策划人是吴艺五。

与吴石交情深厚的吴艺五系福建长乐人。吴艺五（1891—1976），名刚如，号艺父、艺夫，又名吴树、吴澍。少年时代参加同盟会，保定军官学校第一期毕业后曾任连长、团长、副官长等职。1913 年随李烈钧、方声涛

---

① 沈向奎（1905—1972），字紫文，福建诏安人。毕业于日本步兵学校。抗战全面爆发后，先后参加卢沟桥战役、忻口会战、中原会战。1948 年春，任第一、三军军长、同年 9 月授陆军少将。1949 年任第一二一军军长、福州戒严司令，同年 10 月退守金门，任第五军军长，11 月升任第十二兵团副司令，金门防卫司令部副司令。1957 年任“国防部”联合作战研究委员会中将委员。1961 年退役。

② 许显时（1896—1986），字成谋，福建闽清人。曾任国民革命军独立第四师第三团团长，第四师司令参谋长，福建、甘肃两省省政府委员兼建设厅厅长，福建省银行总经理。解放前夕亲赴香港，将省行香港分行数十万美元的财产库存列册交中共华南分局，宣布起义。新中国成立后，历任民革福州市委主委、福州市政协副主席、福州市副市长，民革中央委员，福建省政协常委、副主席。

起义于江西湖口，失败后赴日加入中华革命党。1915年回国，在福州创办《中华新报》。是年冬，参加滇省起义，以后随军入桂转战桂粤。1927年以后在福建任国民党福建水上警察局局长、军事厅参谋长及军事委员会参议，在福建军事厅任职时与吴石有往来，私谊甚深。1941年太平洋战争爆发后至重庆，目睹国民党反动统治者独裁专制，消极抗日，遂不再在国民党政府做事。他曾以“穷途惟有友相依”的诗句叙述这段生活，他相依的老友是陈铭枢、柳亚子等人。柳亚子视吴艺五为至交，在诗中有句云：“知我谁欤吴艺五”。1943年开始，他们便在重庆从事反蒋的准备工作。1944年，吴艺五与陈铭枢、谭平山、郭春涛、于振瀛、叶南帆等筹划创立三民主义同志联合会，是三民主义同志联合会的创始人之一，被推为中央监事。1945年9月奉命先期抵沪，与王绍鏊（中共特别党员）等联络，筹划民主运动。次年春，三民主义同志联合会负责人陈铭枢、郭春涛、于振瀛等由重庆抵沪活动。

吴艺五以其所住环龙路善庆坊10号（今上海南昌路83弄10号）为民联的上海秘密联络点。此外，还安排两处秘密联络点用于特别情况。一处是租用善庆坊10号对面的房子（今上海南昌路234号），主要用于吴艺五与中共方面的吴克坚联系工作，转递重要情报。此外，还安排申江医院（今上海淮海路嵩山路口）为秘密联络点。申江医院是私人开办的医院，院长刘之江是地下民联成员，为地下民联工作创造了条件。

上海地下民联经过分析，开出吴石有可能成为下一步福建省政府主席看好人选的优势至少有两个方面：一是按照当时的惯例，省政府主席多由武人担任。在国民党军高级将领中，资历相当的福建籍将领少之又少。在闽南，张贞虽官拜陆军上将，却是“光杆司令”，退役在漳州作寓公；在华北，天津警备司令陈长捷非蒋嫡系，李良荣虽是福州绥靖公署司令官，但资历尚浅。争取吴石出任福建省主席，有可能为和平解放福建铺平道路；二是“闽人治闽”的口号在福建志士中喊了几十年，已为大众所熟悉，也不会太暴露。利用这个口号，有利于掩护革命活动。“闽人治闽”的呼声最早出现在19世纪末。甲午中日战争后，日本向清廷提出割让辽东。清廷以辽东为发祥地，且逼近北京，断然拒绝。于是有“割闽换辽”之议，这引

吴长芝

起闽籍人士的极大震惊。后虽改割闽为割台，然而台湾传统上归属福建管理，且地理上、经济上联系密切，成为闽籍仁人志士心中的痛。在上海地下民联的组织下，拥戴吴石出任福建省政府主席的活动在福建、南京、上海等展开。这个活动还是比较热闹的。据时任福建省政府官员谌震的回忆：“1948 年春夏间，福建某些人士曾有‘闽人治闽’之议。我与这些人不熟，但常从传闻听到一些消息”。[①] 为扩大影响，有关人士还奔走东南亚地区，积极争取海外华侨和闽南地区政界人士的支持。后来这一设想没能在政坛上布局成功，吴石未能入主福建省政府，但也推动地下民联组织的自身发展。

在上海地下民联中，掩护吴石工作的是吴长芝。吴长芝（1917—1990），是吴石的亲戚。店员家庭出生的吴长芝，1938 年从上海海关税务专业学校（后改为上海税务学院）毕业后，一直在香港、重庆等地担任水道测量员、大副等高级船员职务。1945 年考取交通部物资租借法案技术员赴美国学习。1946 年回国后，由吴石介绍参加地下民联组织。按组织的意图，为掩护地下工作，吴长芝利用社会关系，开办大兴贸易公司，为地下活动提供经费。他不畏危险，担当了吴石与吴艺五间的情报递送工作，由他手中送出许多重要的军事情报。1947 年夏，吴石抄录旧作《登鲤鱼峰》赠重侄吴长芝。诗曰：“不堪回首更登高，独立危峰首屡搔。横插秋原山惨淡，廻环古郭水兰上。轮囷轩辗存吾素，际会风云东尔曹。□□□□□荔地，赠言成咏思

① 谌震：《刘建绪辞职经过》，《福建文史资料》第 14 辑，福建省政协文史委，1986 年 12 月。

切切。”鼓励吴长芝在际会风云中为革命多作贡献。

随着解放战争的深入，吴石越来越显示出其独特的身手。1953 年 9 月，国家副主席、民革中央主席李济深在《悼念陈宝仓同志》一文中，透露出吴石地下工作的使命与任务：“四九年（1949 年）春，陈宝仓同志到广州，当时民革中央派吴石同志去台湾从事策反，陈宝仓同志自动要求同往，毅然负起深入虎穴的艰巨任务。吴、陈二同志到台湾后，由陈宝仓同志搜集蒋匪帮各种军事重要情报，交由吴石同志转送香港中共负责人参考。”关键时刻的情报如同生死的催化剂，给奄奄一息的蒋家王朝以致命的一击。

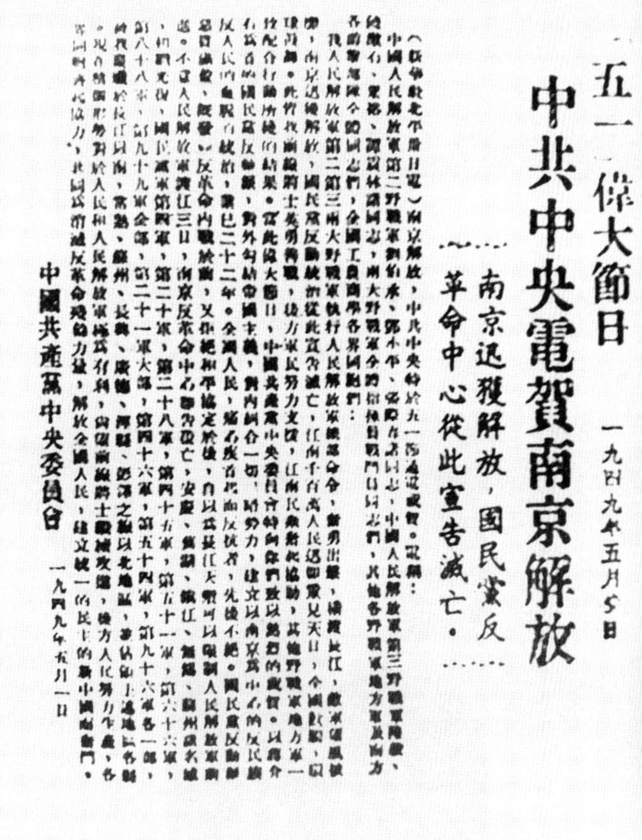

五一偉大節日

中共中央電賀南京解放

南京迅獲解放，國民黨反革命中心從此宣告滅亡。

一九四九年五月5日

（新華社北平三日電）南京解放，中共中央特於五一節通電祝賀。電稱：

中國人民解放軍第二野戰軍劉伯承、鄧小平、張際春諸同志，中國人民解放軍第三野戰軍陳毅、饒漱石、粟裕、譚震林諸同志，兩大野戰軍全體指揮員戰鬥員同志們，其他各野戰軍地方軍及南方各游擊隊全體同志們，全國工農商學各界同胞們：

我人民解放軍第二第三兩大野戰軍執行人民解放軍總部命令，奮勇出擊，橫渡長江，敵軍望風披靡，南京迅獲解放，國民黨反動統治從此宣告滅亡，江南千百萬人民迅即重見天日，全國歡騰，[illegible]消息。此皆我前線將士英勇善戰，後方軍民努力支援，江南民衆熱烈協助，其他野戰軍地方軍一致配合行動所獲的結果。當此偉大節日，中國共產黨中央委員會特向你們致以熱烈的祝賀。以蔣介石為首的國民黨反動派，對外勾結帝國主義，對內[illegible]一切，[illegible]勢力，建立以南京為中心的反民族反人民的血腥的統治，至今已二十二年。全國人民，痛不欲生者、起而反抗者，先後不絕。國民黨反動派悍然發動反革命內戰於前，又拒絕和平協定於後，自以為長江天塹可以阻擋人民解放軍前進。不意人民解放軍渡江三日，南京反革命中心即告覆亡，安慶、蕪湖、鎮江、無錫、蘇州諸名城，相繼光復，國民黨軍第四軍、第二十軍、第二十八軍、第四十五軍、第五十一軍、第六十六軍、第八十八軍、第九十九軍全部，第二十一軍大部，第四十六軍、第五十四軍、第九十六軍各一部，尚被殲滅於長江以南，常熟、蘇州、長興、廣德、涇縣、銅陵之線以北地區，並仍向上述地區各路。現在整個形勢對於人民和人民解放軍極為有利，尚望前線將士繼續攻擊，後方人民努力生產，各界同胞齊心協力，共同為消滅反革命殘餘力量，解放全國人民，建立統一的民主的新中國而奮鬥。

中國共產黨中央委員會

一九四九年五月一日

第十章

决战时刻显身手

淮海决战前夕的重要情报

前面提到的吴石好友吴仲禧，是我们党在敌人的心脏布下的一颗“冷棋子”。在中国两种命运决战的时刻，这颗“冷棋子”在吴石多次经意、不经意间的关键性帮助下走活了。吴仲禧在回忆吴石时以感激的语气写道：“1947 至 1948 年间，解放战争的形势逐步起了根本性的变化。吴石知道我正在进行一些秘密工作，也就主动为我提供条件，给了我很大的支持和帮助。”①

吴仲禧

吴仲禧有着非同一般人的经历。萧克将军在《纪念吴仲禧同志诞辰一百周年》一文写道：

吴仲禧同志是中国大革命时期北伐军一位有名的将领。二期北伐时，担任国民革命军第二十六师的代理师长，我曾在拨归他指挥的二十四师七十一团的连队工作，是上下级指挥关系。记得在武汉誓师北上大会上，他在检阅台慷慨激昂，动员全体官兵要革命到底，彻底打垮北洋军阀，统一中国，实现孙中山联俄、联共、扶助农工的三民主义，给我留下深刻的印象。

后来在临颍大战中，他亲临前线指挥，果断地率领部队从敌军主阵地东北迂回奉军主力炮兵阵地，断敌退路，该师共产党员蒋先云团长身先士卒，壮烈牺牲，将士们前赴后继，终于突破了敌人的主阵地，取得临颍战役的决定性胜利。在祝捷会上，吴师长神态凝重，举杯激励大家为国争光，洒酒奠祭阵亡将士，献身革命的爱国精神溢于言表，场面感人至深。

遗憾的是，在大革命失败后直到 70 年代末的半个世纪里，我一直未再获得这位爱国将领的音讯。②

---

① 吴仲禧：《回忆吴石烈士》，《广东文史资料》第 73 辑，1993 年。

② 广东省政协文史资料研究委员会编：《吴仲禧诞辰百年纪念》，1995 年，第 1 页。

那么，吴仲禧到哪里去了？吴仲禧1937年7月成为中共特别党员，已卧底敌营10年，一直潜伏在敌人的心脏里。1946年1月，军法执行监部宣告撤销，他调任军事参议院中将参议。这时他已与在上海的中共特别党员王绍鏊[①]恢复联系，王要他到上海面谈，届时具体安排工作。4月，他怀着向党组织汇报工作和请求去延安学习的愿望，悄悄从广州到达上海。

当他去沪之前，曾向左洪涛（中共特支书记）[②]透露过自己的意向。左托他带一封密信给当时在南京、上海的周恩来，后来获知内容是请示在内战即将全面爆发的情况下，特支人员的去留问题。这封信，他面请王绍鏊转递。周恩来接信后，当即指示："相机撤退。"约两三天后，经王绍鏊安排，地下党组织负责人潘汉年[③]、张唯一[④]在王的家中同他连续谈了三个晚上。张首先告诉他，广州托带的信已转交周恩来，周恩来将另行答复，并告周恩来明确的意思：吴仲禧还有什么事想要面谈可另约时间。但对于他要求到延安学习的事，潘明确告诉吴仲禧：内战必将扩大，不可避免。现急需蒋军的军事情报，这项工作不是一般人所能做到的，还是暂时放弃这

---

① 王绍鏊（1888—1970），字却尘、格成，江苏同里镇人。10岁作《变法论》。早年毕业于日本早稻田大学。1933年，由黄申芗介绍加入中国共产党，成为中共特别党员。解放战争期间，王绍鏊在上海从事党的地下工作，推动民运开展。1945年底，他和马叙伦等民主人士共同发起组建中国民主促进会，当选为理事。新中国成立后，他担任财政部副部长、民进中央副主席等职。

② 左洪涛（1908—1990），湖南邵阳人。1927年加入中国共产党。抗日战争时期，任国民党第四战区长官部中共特别支部书记。解放战争时期，任中共港澳工委委员兼党派组总负责人、粤桂边人民解放军参谋长、中共粤赣湘边区党委委员兼统战部部长、中国人民解放军粤赣湘边纵队政治部主任。新中国成立后，任中共中央华南分局统战部副部长、广东省政协副主席等职。

③ 潘汉年（1906—1977），江苏宜兴人。1925年加入中国共产党。1936年任中共与国民党谈判代表，1937年9月任八路军驻上海办事处主任。抗日战争和解放战争期间，在上海等地领导对敌地下斗争和开展统战工作。中华人民共和国成立后，任中共中央华东局社会部部长和统战部部长、上海市委副书记和第三书记、上海市副市长。

④ 张唯一（1892—1955），湖南桃源人。1927年加入中国共产党。1928年初到1933年底，任中共中央秘书处文书科长。1933年中共中央迁入中央苏区后，他留在上海中央局文书科。1935年2月，不幸被捕，在狱中坚贞不屈，保卫了党中央地下文件库的安全。1937年经组织营救出狱，继续在上海从事地下斗争，协助潘汉年，辗转上海与香港之间，开展统战工作，搜集敌伪情报，为党中央决策提供了依据。新中国成立后，先后任中央人民政府情报总署副署长、政务院副秘书长、周恩来总理办公室主任。

个想法，最好能在国防部内部找个实职，以便搜集蒋军的情报。他明知这是一项十分艰难、危险的任务，但还是接受党的派遣。他当即从上海启程，赶往南京找吴石设法在国防部内谋取职务。

吴仲禧到南京时，吴石已是国民党国防部史料局局长。走进吴石并不宽敞的办公室，两位好友久别重逢，格外高兴，落座后就天南地北聊起来。闲聊中，吴仲禧提出：“虞薰，军事参议院闲散无聊得很，最好能在国防部内谋一个实职。”吴石考虑一下，为难地表示：“奋飞，这事还不好办。国防部名义上由白崇禧当部长，实权还是操在陈诚总长手里。重要人事安排，陈诚总长还做不了主，需报蒋委员长核准。我先帮助联络，你回去等。一有消息，会马上告诉你。”……这样，吴仲禧辞别吴石后，就购买车票回广州家中静候消息。对于好友的交代，吴石热心帮忙，动用自己的人脉关系，经过多方周旋，9月，终于为吴仲禧谋到国防部监察局中将首席监察官一职。接到消息，吴仲禧作了认真的思考。在他看来，监察局里的职位虽不直接掌握军事机密，但可以靠这个牌子在南京活动，并有机会到各地巡查、视察，利于搜集军事情报。之后，他随即赶到上海，与地下党组织取得联系，征得同意后，穿上军装，急匆匆赴南京上任。

吴仲禧发挥作用的机会来到了。1947年6月30日，遵照党中央和毛主席关于把战争引向国民党统治区的指示，司令员刘伯承、政委邓小平率领晋冀鲁豫野战军12万人南渡黄河，向大别山挺进，揭开全国性大进攻的序幕。刘、邓大军挺进大别山后，党组织迫切希望他能从“华中剿总”处了解蒋军的第二线兵力，究竟还有多少可以抽调投入前线，以作战略决策参考。吴仲禧在上海接到这一指令后，当即赶往南京，住在吴石家中设法探询。在吴石家中，适逢“华中剿总”情报科长胡宗宪来访吴石。

胡宗宪是广西将领廖磊的内侄，也是吴石在陆大时教过的学生。他对吴石十分尊敬，每次从武汉回到南京，都要去看望尊敬的老师。这一次，恰巧吴石不在家，他就与吴仲禧聊起来：“是吴石老师介绍我在‘华中剿总’参谋处担任情报科长职务，这次出差来南京带了‘华中剿总’参谋处编印的一份作战态势旬报请吴石老师指点。”吴仲禧接来一看，这份旬报虽只有32开本八九页，但内容包括国共双方的部队番号、兵力、主官姓名、战斗损失等项，既有文字简述、判断，又有态势要图、统计数字等，正是“踏破铁鞋无觅处”的难得军事情报，边看边说：“这些材料对研究战略、战术太有帮助了。”胡宗宪只知道吴仲禧是吴石的挚友，也是同道，却不知道吴仲禧的真实身份，加上在柳州时就相识，看吴仲禧这样认真一页一页地翻阅，冲着吴仲禧说道：“吴长官如有兴趣，待我回武汉后也寄送吴长官一份，请多多指正。”吴仲禧喜出望外，当即将通讯地址写给胡宗宪。后来，胡宗宪将每期作战态势旬报，寄到吴仲禧在上海交通大学读书的大儿子吴群敢处转交，直至 1948 年底没有中断过。上海地下党组织认为，这是正式编印、书面有据的第一手情报，并有连续性，蒋军情况经核对属实，旬报中对我军的判断亦很注意。当时在上海负责联系吴仲禧的刘人寿①常去电话探询收信情况。1948 年夏，刘人寿离沪在香港述职期间，还特意介绍同为中共地下党员的妻子黄景荷定期前去取回。

1948 年 6 月，吴仲禧改任国防部中将部员。不到一个月，就被派往“徐州剿总”服务。行前，他专程到香港请示上级潘汉年、张唯一。当时“徐州剿总”总司令是刘峙，副总司令是杜聿明，参谋长是李树正。李树正是吴石的学生，李树正在柳州曾任第四战区参谋处长，与吴仲禧面熟。为了完成使命，吴仲禧途经南京时，请吴石写信带交李树正，吴石在亲笔信中告诉李树正：吴仲禧中将是自己多年的同学、好友，请多加关照，给予方便。酷热的 9 月，经过一路的辛苦，吴仲禧到达“徐州剿总”司令部，适逢刘峙、杜聿明在前线视察，李树正看过吴石的介绍信，见是老师的好友又加上曾经相识，对吴仲禧分外客气，一再说：“大家都是柳州的老同事，现在天气这样热，前方又这样乱，你这样大的年纪用书面来报到就可以了，何必这样辛苦亲自来呢？”吴仲禧只好敷衍：“国防部要我来了解点情况，以便回去好汇报。”李树正自然不知底细，硬劝他先休息两天。吴仲禧虽然心里焦急，也只得等待机会。两天后，李树正带他到总部机要室看作战地图，边看图边简要介绍有关部署。在机要室，二万五千分

---

① 刘人寿（1921—2010），四川人。1938 年初加入中国共产党，1939 年起为潘汉年情报系统的重要干部。新中国成立后，曾任上海市委统战部副部长、上海市人民政府办公厅主任等职。1955 年受潘汉年案牵连，入狱 15 年。

之一的大幅军用地图上详细标示从商丘到海州全线国共双方部队的番号、兵种、驻地。因李树正在旁陪同，吴仲禧只好默记要点，托辞劳累，改天再看，李树正满口答应。第二天，李树正改派一位参谋带他到机要室，他趁这位参谋外出时迅速将蒋军的主要布置笔记下来。重要情报到手了！吴仲禧内心高兴极了。为了送出情报，吴仲禧托辞因身体不适，要到南京看病，结束在“徐州剿总”的工作。他从徐州登上火车直奔上海，一到上海就将这一重要情报向地下党组织汇报，由中共地下报务员用地下电台直报中共中央情报部。后来，吴仲禧回忆：“这次任务的完成，如果没有吴石的有力介绍，没有李树正按照吴石的嘱托作了种种关照，是不可能这样顺利的。”①

对于这一情报的重要价值，《李克农——中共隐蔽战线的卓越领导人》一书提到：“1948年9月中情部就收到上海潘汉年系统发来的《徐州剿总情况》的电报。电报内容包括徐州‘剿总’的范围、所辖绥区、哪些兵团、主官姓名、兵力配备等……还有：徐州‘剿总’对共军可能发动攻势之估计，‘剿总’之作战意图等。这是淮海战役前解放军获得的关于徐州一带敌情的情报，最早又比较全面，有利于组织淮海战役的准备工作。”②50年后，当时吴仲禧的直接联系人刘人寿在《关于淮海战役的最早又较全面的情报》一文中写道：“我们这些人，在敌区长期埋伏，远离领导机关，并不能常常知道自己工作的实际效果。虽然已事隔近50年，但这个评价使我们确知了自己的局部工作起了有利于全局的作用毫无疑问，这对我和有关的同志，是个莫大的鼓励和安慰！”③2009年秋我赴河北西柏坡时参观了一个叫“无名丰碑”的展览，惊喜地看到这份电文，展板上写着“决战淮海前的重要情报”，文中介绍：“淮海战役前，潘汉年领导的我秘密党员吴仲禧以国民党国防部中将部员身份被派往‘徐州剿总’视察工作。其间，他利用参观机要作战室的机会，凭记忆写出《徐州剿总情况》上报党中央，这是淮海

① 吴仲禧：《回忆吴石烈士》，《广东文史资料》第73辑，1993年。

② 开诚：《李克农——中共隐蔽战线的卓越领导人》，中国友谊出版公司1996年版，第345页。

③《浦江同舟》1997年第12期。

战役前，我军获得的最早又较为全面的情报，对全面部署淮海战役起到了重要作用。”这段文字充分肯定了这份情报的分量和价值。

渡江战役前夕的核心情报

中国人民解放军在全国各战场的节节胜利，特别是辽沈大捷，使国共双方的力量对比发生了根本的变化。国民党军队已由内战初始的430万人下降到290万人，中国人民解放军则由129余万人增至300万人，翻了一番还多，而比数量更重要的，是士气和人心。

1948年11月14日，毛泽东在《中国军事形势的重大变化》一文中断言：“原来预计，从一九四六年七月起，大约需要五年左右时间，便可能从根本上打倒国民党反动政府。现在看来，只需从现时起，再有一年左右的时间，就可能将国民党反动政府从根本上打倒了。”①

在蒋介石军队和党政机关中笼罩着失败主义情绪。1948年12月31日，蒋介石邀请了40名国民党高级首领共进午餐。蒋介石坐在餐桌上首，一开始谁也不语，但沉静很快就被他那歇斯底里的声音打破：“我不是很想这样做，而是你们，国民党党员，要我辞职；我打算离开，但不是因为共党，而是因为本党内的某些派别。”主人有些失声了。的确，对蒋介石而言，新的一年国民党失败的命运已不可逆转，除了难受，哪还会有其他可言。

中共中央领袖毛泽东满怀豪情写下新年献词《将革命进行到底》，通过新华社的电波，不停地对外播发。新年献词首先指出：“中国人民将要在伟大的解放战争中获得最后胜利，这一点，现在甚至我们的敌人也不怀疑了。”在揭露蒋、美勾结策划其“和谈”阴谋后，郑重宣告：“已经有了充分经验的中国人民及其总参谋部中国共产党，一定会象粉碎敌人的军事进攻一样，粉碎敌人的政治阴谋，把伟大的人民解放战争进行到底。”②

事实应验了毛泽东的断言。1949年1月，中国人民解放军部队歼灭国

---

①《毛泽东选集》第4卷，人民出版社1991年版，1361页。

②《毛泽东选集》第4卷，人民出版社1991年版，1372页。

民党徐州兵团，向长江北岸挺进。通向南京的道路已经打开，但解放之路并不平坦。能否顺利制定和实现制胜的军事部署，军事情报尤其显得重要。

吴仲禧曾回忆：“对他（指吴石）在解放战争期间通过几条渠道为我党所做的工作，我知道的也只是一部分。”① 的确，吴仲禧事后判断是正确的。在解放战争期间，他接受中共和地下民联、民盟等组织的指示，利用职务之便进行处于生死边缘的军事核心机密的收集和传递，参与了掩护中共地下工作人员，发展组织骨干，策反蒋政权中的党、政、军上层人士等惊心动魄的工作。

吴石将军本身就是军事战略专家，加上身居要职，因此，判断情报价值驾轻就熟，探取情报如鱼得水，相对容易。其提供情报的价值非常人可比，如同雪中送炭，其贡献难以用语言、数字表述。1949 年初开始，吴石经常乘火车往返于沪宁之间，不断为我们党提供重要情报。虽然当时两地间火车仅七八个小时的路程，但吴石不知跑了多少回。他大多乘晚上 8 时或

上海愚园路俭德坊 2 号何遂寓所

① 吴仲禧：《回忆吴石烈士》，《广东文史资料》第 73 辑，1993 年。

9 时的列车从南京赶往上海，于次日凌晨三四点钟抵达上海。吴石担当这项极其危险的情报传递工作，有时由他自己送到俭德坊挚友何遂住处，有时亲手包好，写明由何遂收，派他的亲信副官聂曦送到何遂住处，由何遂转交中共中央上海局。3 月，吴石冒险向我们党提供国民党国防部长江江防兵力部署图等一组绝密情报。何康回忆道："给我印象最深的是，1949 年 3 月，吴石亲自到俭德坊，把一组绝密情报亲手交给我，其中有一张图比较大，是国民党军队的长江江防兵力部署图。我当时很注意地看了，使我吃惊的是，图上标明的部队番号竟细致到团。我知道这组情报分量之重，迅即交给了张执一。关于这组情报，渡江战役时任第三野战军参谋长的张震将军，曾两次向我提及。一次是在上海解放不久军地干部集会见面时，他知道我是上海地下党的同志，高兴地对我说：'渡江战役前，我们收到了上海地下党送来的情报，了解了国民党长江江防兵力部署的情况，这对渡江作战很有帮助。'另一次是我担任国家农业部部长以后见面时，他再次讲了类似的话，并提到准确的情报对确定渡江的主攻方位是有参考作用的。"[①] 关于这一情况在《沙文汉与陈修良》一书中也曾提及。该书提到：中共中央上海局负责统战工作的张登（沙文汉的化名）将情报交给中共中央上海局策反工作委员会委员王锡铭（陈约珣的化名）派人从崇明岛辗转送到苏北解放区，递交第三野战军。"同时送去的有国防部史政局长吴石中将送出来的《国防部全国军备部署图》、《京沪杭军事部署》等核心情报。"[②]

1949 年 4 月 29 日，吴石和何遂、何嘉（中共地下党员，时为复旦大学社会系二年级学生）按照组织的意图，同机从上海飞往广州。临行前夜，在夜幕的掩护下，张执一、何康（中共地下党员，以瑞明企业公司总经理

---

① 何康：《从大陆战斗到台湾——我所知道的吴石》，《百年潮》2007 年第 1 期。

② 泰栋、亚平：《沙文汉与陈修良》，宁波出版社 1999 年版，第 264 页。沙文汉（1908—1964），解放前，为中共上海局领导人之一，新中国成立后，任浙江省第一任省长，在任上被错划为右派。陈修良（1907—1998），浙江宁波人。1927 年加入中国共产党。曾为中共早期领导人向警予的秘书，共产国际远东情报小组成员。在白区从事地下斗争，曾任中共南京地下市委书记。新中国成立后，任浙江省委宣传部代理部长后被错划为右派。是朱枫烈士生前好友。有关朱枫烈士的情况详见本书第十一章。

身份为掩护）、缪希霞（中共地下党员，以瑞明企业公司财务主任身份为掩护）夫妇在法租界霞飞路（今淮海中路）“卡弗卡斯”咖啡馆为吴石饯别。这时，中国人民解放军已首先从安徽胜利渡江，上海就要回到人民的手中。

由白俄罗斯人经营的“卡弗卡斯”咖啡馆在当时很出名。尽管店面不大，但地段优越，装修精致，富有情调。店里留声机不停地播放缠绵的歌曲《何日君再来》：“好花不常开，好景不常在，愁堆解笑眉，泪洒相思带，今宵离别后，何日君再来……”歌声中似乎传递出淡淡的忧伤，弥漫着全场。吴石告诉何康：他接到了催他赴榕莅职的电报，国民政府已迁至广州，到广州短暂停留后，即赶赴福州。俩人会心地交换了对局势的看法。吴石知道，何康将留在上海迎接解放，今后很难再直接联系，不胜惜别。吴石平时讷于言，但面对即将的离别，心潮澎湃，还用福州乡音吟唱出那首古老的悲歌：“风萧萧兮易水寒，壮士一去兮不复还！”[①] 更显豪爽侠义的男人本色。在互道珍重中，吴石眼睛渐湿了，分不清自己是感动还是惆怅。多少年后何康仍含泪回忆起这段经历：“此情此景，至今历历在目。当时只感到他心潮奔涌，此去福州，必有所为。没想到这竟是我与吴石的永别。”[②]

次日，吴长芝、何康到上海虹桥机场为吴石、何遂等一行送行。临上飞机前，在异常凝重的气氛中，吴石把吴长芝拉到旁边，看到周边没人靠近，低声对他说：“你留在大陆还有许多工作要做，特别是上海就要解放，在这段时间内会更加危险，千万要担心特务的疯狂报复。万一有什么麻烦，你要赶快找何康。与‘民联’吴艺五方面要继续保持单线联系，搞好公司，为革命工作筹集资金……”

在吴石离开后不到一个月，上海就于5月27日回到人民的手中，当时中国最大的城市解放了。

抵达广州后，吴石住入好友吴仲禧家——连新路127号，并在吴仲禧家安装了军用电话，直接同有关方面联络，了解最新战况。此前，吴仲禧收到林亨元从上海寄来用密语写的信。林亨元在信中嘱其将派往福建

① 福州方言读法为：hong xiu xiu xi yi zui han，jong su yi ku bu hu huan。由福州方言专家方柄桂拼注。

② 何康：《从大陆战斗到台湾——我所知道的吴石》，《百年潮》2007年第1期。

从事地下工作的吴寿康（即谢筱迺的化名）介绍给吴石。在书房里，吴石与吴仲禧畅谈了几个晚上，敞开了心扉。当吴仲禧讲到解放战争的形势时，吴石打断他的话说："国民党大势已去，我早已不想跟它走了，只是我自己的决心下得晚了一些。"他还告诉吴仲禧："上海方面曾有人通过何遂的关系同我联系，要我在海军方面做些策反工作。我已对林遵舰长做了工作，林已答应在适当时机起义。"

吴石猜测到在上海吴仲禧家中见过的王绍鏊、林亨元是中共方面的人，就不拐弯抹角，直接问道："以前在你上海家中见过的那些人（指王绍鏊、林亨元）是哪一方面的，真能代表共产党吗？"

吴仲禧也是推心置腹，把他们的身份挑明了："这点完全可以放心。这次你到福建，准备介绍一个可靠的人同你联系，名叫吴寿康（谢筱迺的化名），此人会主动去找你。你有什么重要的材料，都可以交给他。"

在5月中旬临回福州前，吴石专门找到何遂，将包着重要情报的包裹留给何遂，并相约在台湾见面。之后，何遂让儿子何世庸、女儿何嘉帮助将吴石提供的重要情报送出。这组情报包括：国民党在江南地区的兵力部署图，国民党在江南地区军队的编制、人数及装备情况以及国民党总兵力统计和总后勤方面的统计资料等，都是铅印的机密情报。何世庸借口送其妻回娘家分娩，与何嘉等夹带着这组相当数量的重要情报安全到达香港，交到党组织的手上。一个月后，即6月，何遂、何嘉按照上海行前组织的意图，出发到台湾，在台开展地下工作，为解放台湾做准备。

吴仲禧副官林云青和吴石同是福州老乡，比较熟悉。有一次，在吴仲禧住处，林云青见吴石走下楼梯，就探问："参谋长，前方为何老打败仗？"吴石幽默地回答说："知己知彼，百战百胜，你当过参谋吧。"虽然仅寥寥数语，林云青这位福州小老乡多少听出弦外之音。

1949年6月下旬，吴石从福州抵达广州。这时，广州全城戒严，国民党军警在全城开展大搜捕，做最后的挣扎。为避开大搜捕，吴仲禧化名吴学文由广州转移到香港。吴石立即赶到香港联络吴仲禧。在香港九龙一个叫佐顿饭店的地方，两位共同企盼新中国早日到来的知己再次见面。吴石这次为什么匆匆造访中共地下组织？一方面，吴石已获悉自己即将去台，有意在赴台前确定一个可以信赖的党组织联系的渠道；一方面，他带来两份极其重要的密件，需要直接交给中共中央华南分局。吴石抵港后，通过中共中央华南分局直属福建特别支部书记张兆汉的关系联系上地下党组织。出于对朋友的信任，吴石仍约吴仲禧一同去见中共中央华南分局有关负责人，中共香港分局工委书记饶彰风应约到佐顿饭店与吴石见面，吴石将两份材料当面交到饶彰风的手中，并说今后有情报将设法通过吴仲禧转交。这两份密件是当时国民军事委员会高层极少数人掌握的绝密文件，分别是：国民党军队在川、滇、湘、粤、闽各省的兵力配置；国民党部队在西北各地的番号、驻地、兵力、装备、部署等，都是国民党高级军事会议上的绝密文件，事关解放军追歼国民党残敌的部署，只限于国民党高层极少数人知悉。这两份绝密文件由吴石随身携带并送交中共地下党负责人。这样做的结果——随时都有暴露的危险，就这一点而言，吴石出于对中国共产党的信任和期待，确实是赴汤蹈火。

劝说林遵率部起义

林遵

1948年底至1949年初，吴石积极协助我们党争取国民党海防第二舰队司令林遵率部起义。林遵舰队的起义，加速了国民党长江防线的崩溃，对解放军海军的创建也起到积极的作用。

1948年冬，国民党海军司令部将海防第二舰队调入长江，担任从江阴到安庆的江防任务，企图阻止解放军渡江。

为突破国民党自诩为“固若金汤”的长江防线，配合解放军的渡江作战，中共驻沪情报系统在吴克坚领导下开展了争取国民党海防第二舰队司令林遵起义的工作。

林遵是国民党海军海防第二舰队司

令。林遵（1905—1979），又名林尊之，福建福州人。林遵之父林朝曦曾供职于北洋海军，参加过中日甲午海战。由于受先辈的影响，又生长在近代中国海军发祥地的福州，从青年时代起，林遵便对海军情有独钟。1924年，19岁的林遵满怀振兴中国海军、洗雪甲午之耻的雄心壮志，以优异成绩考入烟台海军学校。5年后，林遵被派往英国格林尼治皇家海军学院留学。1934年毕业回国，在国民党海军中任航海官、副舰长。1937年赴德国学习潜艇技术。1939年回国后，历任国民党海军“永绥”舰代副舰长，第五游击布雷大队大队长，国防部研究院海军研究员，参谋总长办公室海军参谋，中华民国驻美国大使馆海军副武官，驻西沙群岛舰队指挥官，海防第二舰队司令。抗战期间，他曾率领第五游击布雷大队与日军作战。抗日战争后期，根据国民政府同美国签订的“租借法案”，接受了美国的8艘军舰，即2艘各约1400吨的护航驱逐舰“太康”“太平”号，6艘各约800吨猎潜舰“永春”“永兴”号和扫雷舰“永顺”“永宁”“永定”“永胜”号，还有一艘约1.4万吨的运输舰“峨嵋”号，号称“中华民国驻美舰队”。1946年初，林遵被临时调任国民党驻美舰队指挥官，率领这些军舰回国。由中国的海军军官指挥一支舰队横渡太平洋，创造了旧中国海军史上的一个壮举。日本投降后，他率“太平”“中业”两舰接收南沙群岛，将南沙主岛以所乘军舰舰名改为“太平岛”，在岛上树立刻有“太平岛”字样的纪念碑，并举行升旗典礼。纪念碑迄今依然矗立，成为我国主权的象征。这两次任务的完成，使林遵在国民党海军中赢得了声誉。照一般常理来说，林遵应该得到重用。但是，实际上结局并非如此。原来，抗日战争结束，国民党就把海军总司令部撤销，成立了海军指挥部，由陈诚兼任主任，逼海军元老属于“马尾系”的陈绍宽下台。陈下台后不久，又恢复海军总司令部，派蒋介石的亲信，所谓“十三太保”之一、非海军系统出身的桂永清当海军总司令。桂一上台就排挤“马尾系”。林遵属“马尾系”，于是只被安排一个有职无权的海军点验委员会副主任的闲缺。这在林遵的宦途上投下了阴影。

1948年2月，桂永清突然宣告提升林遵为海防第二舰队代理司令，且以不久将提升为海军少将相许。林遵被这突如其来的任命怔住。林遵知道：历史上曾有过第二舰队，一向是在长江一线担任沿江防务，用于打内战的，抗日战争后已撤销。如今重建，说是担任长江以南海防，现在美、英、法等国的军舰可以任意在我国领海、长江、内河自由行驶，还有什么海防可言？说穿了，无非是为了打内战，“防共”“剿共”而已。果然不出林遵所料。上任不久，他就接到担任长江防务的紧急命令，要舰队配合陆军担负东起江苏江阴、西至江西湖口的500多公里的长江防务。第二舰队的兵力只有“惠安”“吉安”“营口”3艘护航驱逐舰，和“安东”“永绥”“江犀”3艘炮舰，以及2个炮艇队，都是些破旧的小舰只。这明明是桂永清为了保存实力，舍不得把比较好的主要舰艇部署在长江，准备随时逃到台湾，而把第二舰队部署在长江一线去阻挡人民解放军，打内战，当炮灰，不能救国，反而误国。这不能不使林遵对他的政治前途有所考虑。

林遵是旧中国海军中比较进步的军官，有强烈的民族意识和爱国主义思想。早年就是为了建设海军，不受外来侵略而投身海军的。这一良好的愿望，在旧中国的政治制度下和经济基础上是不可能实现的。现在林遵一方面受到排挤，一方面又要他为国民党火中取栗，而1948年内战形势又很清楚，国民党的失败只是旦夕间事，林遵进退维谷了。

过去每当林遵遇到难题时，总是去国防部找同乡好友吴石商量。这次，倒是吴石约他上门。

1948年底的一天晚上，在苍茫的夜色下一位健壮的中年军人敲开吴宅。来者不是别人，正是应吴石之约前来造访的福州老乡林遵少将。很快，吴石将林遵迎到宽敞而整洁的书房，两人一边品茶，一边聊起时局来。这时，两位正直的福州同乡敞开心扉，开始了推心置腹的长谈。谈及国民党的腐败和专制统治，不约而同地说：“国民党不垮台，是无天理。”对国民党下达“于必要时炮击江岸”的命令，林遵表示断难执行。他说：“作为一个指挥官，我的良心尚存时候，下令炮击生我养我的同胞和国土，于心何忍！”吴石也说：“我小舅子去苏北执行任务，要炸老百姓，他下不了手，只是将炸弹扔到田里了事。”

当林遵向他的同乡好友吴石陈述他进退两难的处境时，吴石说：“这是桂永清金蝉脱壳之计，保存第一舰队，把长江防务交给第二舰队。不过，桂永清有他的神仙法，你为什么不能来个鬼画符？”

“鬼画符？如何画法？敢问其详。”

“我不能替你画。但是，我这里有上、中、下三策，可供你采纳。”

“何谓上、中、下三策？”

“先讲下策。你可以乘此机会，随波逐流，卖身投靠，替桂永清、蒋介石卖命，图得个加官晋爵，封妻荫子。”

“我们是读书明理之人，岂肯干这丧尽良心之事。何况，现在民心所向，大势所趋，纵然我们一时能赢得荣华富贵，终究也必为历史所唾弃。”

“那么，说说中、上策罢。你应该记得辛亥革命时海军的一段历史。武昌起义后，当时的海军提督，巡洋、长江两舰队统制萨镇冰，奉命率舰队去武昌镇压革命。萨老是向来不走极端的人。他看到各舰官兵大多同情革命，因而既不敢为清廷效力，镇压革命军，又不敢举义，归附革命，只好告病离开舰队，挂冠而去，将舰队交给‘海筹’舰舰长黄钟瑛指挥。第二天，黄钟瑛等人率‘海筹’‘海容’‘海琛’三舰，在九江宣布起义。萨镇冰的做法是中策，而黄钟瑛才是上策。据我看你效法黄钟瑛才是出路。”

林遵听了，顿时心中开朗起来，说：“你的话，使我茅塞顿开，真是听君一席话，胜读十年书。”两人彻夜长谈，东方欲晓。两人都明白：为了一个新中国，只能冒险，别无选择。经劝说，林遵进一步心动了。

从此，林遵认真地当起第二舰队司令，又乘安庆告急之机，要求桂永清派舰增援，桂永清只好调 3 艘“永”字号军舰开进长江，归二舰队指挥。

在争取林遵起义中，吴克坚情报系统派出林亨元以共产党组织名义，同林遵见面谈话，给他指明当前的形势和出路，坚定了林遵起义的决心。

吴克坚情报系统电告中情部，汇报对林遵做工作，策动第二舰队起义的情况，并提出联络办法。毛泽东看到吴克坚关于林遵愿意起义的电报后，先后两次指示。1948 年 12 月 13 日给吴克坚的电报：“你们可以选派得力干部去与林遵接洽。我们的态度是欢迎他们起义，为人民立功。起义一个舰队即编为一个舰队，起义一个分队即编为一个分队。起义的时机，待接洽好后再定。”[1]12 月 30 日又致电吴克坚：“关于长江第二舰队准备起义事，请仍按中央前电所告原则办理。林遵所提接头办法，既系林自己主张，不必改变，最重要的是要林隐忍待机，切勿暴露，免在事前遭受不必要的损失。”[2]

面对即将采取的行动，林遵有意无意间散布死跟国民党的言论，以此来迷惑国民党海军总司令桂永清在舰队的亲信和特务。这一招果然奏效，直至起义前一天，桂永清亲自找林遵谈话，要林遵率舰队去上海，并以升官、授勋相诺，还令国民党海军杂志社将林遵的照片制成锌版，准备作为封面，以“林遵率领舰队冲破共军封锁驶出长江”为题大肆加以宣扬。然而，桂永清做梦也没有想到，在他离开南京后的 4 月 23 日，林遵便率舰起义了，成为解放战争期间国民党海军最大规模的舰艇集群起义。中共隐蔽战线的又一杰作就是这样完成了。

就在 1949 年 4 月 23 日这一天，中国人民解放军将红旗插上了国民政府“总统府”门楼，南京解放了。新华社为此发表社论《庆祝南京解放》，指出：“南京的解放正式地表示了国民党统治的灭亡。国民党的残兵败将纵然还在广州、台湾、桂林等地苟延残喘于一时，已经再也维持不了一个什么局面了。”蒋介石及其死党的“末日真正到来了，中国民主革命即将取得完全胜利”。

在南京解放的当天，中国人民解放军第三野战军前委根据中央指示，在江苏泰州白马庙决定成立华东军区海军，林遵所率二舰队起义的 30 艘舰艇、1271 名官兵加入这支队伍，成为新兴人民海军的重要力量。当起义的舰艇遭到国民党飞机轰炸时，毛泽东指示第三野战军要组织好舰艇防空，并指示：我们要的是建设海军的人才，当然，军舰也很重要，要尽可能保存，但保存不住也不要紧，我们将来一定会有的。毛泽东的指示，使林遵等起义人员深切地感受到中共中央和毛泽东的关心和爱护，遂打消了“功成隐退、解甲还乡”的想法，决心为人民海军建设贡献力量。

---

① 吴殿卿、袁永安、赵小平主编：《毛泽东与海军将领》，解放军文艺出版社 1999 年版。
② 吴殿卿、袁永安、赵小平主编：《毛泽东与海军将领》，解放军文艺出版社 1999 年版。

1949年4月30日，林遵率第二舰队起义的各舰长、艇队长及全体官兵向毛泽东和朱德发出致敬电，电文如下：

中国人民革命军事委员会主席、中国人民领袖毛泽东：

中国人民解放军朱总司令：

当我们开始走进中国人民解放军的行列之际，请接受我们最诚挚崇高的敬意。我们是一群被国民党反动政府统治着的海军。反动政府曾指挥我们以人民血汗换来的武器，来屠杀争取民族独立、民主自由的人民，保护卖国独裁内战反人民的蒋家小朝廷。可是，我们时常想到，用人民血汗建立起来的海军，应该是用来捍卫国家独立与人民民主的，为什么要拿美帝国主义供给的武器，屠杀自己同胞，从事反人民的战争？我们怀疑、思虑、愤怒不平，想到有一天总会找到可能的机会回到人民的阵线，和人民站在一起。

这个期待的日子终于来到了。当人民解放军百万雄师胜利突破了长江，南京国民党反对政府逃窜的时候，我们舰队的舰艇集中在南京东北笆斗山下，23日在燕子矶高举义旗，参加了中国人民解放军。

怙恶不悛与人民为敌的国民党反动派，竟于我们起义后，不断驱使空军轮番轰炸，妄想阻止中国人民建立自己的海军。这更加暴露了国民党反对中国独立民主的狰狞面目，更激起了我们的愤怒，更坚定了我们为人民解放事业而奋斗的意志。今后誓愿在中国共产党与人民革命军事委员会和人民解放军华东军区领导之下，贯彻毛主席、朱总司令的进军命令，为彻底推翻在美帝国主义支持下的国民党反动统治，完成新民主主义革命而奋斗；为彻底改造自己，学习毛主席建设人民军队的原则思想作风，学习人民解放军一切优良的政治工作与指挥工作的制度，建立一支人民的海军而奋斗！

毛泽东接到林遵等人的电报，看得格外认真，他的目光注视着电文下的落款：第二舰队司令林遵、永绥军舰舰长邵仑、楚同军舰舰长李宝英、惠安军舰舰长吴建安、江犀军舰舰长张家宝、吉安军舰舰长宋继宏、美盛军舰舰长易元方、联光军舰舰长郭秉衡、安东军舰舰长韩廷枫、太原军舰舰长陈务笃、第五巡防艇队队长杜澄琛、第一机动艇队队长张汝槱……

一下子过来了一个舰队，既有司令，又有这么多舰长、官兵，加上此前邓兆祥所率“重庆”舰起义的官兵，可谓人才荟萃。这充分反映了爱国人民建设自己的海军的伟大意志。欣慰之际，毛泽东提笔拟就了一封电文：

林遵将军、邵仑舰长、李宝英舰长、吴建安舰长、张家宝舰长、宋继宏舰长、易元方舰长、郭秉衡舰长、韩廷枫舰长、陈务笃舰长、杜澄琛队长、张汝槱队长和第二舰队的全体员兵们：

庆祝你们在南京江面上的壮举。你们率领25艘舰艇（实为30艘），毅然脱离反动阵营，参加到人民解放军的大家庭来，这是值得全国人民热烈欢迎的行动。在巡洋舰重庆号于二月间起义被国民党反动派于三月间炸毁以后，四月间又有你们的大规模起义，可见中国人民建设自己的海军和海防的伟大意志，不是任何反动残余所能阻止的。

电文落款：毛泽东、朱德。

1949年5月18日，新华社全文播发林遵等人给毛泽东、朱德的致敬电和毛泽东、朱德的复电。集中在南京挹江门内原国民党海军司令部旧址学习的林遵及二舰队全体起义官兵阅读电文，深受鼓舞。

第十一章
燕归来

将“故乡”装进人生

1949 年春节在不安和期待的氛围中降临。2 月 10 日（农历正月初十），福建《中央日报》刊出《绥署副主任吴石明来榕》，消息称：“福州绥靖公署副主任中央经发表由原任国防部史料局长吴石及最近卸任之闽省府主席李良荣充任，吴氏现尚在京，明日可能由沪来榕履新。”吴石回来了，这位福州之子回到他出生的地方。

人一辈子记得自己生长的城市。吴石年少时就在外漂泊，福州情结始终在吴石心中挥之不去。在日本留学时，他以福州的简称“榕”将自己在东京的寓所取名为“榕庐”，以表达对故乡深情的眷念。在给友人去信最后都不忘署上“写于榕庐”四个字。回国后，在南京、武汉、桂林、柳州、重庆等地任职。每当收到家乡邮寄来的自制的龙眼膏、“鼎日有”肉松、红糟、燕皮等土特产品，他都喜上眉梢，高兴一阵子。过年过节，都交代家人不能少福州甜食及煎饼，像福州芋泥、千层糕、年糕、菜头饼，等等。他钟情于闽菜，每顿离不开汤，他的夫人王碧奎为此能做一手闽菜。在柳州的时候，有一次，吴石设家宴款待同僚，张发奎等应邀参加。张发奎在席间对丰盛的一桌菜赞不绝口，对吴石说：“吴参谋长，借你家厨师用几日，让我家里的厨师学几招，如何？”吴石笑一笑应道：“这是内人亲自下厨所做，实在无厨师可借。”一席话引得在座宾客哈哈大笑。在他的心里，家乡的事就是自己的事。在硝烟弥漫的抗战中，鉴于闽籍军人稀少的现状，吴石将军上签请准陆军军官学校安排招收闽籍学员 3000 名，后指派专人回闽招生 2800 多人。出于培养八闽学子的考虑，身兼福建旅桂同乡会理事长的吴石将军牵头创办黄花岗纪念学校。1944 年桂柳大会战时，柳州撤退，因缺乏交通工具，逃难群众扶老携幼，颠沛流离，吴石毅然下令铁路当局于火车西去金城江时，每列加挂一卡，供归国侨胞、旅柳乡亲及当地群众乘搭，方便了他们安全撤离。一时道路传闻，莫不交口称颂，他虽因此而招致上峰不满，但全然不顾。

1948 年春夏之交，一场无情的大灾搅动着吴石的心。那是福州发生特大洪灾，当时的福建《中央日报》以“洪祸袭榕，百年仅见”为题作了报道。文中描述颇为细致：“福州顷遭一百年来第二次最大洪水浩劫，倒塌房屋数以万计，惨遭压死及溺死之市民亦以千计，受灾者逾二十万人，财产物资之损失可能达四五十万以上，洪流系于十七晚开始登陆，十八日黎明疯狂冲入市里，以每小时高涨一尺二寸之速度，有如可怖之闪电，迅即浸入全市任何一个角落，使人骤不及防，市内南台商业区城内各区及广大之郊区尽成泽园，水深自二丈至数尺不等，仅于山、乌石山、仓前山高地及不及十分之一之较高地区得免于祸。洪流之巨，来势之猛，据将近百龄之老者言，仅清同治六年曾有同样情事，惟当日灾情则不若今日之惨烈。”① 吴石的老师何振岱家所住的南三官堂因地势低洼，水淹没至屋檐，何不得已将两个木盆叠起，蹲在盆内，在水中漂荡一夜。翌早水势更猛，幸亏其女弟子王真雇一艘小船，径驶他家，终于获救。为此，何振岱作《洪水行》以记叙这件事。听到福州受灾的消息后，吴石坐不住了，心急如焚，邀闽籍在南京供职的官员一起商讨救灾工作，提出即刻报请中央政府拨粮救济。在会上，吴石当场表示要捐出一月薪水用于家乡的赈灾。还派其副官赴上海找其好友施泰祯② 资助 2 万元。款项筹齐后，拆成值一斗、二斗面值的粮票，指定专人在福州发给生活困难的乡亲去米店提米，解决了部分受灾户的燃眉之急。来自《中央日报（厦门）》的报道印证了这些，也让人们看到后续力度更大的赈灾义举。

《中央日报（厦门）》1948 年 8 月 1 日以《本省旅京同乡呼吁急赈闽灾，吴石来函报告办理经过》为题作了报道：“（东侨社福州电）闽省此次水灾损失惨重，海外同乡闻讯极表关怀，旅京同乡会特组织闽省水灾赈济会，并召开水灾急赈会审，在京闽籍之监委均参加，公推吴石为召集人。吴氏昨电省水灾善后委员会，报告该会在京办理吁请救灾情形如下：

甲、已推派代表向行政院、社会部、粮食部提出四项要求：一、派员勘

---

①《中央日报》1948 年 6 月 20 日第 1 版。

② 施泰祯（1893—1960），福建闽侯人。为吴石保定军校同学，曾任福州警署署长。后经商。福州解放前夕，与吴石一起去台湾开展策反。因“吴石案”牵连入狱，经保释出狱，1960 年病逝于台湾。

灾。二、大量增加赈款。三、划福州厦门两市为计口授粮范围，并迅付实施。四、闽省军粮十万包准予免拨。均蒙主管当局允予筹划分配，关于购粮运闽接济一事，亦承关部长面允，并协助借款，应请省水灾委员会详细计划，呈请拨发购米出口证，及向四行借款。

乙、关于急赈方面，提供办法九项如次：一、呈请总统从优拨款兴办急赈。二、呈请行政院、粮食部在榕厦两地实行社口配粮。三、向行政院及社会部请求增加全面急赈款项。四、向粮食部请求大量购粮赈款，并免拨十万包军粮。五、向行政院请拨增缓及其他物资。六、敦促四行办理灾区建筑贷款。七、促请政府派员勘灾。八、呈请福建工业列入华南建设范围同时兴办，迅速计划福建建设，拨发建设费。九、通电全闽人民及海外侨胞发起大规模募捐活动。”

这则消息透露出吴石与旅京同乡的努力及取得的进展，实打实的成果给正在救灾中的福建百姓带来了福音。

作为福建人，吴石对福建的发展极其关注，寄予殷殷期盼，并明确表示助推福建发展责无旁贷。这一点在《福建时报》1948 年 10 月 6 日发表的《福建今居重要地位，盼早努力开发工作，人才资金两者条件均极优越，吴石临别勉省内外提携并进》的消息中可以得到明证，这个报道是吴石回到福州参加国大代表竞选离榕时对记者发表的谈话。报道说：“（中央社讯）国防部史政局长吴石今向记者表示，渠（他——编者注）盼本省人士认识福建今后中国地理形势上，所占之重要地位，而努力及早从事开发工作，渠认为开发本省经济之条件甚为优越。以资金论，海外闽侨之雄厚资力，只须善加诱导，妥于保障，吸收其流入省内，可绝不处缺乏。以人才论，渠曾审阅中央研究院关于全国技术人才之登记，发现我国蜚声国际科学界中，闽籍者独占四十余人。这种情形绝非其他各省所及。至若需中央方面助力，则渠及其他本省旅京人士责无旁贷，从旁策助，惟盼省内与省外双方随时互通消息。俾遇重大问题，即可分别努力进行。渠个人对故乡事素感关切，如战时自缅甸撤回之闽侨，退至西南时，渠曾尽力设法收容及遣送彼等还乡。而当我军自柳州转移时，最后之两辆列车，即由渠设法用以撤退滞居该地之闽籍侨胞。最近交部决心提前兴筑闽赣铁路，渠与其他在京同乡会尽量鼓吹催促。”拳拳之心，表露无遗。他对家乡的情与义，得到家乡人的尊重。吴石被当时福建人、福州人视为在中央中枢有话语权的大人物之一，寄予厚望。

1947年底，国民大会代表竞选在各地如火如荼铺开，十分热闹，吴石也无例外卷入其中。《福建时报》《星洲日报》于1947年9月10日均报道吴石参加竞选的消息。消息曰：“（福州讯）邑人吴石昨自电致林森县政府通知，拟参加本县国大代表竞选。按吴氏原籍林森螺洲乡人，现充任国防部史料局局长。”

吴石对参加竞选的态度也见之报端。《福建时报》1947年10月7日报道：“渠对竞选之意见表示：我国行宪伊始，对大选之办法，系曰民主之开端，本人参加林森县国代竞选，原为试验与学习，至当选否，则不加考虑。惟国党员，一切接受党的约束，将来能否得到最高党部之提名与本县民众之爱护，尚难预卜，惟竞选为义务性质，纯为桑梓尽义务云。”社会各阶层对吴石的归来表示欢迎，福建省内舆论也追踪蹭热度，吴石的名字频频见之报端。《星闽日报》1947年10月4日，刊出《吴石陈孝威联袂返榕竞选，刘主席今晚为两氏洗尘》：“（南侨社讯）吴石陈孝威两氏先后由沪飞榕，吴下榻泛船浦陈莘野公馆，陈则寓在仓前山淇园。吴氏历任中将参谋长、副总司令等，对国家极著勋劳；陈氏手创香港天文台报，以抗战论文蜚声中外。刘主席定今晚七时在私邸设宴，为两氏洗尘。闻吴系竞选林森县国民代表，陈系竞选第一区立法委。”这里“刘主席”指的是时任福建省政府主席刘建绪，吴石得到福建地方最高长官的款待。《福建时报》1947年10月3日，报道了吴石当日返螺洲乡故居探望父老的消息。吴石这一趟回福州，抓紧走了一些地方，所到之处，无不受到家乡民众夹道欢迎。

他与时任联合勤务总司令第八补给区中将司令、好友陈长捷竞选中亦对手亦朋友的佳话上了1947年10月7日的《福建时报》，成了花边新闻，文中称：“陈长捷氏竞选林森国代，正在热烈进行之际，兹得确讯，本日陈氏由随州电榕，愿将其进行票数，移让吴石氏。原电如下：‘虞薰兄已返乡竞选林森国代，允称得人，捷愿赠予，希向协助诸友，代致谢忱，并盼玉成薰兄为荷。余函详。捷’。查陈氏与吴氏系螺洲同乡，平素交谊极佳。此股辞让之风，在竞选白热化中，尚属创见云。”

10月10日，成立于1946年的辛亥北伐革命同志俱乐部举行欢迎大会，欢迎兼任该部副部长的吴石中将返榕，大家表示一致拥戴竞选国代。10月11日，吴石带着家乡人的深情厚谊，结束此次返乡竞选行程，与好友陈孝威一起乘飞机北上，飞回上海。事实上，吴石没有出现在1948年年初正式投票的现场，人们等来的是吴石放弃竞选的消息。《星闽日报》11月22日刊出《吴石陈玠放弃国代竞选》的报道，称：吴石自南京电告林森选务所，已签署有关文件，放弃竞选，并说吴石为林森县国代递补候选人第一名，其弃选也是提名国代候选人中，依法办理放弃参选正式证明的第一人。吴石作为国代递补候选人第一名却弃选，虽有些出人意外，但吴石严格遵守选举规定的精神及以身施法的做法也赢得了人们的口碑。

穿梭于福州、上海、南京、广州

《星闽日报》1949年2月7日头版以《榕绥署任务重大，特设副主任两员由李良荣吴石分任》为题发布了消息。消息称：“（本报讯）榕绥靖公署主任兼闽省朱绍良将军以绥署即将成立，对于今后编练新军，确保省境治安，邀请现在榕小住之李良荣将军协助，特电呈中枢推荐李氏为绥署副主任，业经国防部批准，此项任命状于昨日到达此间。又讯，榕绥靖公署并增设副主任一员，国防部亦于昨日发布现任国防部史料局局长吴石充任。”这则消息透露出李良荣由朱绍良举荐出任，吴石的任职则由中央中枢安排，由中央空降地方。且吴石是在中央中枢的级别最高的闽籍高级将领之一。在许多福州人心里，有福州本地人在福州主政，福州前景未来可期，对吴石的到来表达出莫大的期望，一时成为福建政界、军界人士中的热点话题。对于这样一个新闻热点人物，新闻舆论自然也不会放过。在闽的《中央日报》《福建时报》《闽星日报》等跟风报道。吴石何时到位？人们翘首以盼。从当时的《星闽日报》的报道，可以发现吴石返榕几经周折的轨迹。2月

14 日发出报道，以《吴石昨已经抵榕定今晋谒朱主席》为题，告知公众吴石抵达福州的确切信息，报道内容如下："福州绥靖公署副主任吴石中将，日前曾因所乘班机，未能在义序机场降落折返上海后，昨（十三）日再自沪央航班机于上午十时二十五分抵达，陈尔修、李黎洲、沈向华、邓墨林等十余人均前往欢迎，吴氏乘车进城即在宫巷 16 号休息后，即与亲友前往汤门醒春居澡堂洗澡，晚应诸多亲友公宴，氏定今（十四）日上午晋谒朱主席。"吴石返榕，一波三折，终于尘埃落定。但他错过在福州与家人过一个热闹的元宵节的机会，或许他的心与家人在一起也实现了另一种团圆。

新闻中提到的"宫巷 16 号"就是今福州三坊七巷的宫巷 22 号。

吴石这次归来还只是短暂的停留。由于官邸尚未安排，经其副官聂曦的联络，吴石携家眷住入福州城区历代官绅府第集中地带三坊七巷之宫巷。吴石与家人在这里小住了一段时间，后搬入温泉路一号官邸。

三坊七巷自唐末五代形成，发展于明、清，历来名流萃集，一直是福州这个千年古城最有文化气息的地方。三坊七巷中的"三坊"者，指的是衣锦坊、文儒坊与光禄坊。"七巷"者，指杨桥巷、郎官巷、塔巷、黄巷、安民巷、宫巷与吉庇巷。走进三坊七巷，文化气息扑面而来。三坊七巷巷陌深深，庭院毗连，老宅院窗户在木穿斗、插斗、月梁等部件上常饰以精美、富有象征意义的雕刻，台阶、门框、花座随处可见各种栩栩如生的木雕石刻，将江南木石建筑艺术发挥到极致。三坊七巷犹如一片叶脉分明的菩提树叶，图腾般地匍匐在古城的大地，发散出氤氲的神韵。郁达夫在《游闽日记》中有这样的描写："走过宫巷，见毗连的大宅，均是钟鸣鼎食之家……两旁的进士之匾额，多如市上招牌，大约也是风水好的缘故。"

聂曦选择的临时住处是个不错的安排。这里离吴石敬重的老师何振岱的寓所步行十多分钟。吴石住在宫巷的"绛雪山房"（今福州宫巷 22 号），为清嘉庆进士杨庆琛旧居。此处始建于清乾隆年间，在民国时期改建成中西合璧砖木混合结构的住宅，占地约 1200 平方米，坐北朝南，四面围墙。临街是半椭圆形、拱券式的石门框。宅内有厅，差房，车房，环廊。一代才子杨庆琛[1]与林则徐为同窗好友，早年为官，晚年居此20余年。1928年为吴石好友林知渊所购得，并重新改造。历史往往是一个巧合。杨庆琛喜欢简单读书生活的人，这一点吴石与其不谋而合。

吴石的归来让何振岱欣喜异常。这里离他的恩师何振岱的寓所步行不到十分钟的路程。何振岱早就接到高足的报信，并从报纸上确认了归期，喜悦之情充溢心间。这位82岁的老人一早起来，精神就上来了，他在晨曦中一口气挥毫写下了《喜吴虞薰归》，该诗道："吾年未六十，作客依燕都。君来谭群经，灯前衍卦图。爻辞参秦汉，象理探古初。君今逾五十，归里握虎符。干城卫邦土，腰带悬属镂。光阴转目间，仿佛游三吴。世事烟云幻，前后只须臾。遗忘苦未能，一粲扪霜须。"这位大儒在诗中回忆了当年师徒两人在一起研读圣贤之书，研经古卦时的情景。光阴似箭，13年一晃而过。1936年的仲夏，南京夏雨连月，给"火炉"南京送来了清爽。吴石此时生活中最大的变化就是恩师何振岱的到来。他陪同何振岱先生同游南京栖霞寺、嘉兴烟雨楼等，吴中山水成为师生二人说不尽的话题，叙旧成为同行弟子间交流的主要内容。

想当年，吴石因喉疾赴京养病期间，慕名跟从何振岱习诗词。吴石对何振岱执弟子礼甚恭，待恩师始终如一，保持通信联系近30年。何振岱对吴石也十分赏识，平时以友朋相称，常以人生志向相激励。他曾勉励吴石道："君年方盛壮，后此有为之日正长，立身之道、经世之猷，所当旦昔策励者必已精而益求其精，是君之自期与予之所以期君者，方至远且大也。"

老人想，这次师徒可以经常在一起了。但是，他并不清楚他的高足有更重要的事情要做，不清楚他的高足已成为为了新中国奋斗的一名英勇的前行者。

师徒告别的日子不期而至。1949年8月11日傍晚，在福州解放的前夕，吴石在夕阳的余晖中专程到南三官堂何振岱府向恩师道别。"定无后

① 杨庆琛（1783—1867），原名际春，字廷之，号雪椒，晚号绛雪老人，福建侯官人。嘉庆二十五年（1820年）进士，历任刑部郎中、按察使、布政司，署巡抚，兼署学政。

悔惟勤学，各有前因莫羡人”，恩师书房朱红的对联映入吴石的眼帘，尽管耳熟能详，他还是忍不住多看了一眼，是啊，老人安贫勤学、淡泊名利的风骨，他再熟悉不过了，在这局势渐渐明朗的时刻，老师千万要保重。在大堂入座，他帮老人摇着蒲扇，安慰道：“明天就要出远门，带敦诚[①]到台湾去一趟。福州近期可能有变故，不要担心，守在家里就好，我还会来看老师。”

过两天，他的儿子何敦诚与心爱的弟子吴石离家一同到台湾去了。从此，天各一方，不再相见。直至1952年何振岱辞世，家人都未将其心爱弟子吴石牺牲在台湾的消息告诉老人家，何振岱到死也不知道吴石先他而走，白发人送黑发人，多少让人们感叹历史的无常与无奈！

其间，吴石仍未脱掉国防部史政局的工作，加上身上承担的种种使命，让他一刻也停不下来。他穿梭于福州、上海、南京、广州间，处理国内和谈及福建发展、开展秘密工作等事宜。《福建时报》1949年2月24日《应李代总统电召吴石今飞沪晋京》消息：“新任绥靖公署副主任吴石，定今晨乘中航机离榕飞沪转京，并将参加下周一在京举行之有关重要会议，旬日后返榕履新。”《福建时报》1949年2月26日报道《李代总统电召吴石日内飞京商谈要务》：“（中美社讯）顷悉：榕绥署副主任吴石氏，决日内晋京谒李代总统相关公务，闻吴石此行系因李代总统赴穗时，曾电邀前往晤谈，是时因无班机关系，乃决于李代总统二十二日返京后，由此直接前往。”吴石此去南京，见到了李宗仁。于1949年1月21日，李宗仁就“代总统”职。他虽然登上了代理总统的高位，面临的却是一堆难以收拾的烂摊子。为巩固地位，李宗仁便着手对政府各部门人员进行调整，补充自己信任的人选。在考虑内阁人选时，李宗仁认为第三局局长这个参谋幕僚的角色，与自己向来有联系的吴石再合适不过了，拟委任其职，为自己服务。然而，这一意图未能实现。2月21日，李宗仁颁布总统命令，对“总统府”多个职位进行人员任免。“任命刘士毅兼任总统府第三局局长”，但该职最初人

---

① 何维澄（1905—1986），字敦诚。何振岱的第四子，吴石的副官。随吴石赴台，1986年病逝于台北。

选为吴石，“代总统”李宗仁口头告知顾祝同，该职由吴石担任，而当吴石赶到南京时，被告知“第三局局长已由刘士毅担任”。为此，李宗仁特意召见吴石，向他解释原由。吴石受地下组织的托付，也借此做李宗仁的工作。在南京，吴石与李宗仁有多次密谈。密谈中，吴石对李宗仁掬心晓以利害关系，规劝放弃对蒋介石的幻想、投向人民的一边。而李的如意算盘是坚持在蒋介石与共产党人之间唱“双簧”。吴石的规劝虽起到提示作用，未能触动其立场的根本改变。随后，吴石便返回福州。

与中央情报部福建情报小组的联系

吴石在福州为新中国作了鲜为人知的重大贡献，这与中共福建情报系统又有千丝万缕的联系。

这里要介绍当时活跃在福建神秘的中共情报组织——中共福建情报系统。

福州地处东南沿海，是从大陆去台湾最近的重要中转站。淮海战役结束后，国民党政权处于四面楚歌、风雨飘摇之中，国民党特务组织加紧进行“应变”部署。福建的工作也自然列入中共中央情报部上海情报系统的盘子。中共中央情报部上海情报系统负责人是吴克坚。

最初提出在福州建立情报系统的是在中共中央情报部上海情报系统工作的林亨元（福建福州市人，中共秘密党员，当时以律师职业为掩护）。据林亨元后来回忆：“1948 年我向党中央情报部上海站的负责人吴克坚同志建议，可直接派人去福州开辟新的路线。因为城工部[①]被错

① 城工部事件。城工部是中国共产党闽浙赣区党委城市工作部的简称，前身是中共闽江工委。1947 年 8 月，城工部负责干部因筹款违反秘密工作原则，致使城工部副部长孟起被捕。1947 年底至 1948 年初，恰好各地相继发生几起党的组织受到破坏或领导人被害的事件，事情真相一时难以查清，加之区党委领导受到“左”的影响及其他原因，夸大敌特力量，怀疑自己的组织有问题。1948 年 3 月，区党委成立审查委员会，对城工部大批成员进行审查，依据逼供得到的“口供”材料，草率认定城工部成为国民党控制的“红旗特务组织”，为此，错杀了一大批城工部骨干。城工部事件给闽浙赣区党组织和城市工作造成重大的损失，是福建革命斗争史上一次惨痛的教训。

误地处理了，必须直派力量去做地下工作。我同时说自己在福州有一定基础，吴克坚很同意。”①

1949年2月初，中央情报部负责人李克农②电告上海吴克坚：“重点在闽、台”。为此，中共驻沪情报系统负责人吴克坚下决心向福建派人，联系和领导已在福建的情报人员。起初，考虑派林亨元去。因林亨元正负责策动林遵起义，脱不开身。经慎重考虑，决定调谢筱迺去福建组织情报系统。该小组专门从事情报和策反工作，不与福建地方党组织发生横的关系。根据组织的安排，谢筱迺此去还要单线联系吴石。

谢筱迺

谢筱迺（1916—1999），原名谢鼐，浙江平湖人，是中共隐蔽战线上的传奇人物。抗战前夕积极从事抗日救亡运动，在武汉参加以何惧（中共特别党员）为社长的进步群众团体蚁社。1938年8月，经何惧介绍参加抗宣二队，并于集训期间由三厅第五处的中共秘密党员潘念之发展秘密入党。1940年5月奉调重庆，以筹建建国机器厂为掩护，在中共中央南方局的领导下开展隐蔽战线的斗争。根据秘密工作的要求，必须改用化名。周恩来建议说：你哥哥叫谢大迺，你就改名谢筱迺吧。1999年7月，谢筱迺逝世时，在出访途中的江泽民向这位功勋卓著的老人发去唁电，表示哀悼和敬意。

行前，吴克坚在上海专门找谢筱迺谈话，告诉此去福州的使命。谢筱迺对面临的困难和危险心里十分清楚，向吴克坚发誓：“我不入地狱，谁入地狱。”为了使谢筱迺到福州适应工作要求，吴克坚还约谢筱迺到上海一家咖啡馆里同林亨元见面。曾在福州做过党的地下工作的林亨元介绍了福州

① 林亨元：《在福州开展上层统战工作的一些情况》，《福州党史资料》1985年第4期。
② 李克农（1899—1962），安徽巢湖人。中国人民解放军高级将领。1926年加入中国共产党，是中共隐蔽战线上的传奇人物。与钱壮飞、胡底一起，称为“龙潭三杰”。

的情况，并介绍在福州潜伏下来的蔡训忠、丁日初、王仰前[①]等人的情况，提出到福州后先找蔡训忠安排住宿和工作，谈论了如何建立秘密电台问题，商定由林亨元设法将电台秘密运往福州。1949年4月的一天，已与中共有联系的国民党海军总部附员、福州人叶可钰[②]准备乘国民党海军“楚观”号军舰回福州，林亨元获悉后赶到黄浦江边同叶可钰商谈，后在上海市三马路约定地点将手提箱式电台交给叶可钰，叶即乘林亨元雇佣的出租汽车到达岸边，再通过上海江南造船所的工作关系，将电台送进军舰长官厅行李舱内，由叶可钰护送，安全运抵福州。经过紧张准备，1949年5月3日，谢筱迺以“吴寿康”的化名离沪，先抵达香港，与由中央情报部派出的报务员姜平、译电员叶贤友会合。谢筱迺到香港后发现姜平、叶贤友尚无社会身份掩护，就在香港替他们搞了会计员、出纳员的证明书，并将密码放在头发油和棉絮内随身携带。

5月中旬，三人乘同一班次飞机飞往福州，但表面上装作不认识。下飞机出机场时，海关人员要姜平、叶贤友出示身份证，谢筱迺以不相识打圆场方式，告诉检查人员香港无发放身份证，姜平、叶贤友才顺利通过检查。出机场后，谢筱迺、姜平、叶贤友由在榕的潜伏人员接走，有惊无险地进入白色恐怖笼罩下的福州。

谢筱迺抵达福州时，年仅33岁，已是我们党的一位机警勇敢、胆大心细、富有斗争经验的地下工作者，来福州之前他刚刚参与策反陈仪的行

---

① 蔡训忠（1901—1964），别名泳玉、奋中，福建晋江籍福州人。1948年4月由林亨元介绍加入中国共产党。在党的领导下，长期进行隐蔽战线工作。福州解放后，因工作需要，中共特别党员身份不能公开，政治上蒙受委屈。1956年任福州市政协委员。1964年12月病逝。

丁日初（1917—2001），福建邵武人。1947年加入中国共产党。1947年起，从事上层人士的统战工作。1948年底其组织关系转到中央社会部。解放后在上海市科学院工作。

王仰前，又名王绍堂。他根据蔡训忠的安排，竞选出任伪台江区区长。1950年肃反中被误杀。

② 叶可钰（1899—1980），福建福州人。1915年4月入福州马尾海军制造学校。毕业后在国民党海军任职。1928—1932年，赴日本横须贺海校留学。1949年8月，由谢筱迺、姜平介绍加入中国共产党。新中国成立后，历任中国人民解放军海军第七舰队副司令员、海军舟山基地副司令员等职。

动。在福州，谢筱迺在中共特别党员蔡训忠的掩护下，化名吴寿康，以商人身份，迅速开展工作。5月17日吴石从广州乘飞机飞回福州。经联络，谢筱迺确定与吴石将军在福州的第一次单独见面。

在吴石回福州的不几天，谢筱迺便来到温泉路1号吴石官邸。这是一座独立的别墅，为双层住宅。接卫兵禀报后，吴石将谢筱迺迎进会客间，请谢坐下，亲手为客人沏上铁观音茶。谢筱迺将托带的短简郑重地交到他手里，谈了需要帮忙的事情，吴石点点头，双方约定每星期三上午在公馆内见面。吴石对这位风度不凡、气宇轩昂的年青人颇为欣赏。

这次见面以后，每逢星期三上午，谢筱迺都到吴公馆去，将吴石准备好的文件、图表等密件取回。在短短三个多月里，谢筱迺与吴石频繁接触。吴石利用自己的特殊身份，通过谢筱迺向我们党提供来自国民党决策中枢的重要情报。为此，我方“获悉蒋介石在京、沪、杭解放后的‘全国作战部署’，特别是台湾及东南的部署及国民党军队的军事动向情报；还获悉国民党军在福建省的战斗序列、在福建整编后的主官姓名、福州‘绥署’的兵力统计等情报……还随时获得国民党军队的军事动向情报。”[①]一份份重要情报，经谢筱迺取回后，火速报告中共中央。中共中央对吴石提供的情报极为重视。“这些重要情报，除通过电台报中情部告中央军委外，还及时提供给解放军福建前线指挥部参考，有力地配合了他们的作战。”[②]谢筱迺后来也提到其中最有价值的是一份全国的蒋军部署。谢筱迺1999年7月10日回忆，有一次，中情部首长接中央领导的指示后专门来电，对国民党部队一个番号进行核对。当谢筱迺问询吴石时，吴石敏感地问道：“周恩来先生看得到吗？”谢筱迺自然不好回答，笑一笑，点点头。说话间，吴石眉宇间流露出满意的神情。谢筱迺每次造访后，吴石都亲自送谢筱迺到巷口。一次还诚恳地对谢筱迺说：“吴先生，万一出事，请及时设法通知我，我好想办法营救。”谢筱迺对吴石将军的热情、真诚留下深

① 开诚：《李克农——中共隐蔽战线的卓越领导人》，中国友谊出版公司1996年版，第345页。

② 开诚：《李克农——中共隐蔽战线的卓越领导人》，中国友谊出版公司1996年版，第345页。

刻的印象。后来，谢筱迺曾面对吴石之子吴韶成深情地回忆：“你父亲为人忠厚，亲切、热诚，而且学识渊博。对我这当年只有三十来岁的年轻人十分体贴，每星期我都到温泉路吴家一次，有时还在那儿吃饭。……你父于福州解放前夕飞台湾。我们曾相约在台湾相会。后因我另有任务，未能履约。”[①]

无疑，在谢筱迺情报小组的成员[②]中，吴石是建立功勋的重要一员。他的杰出贡献，在我们党情报史上应当记下重重的一笔。

为了掌握福州高层动态，进行策反，吴石频繁邀请福州高官要人到温泉路府中吃饭，在攀谈中获取情况，进行策反。吴石官邸一时人来人往。这在李以劻《蒋介石下野后在福州召开军事会议前后》[③]中得到印证：“今年（指 1949 年——笔者注）5 月底他来福州。不久邀我到温泉路家中吃饭时，说：（1）福州易攻难守，最大的地障是背靠乌龙江；（2）福建是山岳地区，便利于打游击，但打游击乃是共产党起家本事，我们的游击本事比共产党差远了；（3）从三年国共战争来看，今日之国民党无可战之将，也无可战之兵，他这个绥署副主任心有余而力不足，同样也是饭桶；（4）当今之计，从政略、战略、战术、战斗的诸方面来看，一线之望可以持久者是守岛屿，因共方无战船不能水战。”

鉴于吴石与桂系的特殊关系，对于吴石在福州的动静，多疑的蒋介石放心不下，也借谈话、视察的机会从旁了解，进行考察。1949 年 7 月 9 日蒋介石赴福州督战时，特意召见了在福州的朱绍良、汤恩伯、李延年、王修身、陈士章、葛冠英、于兆龙、吉星文、李以劻等军政要员，一方面当面打气，另一方面当面考察，验证其耳目对这些人的密报。在单独谈话中，蒋介石特地向独立第五十师师长李以劻详细询问了吴石的言论、表现。这在李以劻《蒋介石下野后在福州召开军事会议前后》中有比较详细的记录：

① 2003 年 8 月采访吴韶成记录。

② 谢筱迺情报小组成员有：谢筱迺、蔡训忠、丁日初、周伯苍、林铿修、叶可钰、姜平、叶贤友、吴石等。该小组通过多种方式，先后建立重要工作关系 40 多人。1983 年 5 月 28 日，《中共福建省委常委办公会议纪要》指出：“原中央社会部在福建工作的同志和起义人员在特殊的环境下，为我党作出了特殊的贡献。”

③ 李以劻文，《文史资料选辑》第 32 辑，1980 年 11 月。

蒋介石问："福州绥署副主任吴石，由国防部史料局长调回福建以来，据报有厌战论调，并曾多次向人说，国民党不亡，是无天理。你听他讲过这些话么？他在陆军大学任教时，你在陆大肄业，听过他的课么？你可以谈谈他的情况？"

李以劻答："我 1940 年考入陆大时，吴已调至柳州任第四战区参谋长，没听过他的课。1942 年我毕业于陆大，回第九战区工作，路经广西参加柳州陆大同学聚餐时，才和他认识。1947 年我在国防部工作时，曾见过几次面。他是从战略上来谈战乱问题，他认为长期打下去会把我们拖败，在战场上要想三年五载将共军消灭实不可能。因战线长、战场宽，在江西围剿三年尚不成，何况今天共产党羽毛已丰。"

蒋介石的考察谈话甚是具体，了解极为仔细。曾有人据此推认，蒋介石已从谈话中了解吴石有"通共"的企图。其实不然，在当时，吴石的言论在国民党将领中是有代表性的，是普遍的想法，不足为奇。如果蒋介石认定吴石不可靠，就不可能将其召台，委以重任。

福州重生的幕后推手

1949 年春夏之交，全国局势十分纷乱，国民党军队兵败如山倒。这时的福州同全国其他地方一样，散兵满街流窜扰民，市民一片怨声，也感到恐慌。针对此局面，吴石专门签署《安民公告》，禁止士兵随意进入民宅。一时由吴石署名的《安民公告》贴满大街小巷，福州民众由此知道了大名鼎鼎的老乡吴石。

我方十兵团挥戈入闽之际，国民党福建驻军正在整顿内部的混乱局面。这些部队除独立第五十师，都是在京沪杭吃了败仗溃逃下来的，番号有 5 个兵团级单位、十几个军，领粮饷的兵员数额达 20 万之多。这些残部官多兵少，人心涣散，军纪废弛。他们在 20 多天中从长江沿岸到福建一退 2000 余里，多数部队不仅辎重丢尽，轻武器也损失不少，指挥系统完全混乱。

但蒋介石却比谁都看重福建的防卫。京、沪、杭等相继失守后，福建成了拱卫台湾的最后屏障，当务之急他要考虑的是如何确保这最后一隅立足之地。还在海上向着人生最后的落脚点台湾漂泊时，他就草拟了一个计划，决心以第六、第二十二、第八、第十二兵团为主力，在福州、厦门、漳州及闽、粤交界地区设防，屏障台湾，以台湾为反攻大陆的基点，东山再起。照他的话来说，台湾好比是头颅，福建就是手足，没有福建则无以确保台湾，为此，他一再电令汤恩伯和福州绥靖公署主任兼福建省主席朱绍良坚守福建。

使蒋介石恼火的是，福建的国民党军秩序一直处于混乱之中，高级将领间多有龃龉。首先是省主席朱绍良与东南前进指挥所主任兼东南军政长官公署副长官汤恩伯不和。对指挥孟良崮战役失误导致张灵甫整编七十四师覆灭、又不保京沪杭的汤恩伯做福建“监军”，朱绍良于心不服，充耳不听其令。兵团一级司令中，刘汝明与李延年也不和。这些福建军政官员讨论防备问题，皆说上海筑有比斯大林格勒更为坚固的工事，国军精锐 25 万，尚且守不了半月，福州兵少将寡，南有乌龙江，东临大海，天生的背水阵，不宜打仗，也不宜固守，历史上没有成功的防御先例。再者，福建的地形不利国军有利共军，山地作战正是共军的拿手戏。同时，已告老还乡的两位中国海军元老——萨镇冰和陈绍宽也多方联络地方人士，要求避免在福州决战。

凡此种种议论，传到蒋介石耳朵里，气得他大骂。他还获悉：上海失守后，代总统李宗仁同朱绍良电信交往频繁。朱绍良视李为后台，李欲拉朱这股势力，把福建倚为退守之地。身为下野总统，但握有实权的蒋介石对福建的战略地位看得很重。蒋介石思虑再三，决定亲赴福州，整顿残局，部署战事。

7 月 9 日上午，蒋由台北松山机场直飞福州，以国民党总裁的名义在义序机场召集驻闽部分团以上军官临时军事会议。这是福州战役前国民党政权的重要军事部署。

蒋介石一身戎装，从台湾坐“美龄号”专机飞抵福州。汤恩伯、朱绍良率一长列福建党政要员在机场“接驾”，并组织盛大的欢迎仪式。可蒋介石只在机场的办公大楼召开军事会议，作一番打气和训话，要求众将与共党作殊死战，死守福建，巩固台湾。

会上，蒋介石动情地说：“我是一个下野的总统，论理不应再问国事，一切由李代总统来处理危局，和共匪作斗争。但想起总理（孙中山）生前的托付，勉以‘安危他日终须仗，甘苦来时要共尝’的遗言，现正是我党的危难关头，所以我以党的总裁地位来领导大家和共产党作殊死战。个人引退半年来，没有片刻忘怀久经患难的袍泽，望大家勠力同心，争取最后胜利。”

对在座各位将领狠训了一顿后，蒋声嘶力竭地说：“台湾将是党国的复兴基地，它的地位的重要性异于寻常。比方台湾是头颅，福建就是手足，没有福建即无以确保台湾。以福建而言，守不住闽江以北，闽南也难确保。”福建是台胞和南洋华侨的祖居地，“如果他们知道福州丢失了，就更误以为我们国民党彻底失败了。这种心理的变化就会使我们失去海外侨胞的同情与支持”。会上，蒋介石对福建防务、军队调整及后勤补给、工事修造等做了布置。

闽江以北地区：第七十四军及二〇一师六〇三团防守马尾、连江、罗源一线；第二十五军及独立三六〇师防守闽清至福州之间的闽江南岸；独立第五十师据福州城北宧溪和大、小北岭；第九十六军（第一〇六军人员、枪械严重不足，被撤销番号，并于九十六军）配置于雪峰、大湖及福、古公路两侧。第九十六军和独立第五十师全力收复古田。

闽江以南地区：第七十三军确守福清、平潭。驻漳龙和泉夏地区之第八、二十二兵团不北调，闽江以北兵力不足，将由台湾抽调增防。

据守福州市区的部队，迅速加强工事，近郊要点应构筑半永久性工事以资固守，不得延误。各部所缺军粮、服装、弹械，由联勤总部负责由台湾补给区运拨；马尾要塞重建工程及福州防御工程费用，另案预算。

当日下午 3 时，“美龄号”专机已升火待发，趁蒋介石未到，一些胆子大的军官溜进“美龄号”过了一把瘾，后蒋介石乘专机腾空东去。那些大败之后猬集来闽的兵团、绥靖区司令们，“有幸”得到总裁的抚慰，说不出是激动还是苦涩。

蒋介石的福州之行，并没有给国军将士增添多少决战的勇气。他让“国防部”从台湾运来一个团以加强福州防备，也徒遭讥议。只是在他的严令下，防闽国民党军还是迅速作了整编（只有闽南的刘汝明第八兵团拒绝整编，仍按自报名额领饷），核实兵员（大致为 27 万人），充实武器。在防御部署上，以福州为第一线，闽南为第二线，并在沿海建立起从马祖、平潭、金门、厦门到东山岛屿的防御线。

这番整编后，汤恩伯奉令守厦门，朱绍良则以 5 个军约 6 万人守福州。虽然早对固守福州丧失信心，但朱绍良还得遵令部署战事：以第一〇六军防守市区，第九十六军、第二十五军及独立第三十七师防守雪峰、大湖、闽清至徐家村等闽江两岸地区，以独立第五十师防守大小北岭，第七十四军防守罗源、连江琯头一线，第七十三军防守福清和平潭岛。朱绍良做的是表面文章，他一点也不积极在福建修筑外围坚固工事。第六兵团司令李延年则更为悲观，成天泡在官邸吸鸦片，搓麻将。福州守敌将无信心，兵无斗志，败局已非人力所能挽回。

国民党福州守军的军事部署很快就由吴石提供给我们党，我方十兵团指挥员对国民党福州守军情况可谓了如指掌。更为可喜的是：与国民党福州守军相反，十兵团指战员精神饱满，斗志昂扬。经过迅速爬山行军和迂回穿插，福州战役的序幕声势浩大地拉开了。

8 月 6 日，右翼二十九军由南平、尤溪地区向东开进，翻越层峦叠嶂、海拔 1800 余米的戴云山，以急行军飞速穿插敌后，11 日攻占永泰县城，14 日进抵预定目的地，逼迫福清。8 日，左翼三十一军从驻地古田出发，迅速向东运动，分路隐蔽开进。13 日，攻占丹阳。中路二十八军由建瓯起程，以迅猛之势攻雪峰，取大湖。15 日，二十九军攻占福清、宏路。兵锋所至，摧枯拉朽，把一路守敌打得稀里哗啦，很快就控扼了福厦公路，切断敌南逃陆路，并向南构筑工事、实施警戒。三十一军则在十六日一举歼灭连江、琯头、闽安、马尾之敌，以炮火紧锁闽江口，切断敌海上退路，并即由马尾向西向福州攻击前进。二十八军夺下大、小北岭，打开了福州的北大门。如是，三支劲旅密切配合协同，从三面逼迫福州，造成瓮中捉鳖的态势。

17 日晨 5 时，我方十兵团发起总攻福州的命令。随着三颗红色信号弹升起，担任下面攻击的二十八军，由西洪门从西向东，三十一军由东向西，几乎在同时向福州城发起猛烈攻击。福州之敌精神支柱已垮，再加上主帅临阵逃脱，更是无心再战，在混乱中径自逃命。不到一小时，二十八军便攻入市区，直插朱绍良、李延年的指挥部，并和三十一军抢占市区的制高点仓前山，控制闽江万寿大桥。三十一军九十一师一部控制了清凉山，防敌东逃。

当左翼由东向西攻击，中部军由西向东对福州发起总攻时，守敌即争先恐后地向闽江以南溃退。谁知担任右路的二十九军早已张开罗网，当即迎头痛击，在宏路以北 10 公里处，俘敌兵团部，抓获敌中将参谋长及其他将官多人。

令人疑惑的是解放军从三面进入福州，却未见任何喷着火舌的坚固工事。

1949 年 4 月，还在上海战役时，蒋介石即在澎湖电令朱绍良征集民工在福州周围构筑半永久性工事，作防卫作战。此事遭到吴石、萨镇冰、陈绍宽在内福建籍人士的极力阻止。修建福州半永久性城防工事一拖再拖，大批市民得以免遭劳役和战争之苦。此事在李以劻《蒋介石下野后在福州召开军事会议前后》有现场感极强的记述：

蒋问：“加强福州工事问题，我一再向顾总长（祝同）说过，要国防部赶快进行，也一再函告一民加紧构成半永久性筑城，作持久战打算。但是据报福州工事做得太差，没有一点计划。是否征工征料难，还是福州绥署不奉行我的指示，到底是什么原因？”

李答：“在福州外围，野战工事有了一点，但很薄弱。除了一〇六军在福州东郊、独立五十师在福州大小北岭、二十五军在福州西北郊由鼎湖山麓迄洪山桥构成若干掩体外，有计划的守备问题，福州绥署并未明确区分任务。至于半永久性筑城却没有一点。福州市长何震说，在福州做工事，征工征料不容易，除非政府拿出钱来。在上海有外围、主阵、核心三线工事，都守不住，何况福州这个背水城市呢？”蒋听后，只是摇头感叹。

在福州工事问题上，吴石曾向朱绍良进言：斯大林格勒堡垒式的上海都守不了半个月，福州东南有江、海，北有大山，背水之阵，如何能守。海军耆宿萨镇冰和陈绍宽也对修筑福州工事颇有微词，认为国民党在闽执政 20 余年几无建树，不应再糜烂地方。朱绍良听了这些言论后只得感叹：“国家成败兴亡定于数，非人力所能挽回。”对蒋的命令，朱一再敷衍推托，蒋介石两次派蒋经国往福州监督城防工事的修建，但到解放军攻城前，别说半永久性工事，就是野战工事也很薄弱。

在朱绍良接任主席不久，驻防福州的部队就借口要防卫福州，必须在四郊的外围高地，按形势需要构筑一系列永久工事。他们初步提出，需要各种直径的木材和砖块、水泥、西瓜钉等主要材料为数颇巨，市府当时曾要商会和木材公司核实估价。据吴石保定同学、木商公会主席庄哲生估计，其价值总计在3000两黄金以上，其他征工、构筑、运输的估价尚不在内。国民党第二十五军军长、福州城防司令陈士章一度奉命要求福州商会三天内征集一万株半径15公分木材，构筑环城防御工事。那时福州市区树木仅5000多株。后来，庄哲生奉地下党指示去找吴石，对吴说：“陈士章这些人是要走的，但你走不了，如果吴状元在家乡为蒋介石去拆除民房，将来千古卖名，子孙都别想在福州立足。”吴实际上已成竹在胸，正合心意，下令撤销陈士章原令。直到福州形势危急时候，旧事重提，需索愈急，以贻误军机为威胁，才由绥署召集各界开会，由兵团司令官李延年主持，新军副师长闵铭厚当场提议，构筑野战工事按计划全部主要材料最多不过花费二三十两黄金，大家都很赞成，结果朱绍良、李延年也都通过。可是，野战工事正拟开始构筑就决定撤退，仅仅花420元买了5万块砖，终究未成。据当时《福建时报》报道，直到1949年8月，福州省会城防构筑委员会才成立。“据悉：关于城郊防御工事，计需木八万（按原预定需木八十万株），现金十二万元雇用技工等若干名。该会程组组长闵铭厚少将已决日内即召集各有关单位，商讨征购问题。”[①]16日晚，解放军先头部队兵临福州城下。守将朱绍良、李延年慌忙趁夜幕爬上飞机，向茫茫大海窜去。

8月17日，在黎明的曦光中，国民党福建省政府被解放军占领了，一面鲜红的军旗插上屋顶。福州解放了！成百上千的市民在福州地下党的组织下，欢呼雀跃地走出家门，涌上街头，迎接解放大军进城。

当天傍晚，东街口、南门兜、大桥头到处张贴一份《欢迎福州解

---

① 《福建时报》1949年8月15日。

放——敬告同胞书》，上面联合署名的是萨镇冰、丁超五、刘通、陈培锟、史家麟、何震、卢金三 7 人。其中前 6 人为福建知名人士，多为吴石的好友，卢金三系第四野战军城工部干部，这份联名告示对安抚福州民心、稳定社会秩序发挥了极大作用。

为庆祝福州的新生，福州解放后的第二年的 8 月 14 日，福州解放日的前三天，福州市人民政府作出决定，将市区自唐代起贯穿南北交通的主要通道更名为八一七路。从此，吴石等英雄奠定的“八一七”胜利以路名的方式与城市共存共荣。

保下“末次资料”

吴石离开大陆前，不仅设法保住福州这座千年古城未遭战火的洗劫，也巧妙设计留下一批极有价值的秘密档案。

1948 年秋，摇摇欲坠的国民党政权机关分水陆、陆路向台湾、广州撤退。此时，“国防部”原参谋总长陈诚打算将“国防部”史政局所保存的一批军事机要档案直接撤运台北。吴石得知后就盘算如何截留下来，想出一条锦囊妙计。他向陈诚提出：“暂移福州。进则返京容易，退则转台便捷。”他这一巧妙的折衷建议理由实在，外人是看不出名堂的，很快被采纳。1948 年 12 月下旬，“国防部”史政局专门组成遣送小组，自南京押运机要档案 500 余箱，以军用专列先送上海，再由联勤总部征用的“东南”号海轮转载南下。1949 年元旦，这批机要档案运抵福州马尾港，租用民船盘驳到福州台江码头，继以货车、肩抬接运至于山，保存在戚公祠大殿内。为确保安全，全副武装的警卫日夜守护于殿门内外。转眼到了 5 月，解放军百万雄师挥戈南下，当局电促其将存榕档案速运台湾。这时，吴石心里正盘算如何将机要档案留给即将到来的新中国，便以“军运紧，调船难”为借口，以一部分参考资料、军事图书权充绝密档案，列为第一批，派小组中的两名外省籍组员率警卫先行押运去台。事后证明：这种颠倒绝密与非绝密两类档案、资料发运顺序的做法，的确有效拖延了时间。在第一批档案启运后半个月左右，解放军以破竹之势越浙、赣直逼闽北。为防范焚毁，6 月上

纪念民族英雄戚继光的戚公祠曾藏匿吴石保护的大量珍贵历史资料

旬的一天，吴石下令将全部绝密档案转移到仓前山麦园路福建省研究院[1]书库匿藏。当时，他即密谕绥靖公署第四处少将处长傅为翘，派军车、士兵经彻夜抢运，于翌晨黎明前完成，并向好友、研究院院长黄觉民作了交代。吴石携眷赴台前，召集部下作了简明而严肃的面示：须尽职留榕，保护档案，一切按黄觉民院长意图办事。据说，吴石在台湾回答丢失“末次资料”的诘问是：“飞机太小了，放不下。”

那么，这些机要档案包含什么内容？有哪些价值？

几个世纪以来，日本一直是对中国最有兴趣的国家。明治晚期政府官员后藤新平曾经说过，在引进重大的改革之前，有必要对社会制度进行彻底的研究，从而把殖民统治的费用和困难减少到最小。1907 年，后藤新平成

① 福建省研究院之由来：1939 年 4 月，福建省政府创设研计所于厦门大学。翌年秋，因抗战之关系，迁所于永安。是年冬，改所为院，与中央研究院、北平研究院三足鼎立。抗战胜利后，由省政府呈准行政院，将仓前山德国驻福州领事馆及德商谦信洋行经理住宅作为该院永久院址。

为“南满铁路株式会社”董事长之后，邀请了民法专家冈松叁太郎对辽东和南满铁路南段的一些县进行调查，这一传统被日本其他的情报机构继承下来。稍迟几年，北京栖凤楼七号，一个日本驻华情报机构“末次研究所”开始运作，负责人是末次政太郎。“末次研究所”的成果是被简称为“末次资料”的《日本“末次研究所”剪报资料》，它的主要来源是自1912年至1940年7月这段时间内的中文、英文及日文报纸，总计有50多种报纸。这部资料共有755辑，15万多篇，约2.2亿字。这些报纸立场各不相同，因此，其资料具有较丰富的历史现场感。抗日战争胜利后，国民党政府“国防部”缴获此部资料，认定其极有价值，又组织人员续编了两年。因此，该资料基本覆盖中国近代史的全部时段。

这批资料被吴石截留到福州后，曾引起时任福建省研究院社会科学研究所所长章振乾和历史学家傅衣凌的关注，章振乾在一篇回忆中写道：“1949年3、4月间，当时我和文史组组长傅衣凌、政治组组长管长墉先生得知，吴石从南京运来从日本军方缴获的重要军政资料一批，有意争取把最有价值的留下。吴石的态度相当明朗。经过商量，吴石同意将《末次情报资料》以寄存的名义交给我们保管。”这段回忆表明吴石在截留《末次情报资料》确实发挥实际作为。

这批资料随后移藏厦门大学。20世纪60年代，由于“深挖洞、广积粮”，“末次资料”和另外的重要资料一度移至福建省长汀县。“文化大革命”期间，中央文革小组曾下令封存“末次资料”。

“末次资料”在厦大图书馆一放就是40来年。几代学者都极为珍视，除了傅衣凌外，《资本论》的译者、著名经济学家、厦大原校长王亚南也将之视为宝物。1984年，“末次资料”被专家鉴定为孤本珍贵文献；1985年，美国俄亥俄大学图书馆馆长李华伟博士愿花一万美元复制一套。台湾“中央研究院近代史研究所”多位研究者专门来厦门大学使用过“末次资料”。直到1993年，华东地区高校图书馆馆长会议召开时，当时的厦大图书馆负责人带领会议代表参观“末次资料”，杭州大学图书馆馆长陈智仁极为动情，开始为“末次资料”的影印出版奔走，后得到老先生季啸风与沈友益的积极回应，他们铁定了心为这部书找钱、找出版者。最后，由厦门大学图书

收藏于厦门大学图书馆的“末次资料”

馆、杭州大学图书馆、广西师范大学出版社、东亚古籍研究所合力于 1997 年 8 月影印出版“末次资料”，书名定为《中华民国史史料外编》，副标题为“前日本‘末次研究所’情报资料”，前后历时 4 年。

“末次资料”的专题内容极为丰富，除中日关系上的大事无一不包外，一些选题也极其具体细致，如：《招商局工作》《罢工问题》《治外法权问题》《鸦片》《排外与人民反基督教活动》《满洲驱逐朝鲜人事件》《通化大刀会暴动事件》《天灾与救济》《银问题》《中国黄河历代变迁史》等等。重要事件的资料最为全面，如《中日事变》（即卢沟桥事变）这个专题，年限为 1937 年 6 月至 1940 年 7 月共 3 年 1 个月，搜集的资料多达 107 辑，条目有 2.1 万多篇，3200 多万字。日本的侵略进入高潮时，也正是它的情报机构加大马力的时候。上海老报人丁之翔在“文化大革命”后期见到“末次资料”时认为，从报业史的角度来研究“末次资料”也极有价值。

“末次研究所”关注的报纸包含了当时中国出版的和海外输入的绝大部分。“末次研究所”对资料的态度是，既有日本方面的宣传报道，也有世界各国及中国的立场和对策，也不回避敌对观点报道。在中日战争中，既有日军谈判代表寺平大尉从宛平城墙吊下的照片，也有中国军队在龙王庙坚守的照片；既有“陇海线上南北的皇军历史性握手”的报道，也有“伪热河青龙县接收迁安县第四警官分所，强迫警官穿着伪警制服，警官刘振楼痛哭不从，被押去服役”这样中国男儿动人的场面……有些史料今天看来弥足珍贵。如《西安事变》专题中，《冀东报》1937年1月6日报道：“本报南京专电，顷此间接奉此密电，蒋腰部伤势溃烂，痛楚不堪，五日晨九时，由总医院施行手术，痛略止。定七日再行手术。惟关于蒋氏受伤后施行手术等情形，禁各通讯社发稿，以免宁府内部发生枝节。”21日《冀东报》又载：“蒋介石腿部枪伤割治已痊可，惟腰部之弹壳尚未取出。蒋以气力不足，拟春暖再行手术。步履已不需左右扶持，惟精神欠佳。”

著名学者季羡林对“末次资料”的价值有着一段精要的评价：“这两套剪报资料，虽然都是剪自报纸，然而这样齐全，在当今国内，恐已难于找到。剪报的这一段时间，正是我国的多事之秋，危难深重之际。这一段历史实在值得我们认真研究，从中吸取经验教训。而要研究这一段历史，则这两组剪报资料实在是万不可缺的。”

1949年8月中旬，吴石接到“总统府侍从室”从台湾发来赴台的电谕。行前，他召其亲信部下到家中，语重心长地说：“南运的绝密资料关系重大，应妥善保管，不得有任何闪失，就留待福州解放时呈献人民解放军。”福州刚一解放，亲信部下柯玉锜、郑葆生、王强3人遵照老长官临行前的嘱咐，与黄觉民①一起，自动列册将南运的绝密资料呈献福州市军管会，了却老长官的心愿，自己也从此走上新生的道路。

如今，厦门大学图书馆成为“末次资料”的最后归宿。2008年10月，我走进厦门大学图书馆的最顶层，“末次资料”出现在我的眼前。它占据高2米左右、长6米左右的两大书架，纸质已呈黑黄。翻阅之后，浑身掉满纸屑，旧报纸的焦煳味弥漫在身边。保护好这批珍贵的“末次资料”，需要更多有识之士的努力。令人兴奋的是，2009年，广西师大出版社以独特的眼光又续写一段出版传奇，从此前出版的《中华民国史史料外编》中辑出《密档中的历史》系列丛书，丛书按专题选辑出《从九一八到七七事变》《外

---

① 黄觉民（1896—1956），福建闽侯人。吴石的挚友，教育心理学专家。新中国成立后，他以福建省研究院院长身份兼任福建省教育厅副厅长、华东师范大学教授。

交风云》《西安事变》《卢沟桥事变》4 种，使吴石冒险保留下的秘密档案再次重见天日，更使读者有幸体察现代史中关于日本侵华事件的当时叙述。

1949 年 8 月 13 日清晨，吴石乘机离榕赴台。《福建时报》1949 年 8 月 14 日报道称："榕绥靖公署副主任吴石昨晨乘中航机飞台，定下周内返榕。"此报道暗示了吴石的行踪。而同日《星闽日报》则透露："福州绥靖公署中将副主任吴石，昨日晨乘中航班机离开福州，到台北去。闻说是他任东南军政长官公署办公厅主任云。"这则新闻让人联想到吴石的政治归途。在人们的关注与关切中，吴石离开了福州，从此杳无音信。

别了，福州！吴石这一别，离福州解放不到四天的时间。他这一次离去，有更重要的事要去做。这一别，他再没有归来。

第十二章
虎穴忠魂

把台湾带回家

闽水泱泱向东流，那是宝岛台湾的方向。

福建与台湾，仅一水之隔。两地地缘、血缘、文缘、商缘、法缘极其相近。就地缘，福建是大陆距离台澎金马最近的省份，厦门角屿距小金门仅1000多米，福建平潭与新竹的距离只有68海里，全省100多个岛屿与台、澎、金、马邻近或交错。就血缘，台湾总人口中有80%以上的祖籍在福建。据1926年当局对汉族祖籍地的调查，台湾在籍汉人3751600人，其中祖籍地为福建省者3116400人，占人口总数的83.1%。就文缘，台湾的民间习俗、信仰、戏曲、艺术等大都是从福建传承过去的，方言就是福建的闽南话，可谓语同音、文同源、人同根。就商缘，自古以来福建与台湾的商贸往来都十分密切。就法缘，福建与台湾有着悠久的行政关系，台湾从宋朝建立行政机构开始就一直归属福建管辖。即便到了清光绪十一年（1885年）台湾单独建省后，还称作“福建台湾省”，仍然同福建保持着教育、行政、财政等方面的联系。从闽治台湾到闽台分治，闽台之间都存在密不可分的法缘关系。

对于台湾，吴石并不陌生。作为战略军事专家，对台湾在中国版图上的重要性始终保持清醒的认识。他早在抗战全面爆发后，就一直关注跟踪台湾的动向，积累相关情报，等待着把台湾带回家。1940年8月吴石在《大成日报》上发表《倭南进政策之检讨》的文章，其中专门就台湾与倭南进之关系进行阐述，展现了他对台湾问题的战略思考。吴石指出：“有一点我们不能不注意到的，就是凡要觊觎一个地方，不能不先就地理上、军事上、经济上觊觎择一适当的根据地，然后由此出面进取，便可收得事半功倍之效，于是台湾便成了倭寇南洋的据点。现在我们对倭寇与南洋的关系，来作一个概略的观察，便可知道台湾在倭寇南洋政策中所占的地位是何等的重大了。”

一年后，1941年的12月9日，国民政府发布《中国对日宣战布告》，意味着不再承认当年丧权辱国的《马关条约》，公开声明要收复台湾。这是一件振奋人心的大事。一纸《马关条约》，台湾从祖国分离出去，成为吴石那个时代多少福建人心中的痛。一纸《中国对日宣战布告》，唤起吴石等一批人心中强烈的共鸣，他感到振奋，感到中国人、福建人洗刷耻辱的日子就要到来了，他把目光投向深陷日本统治的台湾，在战事之余，开始主动谋划台湾回归的有关准备工作。1944 年初，吴石提出以福建旅桂同乡名义召集座谈会，研究成立“闽台协会”。闽台协会总会于 5 月 1 日在柳州成立。

庄希泉

当时，“闽台协会”发起人有张贞、吴石、庄希泉[①]等，在桂林的宋斐如、张贞、林素园、曾希亮、叶采真、林若谷、陈文麟、张国荣，在柳州的陈荣芳、陈肇基、吴玉琛、雷鉴卿，在重庆的刘启光、胡守愚、朱善彰、刘成鹏、周士观等人都参加了闽台协会的筹备工作。中共地下党员张兆汉[②]也以《广西日报》记者的身份在桂林参加活动，开展统战工作。也就这个时候，吴石与张兆汉相识了，在解放战争中俩人又有了联系，这是后话。

成立闽台协会，还有一个玄机，就是反对陈仪主闽。闽台协会的参加者都是闽台同乡和闽籍华侨，其中常委五人：李万居（台湾籍）、周士欢（福建籍）、林庆年（华侨）、陈碧笙（福建籍）和庄希泉（福建籍）。协会只是一个空架子，没有实质性的运作，但起到了反对陈仪恶政和提醒民众为抗日复台尽力的作用。1946 年，随吴石、庄希泉等离开陪都，闽台协会自然

① 庄希泉（1888—1988），福建厦门人，著名爱国华侨领袖、实业家、教育家和社会活动家。新中国侨务工作主要领导人之一。

② 张兆汉（1937—2001），福建仙游人，闽中特委书记，闽中游击中队政委，中共厦门儿童救亡剧团支部书记，长沙《国民日报》经理。新中国成立后，任福建省委统战部部长、福建省政协副主席。在朱桎《解放前夕福州地区民盟地下斗争简述》，《福州文史资料选辑》第 5 辑（1986 年 9 月）中写道：解放战争中，“吴石三次到香港同中共中央华南分局直属福建特别支部书记张兆汉同志接头，以后吴石由吴仲禧同志联络”。

消亡了。

时序来到1947年3月，吴石有了第一次踏上台湾岛的机会。当时，在台湾刚发生二二八事件。受蒋介石的指派，国防部长白崇禧率领一个由军、政大员（包括蒋经国在内）组成的代表团到台北，调查事件始末经过，进行“宣慰视察”。吴石作为代表团成员参与了全过程。在台湾停留三星期后，白崇禧对台湾全省发表广播讲话，宣称国民党对二二八事件的处理，将“秉持和平宽大的原则”，残暴的军事镇压至此告一段落。为平息愤怒的情绪，国民党当局有准备调整台湾的主官。行前，白崇禧极力向蒋介石推荐吴石出任台湾警备总司令部司令。蒋介石对白崇禧有着戒备的心理，对吴、白之间的关系不是很清楚，自然不予首肯，此事就不了了之。

台湾之行，让吴石在台湾的腥风血雨中直接感受到进步团体的力量和作用。回大陆后，他曾对吴长芝说：“台湾事件是倒蒋行为，有进步的作用。问题在于陈诚要掌握台湾，肯定还要用镇压手段。如果进步力量有办法派些人员去台湾工作，这倒是个好机会。”[①] 这次台湾之行，吴石对台湾的现状有了直接而具体的感受，虽说出任台湾地方要职已成过去，但他在暗淡中看到了台湾希望的曙光，他那颗爱台湾的心澎湃汹涌，把台湾真正带回家的愿望愈加强烈。两年半后他再次踏上台湾岛，这次终于可以在这座孤岛大显英雄的身手了。

战斗在腥风血雨中

1949年8月13日清晨，吴石携家人乘军用飞机在空中盘旋，往东南方向离去。他面对逐渐渺远的福州市景，深深沉陷在告别家园的复杂情绪中，心中默念：福州，我不久就会回来！在他的心里越来越明确的判断——台湾的解放只是时间的问题。而此时，他的挚友何遂根据组织的安排已在台湾执行任务，等待与他会合，谋划策应我方南下大军，实施获取重要军情、阵前起义等要事。

而他另一位挚友刘斐和袍泽黄绍竑已在北上的路上，走在通往迎接新中

① 吴长芝：《我所知道关于吴石同志的概况》，1986年12月13日（未刊稿）。

国的路上。之前，刘斐做了一件惊天动地的事情：在香港，他联合44位国民党知名人士策动了名噪一时的香港起义，发表《我们对于现阶段中国革命的认识与主张》的声明，宣布同国民党政府公开决裂。过不久，中共华东局驻港负责人，也是后来成为吴石将军的直接领导人的万景光，受中共中央的委托，安排刘斐等爱国人士北上，参加中国人民政治协商会议。为防国民党特务破坏、阻挠，万景光为他们安排海上秘密交通线。刘斐、黄绍竑登上一艘小汽艇，悄然驶到香港禁海，然后再转到一艘载重1000多吨、挂着葡萄牙国旗的轮船上。原来这是一种掩护的办法——因为它在海关注册是开往汉城的，所以现在就向汉城北驶，但开到山东半岛外，便向西入青岛停泊了。他们在青岛登陆，旋即改乘火车到济南，转北平。一路上，刘斐、黄绍竑兴致勃勃，高兴极了。在船上，他们凭栏远眺，只见海天辽阔，波影粼粼，那月光如水、水如天的情景，真使他们心胸坦荡，明月入怀！刘斐情不自禁，忽然顺口吟道："月下飞天镜，云生结海楼"①。黄绍竑也随之吟道："大海从鱼跃，长空任鸟飞"②，还填了一首叫《木兰花》的词，其末尾两句："海天明月最关情，深夜照人明里云"，其喜悦心情溢于言表。与他们的轻松、欢愉相比，吴石则进入危机四伏的台湾，正执行特殊的使命——配合中共地下组织做解放台湾的准备工作，艰难而危险。

从1949年8月13日赴台，到1950年3月1日被捕，再到6月10日殉难。吴石在台湾的潜伏生涯一共有10个月的时间，这是吴石生命中最后的10个月，也是壮怀激烈的10个月。

有材料称，吴石进入台湾后中共地下组织给他的代号为"密使一号"。这种说法纯属虚构。也有资料称，吴石是战斗在台湾的中国共产党党员，而且是中共特别党员。这种说法也离谱，纯属演绎。事实上，吴石没有在组织上加入中国共产党，但他在中华民族的关键时刻自觉选择了中国共产党。

---

① 句出唐代李白诗《荆门送别》。原文："渡远荆门外，来从楚国游。山随平野尽，江入大荒流。月下飞天镜，云生结海楼。仍怜故乡水，万里送行舟。"

② 句出宋代阮阅《诗话总龟前集》卷三十引《古今诗话》。谓：唐代大历年间，禅僧玄览在竹上题诗："大海从鱼跃，长空任鸟飞。"以表达禅僧自由自在的广阔胸襟和活泼的禅机。后嬗变为"海阔凭鱼跃，天高任鸟飞"。

吴石在台北的留影

1949年底，蒋介石政权的残余力量已基本集中于台湾，令这个突然拥挤的岛屿变得十分敏感而危险。这些残余力量中不乏国民党中的精英分子和忠诚的骨干人员。他们看来“汉贼不两立”，更加仇视共产党，在岛内一再掀起“反共”高潮。台北街头、火车站、公共场所，处处可见台湾当局用红墨水写的枪毙刑者名单的布告。电影院每次放映电影的第一个字幕就是“通匪者杀”。在台湾的特务并非等闲之辈，特务之多之恶已达到令人发指的地步。原来只在台湾设立一个站的“中统”和“军统”组织悉数搬到台湾。原来只负责搞军事情报的各军种、兵种的第二处（即情报处），此时也插手社会治安。再加上省保安司令部、宪兵队、警察局等，甚至连“国防部”的技术总队都在抓人、办人。在有限的台湾岛内，横行着“调查局”“保密局”“军情局”“宪兵”“总政战部”“国防部二厅”、台湾省警务处等多重特务体系。特务机构在各阶层、各部门、各团体遍布眼线，并在政府部门和学校中普遍设立安全室。从党政机关到中小学校，从军队系统到社会各界，特务无处不在，无时不在。七大特工系统中，仅就警察系统而言，其规模、权限就到了惊人的程度。全岛有10万多名警察，分属于台湾省警务处、20个县市警察局、87个分局、187个分驻所、12698个派出所、5027个警勤区，警察网遍布岛内各个角落。加上另外系统的特工人员，台湾人民随时随地处于警察和特务的监控之中，台湾处于严重的白色恐怖之中，对中共地下组织构成极大的威胁。据陈宝仓之女陈禹方回忆，1949年秋，在她每天上学的路上，常能看到呼啸而过的军车，车上站着成排被五花大绑的人士。

在这种情况下，1949年深秋，有不祥预感的陈宝仓决定让在台的家属撤离，其妻子、3个女儿迅速离台移往香港。其子陈君亮为适龄男丁，按规定不得离台，陈宝仓为其子办理了差甲证（即出差证明），陈君亮于 1950 年 1 月到达香港，至此，陈宝仓在台的家属完全脱离台湾的险境。就在陈君亮离台后一个多月，不幸就发生了，后文再说。

当时，中国大陆的战局已经明朗，蒋介石集团进入生死之局。毛泽东和中共中央军委已制定了趁蒋介石在台湾立足未稳于冬季立即攻取的计划。1949 年 3 月，台湾问题在中共中央的议程里正式被提及。中央召开会议讨论即将成立的华东局管辖范围，毛泽东提出："还要加上台湾。这地方很应该注意，有海军、空军及其他军队，有资财，很有生意做。"当时，实际主持华东局军事的是第三野战军副司令员粟裕，他在毛泽东心目中是五员最能打仗的战将之一。粟裕提议："解放上海以后，我们的主要任务是解放沿海岛屿和台湾，进军福建是肃清残敌的问题。"根据中央军委的意见，指挥第二野战军的邓小平于 3 月 14 日给军中的刘伯承、李达发去电报，要求二野渡江之后"两年内留华东，不作新的机动"。第二天，新华社代表中共中央发表了社论《中国人民一定要解放台湾》。这时候，东部成为主要对峙战场。

一个月后的 4 月 23 日，形势发生剧变，解放军已渡过长江占领南京，亚洲第一大城市上海攻克在即。美国方面出于对国民党政府极度腐败的失望，没有作出任何反应，美国大使甚至留在了南京观望，没有随国民党政府撤往广州。面对比预想快得多的军事决战胜利，这一天，在北平香山双清别墅的毛泽东，决定改变原来的战略对策，经过会议研究，发出电报，要求二野准备"全军向西进军"，在西南全歼国民党军队的最后主力；只把三野放在东南，一方面严守对外的门户，一方面准备进攻台湾。尽管分兵削弱了东部的兵力，进攻台湾的步子并没有放慢。毛泽东要求攻击上海的三野一部承担进攻台湾的任务，一部进军福建，为进攻台湾扫清外围屏障。5 月 23 日这天，毛泽东为中央军委拟电告三野："你们应当迅速准备提早入闽，争取于六七两月内占领福州、泉州、漳州及其他要点，并准备相机夺取厦门。入闽部队只待上海解决，即可出动。"这一变化令三野高级将领吃惊，因为原定是一年后才进军福建。当时兵团司令员叶飞即在电报中说明：十兵团伤亡较大，且极疲劳，希望休整一个月再于 7 月上旬进军福建。6 月 2 日中央军委复电："同意以叶飞三个军入闽，行动时间如能提早至本月下旬更好。"6 月 14 日，毛泽东代中央军委来电同意推迟入闽，但要求："请开始注意研究夺取台湾的问题，台湾是否有可能在较快的时间内夺取，用什么方法去夺取，有何办法分化台湾敌军，争取其一部分站在我们方面实行里应外合，请着手研究，并以初步意见电告。如果我们长期不能解决台湾问题，则上海及沿海各港是要受很大危害的。"这是毛泽东正式提出解决台湾问题的最早电文。

应中央的要求，华东局在报告中提出了解放台湾后的组成政权人员：舒同为中共台湾省委第一任书记，刘格平为省委副书记，省委、省政府各部厅、各地委、各县委的班子都已经组建，并集中进行有关台湾知识、政策的培训（后来进攻台湾没有实现，原定赴台接管的人员班底转去开办华东人民革命大学）。同时派遣一些情报人员随国民党政府撤退到台湾潜伏下来。舒、刘都是山东根据地干部，为什么由他们来组成台湾省委，因为负责进攻台湾的是山东过来的三野，山东渤海区也是中共临海主要根据地之一，拥有从汪伪军接管过来、成立最早的海军支队。6 月 21 日，毛泽东再致粟裕电报，把"准备解放台湾"列为"你们面前目前几个月内有四件大工作"之一，并指出："不占领台湾，则国民党海空军基地不拔除，时时威胁上海及沿海各地；不占领台湾，则数十万吨船只不能取得，沿海沿江贸易受制于外商航业界。"电报明确要求："我们希望能于夏秋两季完成各项准备，冬季占领台湾。"这是第一次为解放台湾列出时间表。7 月，毛泽东与朱德在中南海颐年堂研讨了进攻台湾的问题。他们认为：只要苏联援助我们几十架飞机，掌握了制空权，解放军就可以发起进攻台湾的战役。7 月 10 日，毛泽东写信给周恩来："我们必须准备攻台湾的条件，除陆军外，主要靠内应及空军。二者有一，即可成功，二者俱全，则把握更大。我空军要压倒敌人空军，短期内（例如一年）是不可能的，但似可考虑选派三四百人去远方学习六个月至八个月，同时购买飞机一百架左右，连同现有的空军，组成一个攻击部队，掩护渡海，准备明年夏季夺取台湾。同时须考虑一个条件，即在闽、浙两省建立飞机隐蔽库，即掘大山洞藏飞机。如无此项条件，则飞机不能隐蔽，亦不济事。"8 月，毛泽东、朱德、周恩来接见张爱萍等海军将领，布置进攻台湾任务。毛泽东说："台湾不解放，国家就不安宁。我们一定要解放台湾，我们也一定可以解放台湾。"在这样的大背景下，台湾之战迫在眉睫。

两者结合起来看，当时中共更希望能够采取里应外合、分化瓦解、争取敌军起义的办法，用“较快的时间”即在1949年冬季解决台湾问题，因为这种办法在北平及后来的湖南、云南、新疆、四川都取得巨大成功；又看到进攻台湾没有空军支持的困难，打算用较长时间来准备，把最后进攻时间定在第二年夏天。据此，7月4日，刘少奇在莫斯科向斯大林提出的报告说：“台湾、海南岛和新疆，要等待明年才能占领。台湾因有部分国民党军队做内应，可能提早占领。”

但是情况并不比原来设想的顺利。1949年10月，中国人民解放军攻打金门失利。11月，攻打舟山群岛再次失利。这两仗给中国人民解放军即将发起的渡海作战敲响了警钟。

蒋介石集团只凭借台湾海峡固守台湾，而海空力量薄弱的人民解放军要跨海作战，来自内部的准确情报就成为具有特殊意义的一环了。在当时的政治氛围中，无论吴石还是何遂和何世平、何嘉兄妹，都相信共产党将不惜代价通过军事手段解放台湾。

何遂（国民政府立法院军事委员会委员长）和女儿、中共地下党员何嘉按照组织意图先于吴石5月份来到台北。一俟吴石莅台，两人在台北接触频繁，以携带家人游山玩水为名进行密商，对工作进行安排。中共华东局原本打算委托何遂以其灰色身份作掩护，留在台湾工作。此前，何遂的次子何世平已在1947年由中共上海局派到台湾，在台南、高雄等地盐务机构工作3年多，已经有很好的身份掩护。何遂的妻子与他们一家人同住。1949年春，何世平的直接领导人张执一还专门到台湾检查并安排过他的工作。5月份随着上海的解放，出现一个新的情况：上海作为国际大都市，西方对共产党能否成功接管上海十分关注，外电包括港、澳媒体对上海市军管会组成人员情况进行了报道，何康及其职务——上海军管会农林处处长上了报，其身份被曝光。这消息传得很快，何世平的同事公开散布：“何家兄弟都是共产党。”这使何家人失去在台湾继续工作的基础。鉴于这种情况，组织上急令他们撤出。

形势日紧，白色恐怖日益笼罩全岛。吴石一再催促何遂赶紧离开台湾。经过商量和安排，何家人分两路离开台湾。9月1日，何遂的妻子、何世平一家和何嘉从水路走，由基隆乘“秋瑾号”客轮到广州，然后转往香港。

几天后，何遂则由空路离开台湾，吴石为何遂买好从台北直飞香港的机票，亲自送何遂到机场，看他走进飞机机舱才放心地回去。1965年，何遂在北京白塔寺自己寓所对造访的吴石儿子吴韶成谈到自己1949年撤离台湾时的情形声泪俱下，哽咽地说："当时台湾风声已经很紧，情况很不好，你父亲一再催促我赶快离开虎口，免遭不测。我也力劝他赶快离开。你父亲对我说：'我不要紧，有国防部参谋次长这样牌子掩护，你快走。'就这样，你父亲替我买了去香港的飞机票，第二天亲自开车把我送到飞机场，直至上了飞机才离开。你父亲和我四十年之交，非同一般，情同骨肉，他关心我胜过关心自己，不意从此竟成永别！"①

中断的关系接上了

这样，吴石再次面临人生重大的抉择。他虽然已经对人民解放事业作出过重大贡献，但到了台湾，因海峡阻隔，基本上中断了与中共的直接联系，也可以完全切断这种联系。如果选择继续为共产党工作，就必须在组织上建立更紧密的秘密联系，那无疑是极大的冒险。吴石恰恰做出甘冒斧钺的选择，主动与共产党接上关系，完全接受共产党的领导，为解放台湾、实现祖国的统一效力。吴石做出这样的决定并不是一时的冲动，据何世平回忆："我和何嘉随父亲多次在台北见到吴伯伯，谈及当前时局发展情况，这时我父亲把我的身份告诉了吴伯伯。"② 可见吴石清楚自己该干什么。当事人吴石好友何遂之女何嘉后来的回忆也充满深情："八月在台北，父亲和吴伯伯接触密切。为了人民解放事业和避免祖国的分裂，吴石甘冒斧钺，同意继续为共产党工作。我们并在香港协助吴石和党组织接上了关系。这段生活很特殊，由于工作关系和环境险恶，我和父亲的关系有了不寻常的变化，我们既是父女，又是为完成一个共同任务而努力工作的同生死的战友。"③

① 吴韶成：《忆父亲》，中国人民政治协商会议福州市郊区委员会等编：《吴石将军英魂略》，1993年版。

② 何世平1996年12月29日给吴韶成的信。

③ 何嘉：《传奇人、赤子心》，何达主编：《何遂遗踪》第5页。

1949年9月中旬的一天，吴石也悄然来到香港。经何嘉联系，由何嘉陪同吴石到港岛牛奶公司与中共上海局干部余秉熹见面，他们单独作了长谈。他们之间说了什么话，现在无从知晓，但应该做了很好的安排。2009年5月，83岁高龄的何嘉很清晰地告诉我：两人出来后，一脸的轻松，事情进展令人满意。事后，何嘉陪吴石渡海过九龙，吴石笑着对何嘉说："小妹，我该给你买双鞋了，为我们的事情，你的鞋都跑坏了。"吴石对何家子女，一向是很亲切随和的。这次吴石很快就回台北了。

10月初，吴石再次来到香港。何嘉再去找余秉熹。余说："万景光已来香港，这个事情今后由万景光负责。"

万景光时为中共华东局对台工作委员会驻港的负责人，人称"小万"，曾化名"刘栋平"。小万，这位在国民党"保密局"人员眼中"妖魔化"了的人物，被他的对手们称为"中共对台湾秘密工作的魔手""中共对台湾工作的主角"，究竟是怎样一个人？

早在抗战之初，还在复旦大学学习的万景光，作为两广同学抗敌后援会的骨干，就在中共上海地下党的领导下，为上海人民支援新四军、向抗日武装输送募捐款和各类物资奔走呼唤，跟国民党、三青团中的顽固派展开针锋相对的斗争。太平洋战争爆发后，万景光奉命转移到苏（州）常（熟）太（仓）游击根据地，继续为党工作。抗战胜利后，万景光积极投身上海的爱国民主运动，1945年12月30日在上海科学社召开中国民主促进会成立大会，到会代表有马叙伦、周建人、许广平、雷洁琼、刘大杰、柯灵、赵朴初等26位知名人士，万景光名列其间。1946年底，经中共上海局研究，万景光被派

万景光、冯修蕙夫妇（20世纪50年代在北京）

往香港建立上海局联络点（办事处）。万景光到香港后，利用其父吴叠卿在香港开设的永春堂药店作为通讯联络点，并在摩利臣山道 26 号租房，作为宿舍和办事处；职业掩护方面，万景光通过岳父冯少山的友人、曾任“国大代表”的陈大勋律师的关系，同陈在香港德辅道合开荣记行（后改为国新公司），自任副总经理，以便公开活动。1947 年 1 月初，上海局副书记刘长胜到香港，指导办事处开展工作。后来，刘晓、钱瑛、张执一、沙文汉以及陈修良等领导同志来港后都曾在这里居住、主持各项工作。1949 年 5 月上海解放后，刘晓返回解放区，上海局驻港办事处由沙文汉领导，办事处的隶属关系也改为华东局对台工作委员会第二工作队，工作重点转向对台工作，全力推进情报搜集与策反活动，为配合人民解放军的军事行动作积极的准备。

第二天，万景光就到九龙塘沙福道李朗如（曾任孙中山的侍卫长，香港“陈李济”老板，新中国成立后曾任广州市副市长，他是何遂长子何世庸的岳父）家看望何遂，随即由何遂之子、李朗如女婿、中共党员何世庸陪同万景光去见吴石。

谈完话，告辞出来，万景光又命何嘉去送吴石。当天下午，吴石就要回台北。何嘉受万景光的委托，专门送他到启德机场，目送他离去。这次香港之行，吴石与我地下组织再次接上关系。回台后，吴石度过人生中的最后一个生日。1949 年 10 月 6 日（农历八月十五），吴石与妻子商议，到台北照相馆，留影纪念。这些照片成为他与家人在一起的最后影像。在照片中，仅吴石将军及其夫人、小儿子 3 人，明显的不是一个完整的家庭合影，却是全家欢的缩影。或许在吴石将军心里，最迟不过明年，一家人会团聚在一起，享受天伦之乐。10 月底，国民政府发表吴石出任国防部参谋次长，吴石一时成为引人注目的军界新星。这一任命，使我党在国民党军的核心中枢有了一条可靠的高级内线，也为吴石发挥作用提供了极好的掩护。

吴石从万景光处领受任务回台后，由于香港方面的联络员尚未派出，吴石曾三次派人送情报到香港，其中两次是由他的亲信副官聂曦送出，一次是托何家亲戚送出，都由他亲自封好，写明由何遂亲启。这些情报送到何世庸岳父、国民党元老李朗如家，由何世庸、何嘉转交万景光。这样做，虽然接上已经中断的秘密情报线，但这样的情报传递是极易被察觉的，有着暴露的危险，也会影响到吴石本人的安全。万景光心里十分清楚，吴石情报组是我党掌握台湾情报的重要管道，不能出现任何闪失。为此，万景光感到焦虑与不安。如何为吴石这位高级情报关系建立秘密联络交通，确保这条重要情报线的安全，他认真思考着……

在台湾，经吴石的精心运作，秘密情报工作进展很快，铺开的面也极广。正如江南在《蒋经国传》中所说："吴石在台湾的特工工作，遍及东南长官公署、保安司令部和空军部队。"同时，吴石还两次派身边的亲信陈卫[①]潜回福建，向福建省军管会报告阵前起义安排及台湾军情，对起义人员具体安置、军事情报收集方向等进行磋商，并将福建省军管会的指示带回台湾，口头反馈给吴石。

1985 年冬陈卫、潘月林在福州鼓山

应万景光的要求，中共华东局台湾工作委员会经慎重考虑，选派中共地下党员朱枫赴台，作为吴石的联络交通，以迅速获取台湾方面的军事情报，同时联络中共台湾省工委书记蔡孝乾。

朱枫（1905—1950），名谌之，字弥明，浙江镇海人。出生于富裕渔商家庭的朱枫，青年时期在女子师范读书时，受到进步思想的影响，参加声援五卅运动。后来她远嫁东北，丈夫于 1932 年病故。此后，在镇海，她投身于抗日救亡运动。1937 年抗战全面爆发后，她开始自觉地参加革命工作，积极组织青年、妇女进行抗日宣传活动，组织歌咏队，演出《保卫卢沟桥》等活话剧，震动了镇海县城。1938 年，日军逼近镇海，朱枫与家人离开家乡。她在中共地下党的指引下，先后在金华、武汉、皖南新四军军部、桂林、上海等处，从事文化与贸易工作。

---

① 陈卫（1914—1987），原名陈瑞麟，担任过吴石副官。"吴石案"发生不久，撤回大陆。

吴石、王碧奎与小儿子的中秋合影

朱枫

1945年春，她由徐雪寒[①]、史永[②]介绍，秘密加入中国共产党。1949年朱枫奉地下党指示去香港工作。夏秋之交，她接到上海中共华东局的指示，要她立即去台工作。临行前，她给在上海的爱人朱晓光的信中写道："兄将外出经商，此去将有几月逗留。妹不必掂记，也不必和他人说起。妹如须去别处，请勿为我滞行。这时候，个人的事情暂勿放在心上，……更重要的应先去做。"由于秘密工作的需要，信中的性别是有意颠倒的。

"兰沙丹尼"轮在大海上颠簸了两天两夜，于1949年11月27日抵达基隆港。随后，朱枫来到目的地台北，入住女婿家——台湾省警务机关家属宿舍，开始了充满危险的工作。对于这样的巧妙安排，当年"负责抓人的谷正文少将"于20世纪90年代向社会公开的"绝密资料"《国防部历年侦破匪叛乱案汇编》中作为经验来总结，指出："共匪运用女匪干朱谌之与我台省警务处电讯管理所主任王昌诚（王经查明无罪，恢复公职）之至亲关

① 徐雪寒（1910—1999），名汉臣，浙江慈溪人。著名经济学家。1935年在上海创办新知书店，任经理。后任上海文化界救国会会刊《救亡情报》主编、全国各界救国联合会副总干事。1943年后在新四军军部工作。1944年加入中国共产党。新中国成立后，任国务院经济研究中心常务干事等职。

② 史永（1910—1999），原名沙文威，浙江宁波人，长期从事地下情报工作。新中国成立后在中央统战部任职。

系办理入境证，及寄居王家，以掩护身份进行工作。此种大胆深入之方式，颇切合秘密工作之要求。共匪运用党性坚强、学能优良之女匪干，担任交通联络工作，极易减少外界之注意与达成所负任务。”

第二天一早，女儿和女婿都上班去了。朱枫跟家中带孩子的保姆招呼一声出了门。她坐公交车去了基隆，走进一家叫“三荣行”的南北货店，按照约定的暗号与台湾地下党的最高领导人——中共台湾省工委书记蔡孝乾联系。蔡孝乾将远来的客人引进店堂的内室，两人交谈起来。

蔡孝乾，又名蔡乾、蔡前。美国记者埃德加·斯诺曾对蔡乾进行过专访，在《红色中国杂记》中以“台湾人”为题描述了蔡乾的身世：

蔡乾于1908年出生在台湾（福摩萨）省台中市附近的彰化。他父亲是一家粮店的会计，是300个福建家族之一的后裔。这些家族当年是同领导反抗满族斗争的“国姓爷”（指郑成功）一起渡海来到台湾的。

蔡乾6岁上小学，学习日语，8年后毕业。他留在彰化的母校教了一年书。1924年，他父亲和台湾中国文化协会各为他筹措了部分路费，送他到上海，就读于上海大学。这所大学1924—1925年间的校长是于右任。

在上海大学，蔡乾学习了社会学，也学了一点马克思主义理论。1926年12月，他返回台湾，从事中国革命的宣传工作，并在文化协会内部组织了一个左翼团体。早在上海时，他就已经加入了社会主义青年团。这时文化协会采用了一个激进的纲领，日本人得悉此事后，便以共产党的罪名逮捕了10位协会领导人，他们全是从大陆上回来的大学生，另外还逮捕了20名青年。

1927年1月，蔡乾在台河谷[①]被捕入狱。根据他行李中发现的激进的印刷品，他被控犯有共产主义嫌疑罪，因此被判处监禁一年，同年11月获假释出狱。蔡在狱中被关押在一间单人牢房，没有受到虐待，文化协会的人还可以给他送食物。蔡出狱后，在《大众时报》任记者。

1928年4月，日本和台湾的学生在上海建立了一个台湾共产党组织，蔡建立了在台湾的基层组织。在台河谷，日本警察发现了他们的组织，逮捕了领导人。1928年11月，蔡离开台湾前往厦门，在台湾共产党厦门支部

---

① ［美］埃德加·斯诺：《红色中国杂记》，群众出版社1983年版，第120页。

工作。同年12月，他去福建省漳州，在石码中学任教。三年之后，他秘密地到了苏区，协助红军做好袭击漳州的准备工作。不久，红军就攻占了漳州。1932年5月，他到达瑞金，在列宁学院任教，教授社会学、土地问题等等。这时，他还兼任反帝同盟的工作，负责同殖民地人民的联络。

在长征期间，蔡在红一军团政治部任政委一职。到陕西后，他又恢复原来的工作，担任反帝同盟——此时改名为反日同盟——的主席。4月里，他又兼任西北苏维埃政府的内务部长。

蔡的妻子是台湾人，长征时留在江西；蔡估计她此时已安全转移到了福建。

埃德加·斯诺在介绍之后推测：

蔡乾既精通汉语又精通日语，两种语言驾轻就熟，读和说同样流利。

如果蔡还活着，那么他在台湾的共产党地下工作中，即使不是领袖，也可能是位颇有影响的人物。①

埃德加·斯诺的预测有一点是准确的，那就是蔡孝乾确实出任中共在台的最高领导人。但在他整理书稿完成的1953年，蔡孝乾已背叛了自己的信仰，成为出卖组织的可耻叛徒。

朱枫向蔡孝乾转达了组织的要求，并告诉他：自己住在台北市内的女婿家，逗留两个月左右，她所担负的密取重要情报的任务希望能得到“老郑”的帮助，下次见面最好能改在进出更方便的地方进行，因为她是以“母亲”和“外婆”身份来女儿家看外孙的，不能让家人和邻居生疑心。

蔡孝乾同朱枫约定，今后每周三同一时间接头，地点改在台北市内一家叫“建昌行”的联络点内，那里离朱枫的住地不算远，走过几条街就能到。

蔡孝乾要了朱枫女儿家的电话号码，他随手从口袋里掏出一张刚刚发行的新台币，将电话号码记在那张10元面值的钞票上。

12月初，一个冬日的午后，朱枫带着万景光给吴石的亲笔信，以“陈太太”的身份，走进台北杭州南路一座普通的宅院。她几乎有点怀疑自己走错了地方，因为这里还挂着“××电力公司招待所”的牌子。原来，吴

① 李敖：《白色恐怖述奇——李敖作品精选》，中国友谊出版公司2002年版，第208页。

石初到台北时，不仅国防部机关还没有随国民党政府从重庆迁来，连军官宿舍也还没有准备好，这里是借给他一家人暂时栖身之所，现在他和夫人、孩子已经搬进大安区的新居，这处老房子尚未退还，便成了一个不容易引起外人注意的秘密联络点。

门外还下着淅沥沥的小雨。吴石请“陈太太”在会客间坐下，亲自为客人奉茶。朱枫将“刘老板”托带的短简郑重地交到他手里。

朱枫谈了万景光交代她的事情，吴石点点头，说这次因为住院联络仓促，临时安排这处旧宅，下回要请“陈太太”去新居做客，并同朱枫约定了具体的时间和地点。

一个星期后的周末，下午 4 点钟光景，朱枫看了看吴石给她的家庭住址——台北市青田街三巷六十八号，走进位于台北大安区的高尚住宅群落。吴石将朱枫请进书房。

吴石把自己准备好的几份情报文件交给朱枫，这次见面以后，每逢星期六下午 4 点钟，朱枫都到吴公馆去，将吴石准备好的文件、图表等密件取回。而后，按照预定方案，通过秘密渠道迅速传回大陆。

短短一个多月，吴石与朱枫接头六七次。在朱枫的协助下，吴石从台湾送出许多重要情报。

对吴石向我们党提供情报的重要性，李资生在《台湾大间谍案破获始末》文中也不能不承认：“吴石是一个忠诚过度的情报员，他以参谋人员的立场，猜测中共目前需要的情报，而加以有意的收集。他并且懂得情报的要次，特别注重数字、图表，使得朱小姐转送过去的资料，都对中共具有极大的价值。”①

不幸被捕

最坚强的堡垒往往从内部被攻破，最成功的潜伏者往往因叛徒的出卖而暴露。作为潜伏者，吴石有着完美的身份掩护，虽在抗战前后以及解

① 李资生：《台湾大间谍案破获始末》，刊香港《新闻天地》1950 年 7 月。

放战争末期与中共有过密切接触，但从未引起怀疑。来到台湾后，“国防部”参谋次长的身份不仅使他得以进入国民党军事机构最高决策层，更为他的潜伏增加了安全系数。军队最高决策层成员是敌对方的间谍，这即使在最具怀疑精神的反间谍人员心中也着实难起疑心，难以想象。正因为如此，朱谌之在台期间与吴石前后秘会6次，从未被发现，从吴石到朱谌之到基隆码头的秘密交通员再到香港至内地，这条情报链一直安然无恙。

吴石在台湾的潜伏正当顺利进行时，却因中共台工委的暴露而终止。

中共在台敌后工作的部署，早在1945年就开始了。抗战胜利后，蔡孝乾接受中共中央派遣，以台湾省工作委员会书记的身份返回台湾，发展地下组织。当时台工委隶属华中局（后改华东局），蔡孝乾1945年9月自延安出发，3个月后辗转到达江苏淮安，与时任华中分局常委的老领导张鼎丞、组织部长曾山见面，商讨赴台事宜，并请调曾在抗大受训的台湾籍干部张志忠等人。是年底，蔡孝乾、张志忠等赴台干部在上海集中，由上海地下党领导人刘晓、张执一等负责，组织他们学习一个月。1946年3月开始，这批同志陆续潜回台湾。同年5月，在台湾正式成立中共台湾省工委，蔡孝乾任书记，陈泽民任副书记兼组织部长，张志忠任武装部长，洪幼樵任宣传部长。

蔡孝乾本人于1946年7月进入台湾，隐姓埋名，在基隆港当码头工人，以掩护其身份。离台已18个寒暑的他，对战后初期台湾的政治和社会情况颇为生疏，因此在发展组织方面，侧重联络“老台共”党员，行动十分谨慎。1947年，台湾人民反蒋抗暴的二二八起义爆发前，台工委所召集和新加入的党员仅70余人。二二八起义遭国民党政府的残酷镇压以后，台湾民众对蒋介石独裁政权反人民、反民主的本质有了更深的认识，憎恨与不满情绪也有所增长。台工委在华东局指示下潜赴香港召开工作会议，总结经验教训，拟订新的斗争策略，进一步深入山地农村和城市基层，放手发动群众，也加强了同中共大陆情报部门的联系，积极配合人民解放战争的形势发展，为迎接解放台湾而做好各项准备工作。至1948年6月，台湾地下党已发展到400多人，分设30多个地方支部；到1949年底党员人数又迅速扩大到 970 余名。但因《光明报》事件，台湾当局对中共台湾工委的破坏越来越疯狂。

此时，朱枫深陷危机之中，却不清楚危险在一步步靠近。时间过得很快，朱枫完成多项重大任务。1950 年初，她已开始做离台返回的准备。由于台湾和大陆之间的航线和邮路均已切断，她经过仔细考虑，给远在上海的同乡好友朱慰庭及其夫君吕逸民写了一封短简，将归期告诉好友。

逸兄、慰姊：

别久颇以为念，遥维阖府康泰为颂！凤将于月内返里一行，约有一周至旬日可留，便望转告小女及晓妹等，多年不见想念你殷，得此可增快慰也！

专此即颂　冬安

祖湘嫂兄及诸亲友均候

威凤手上　一月十四日

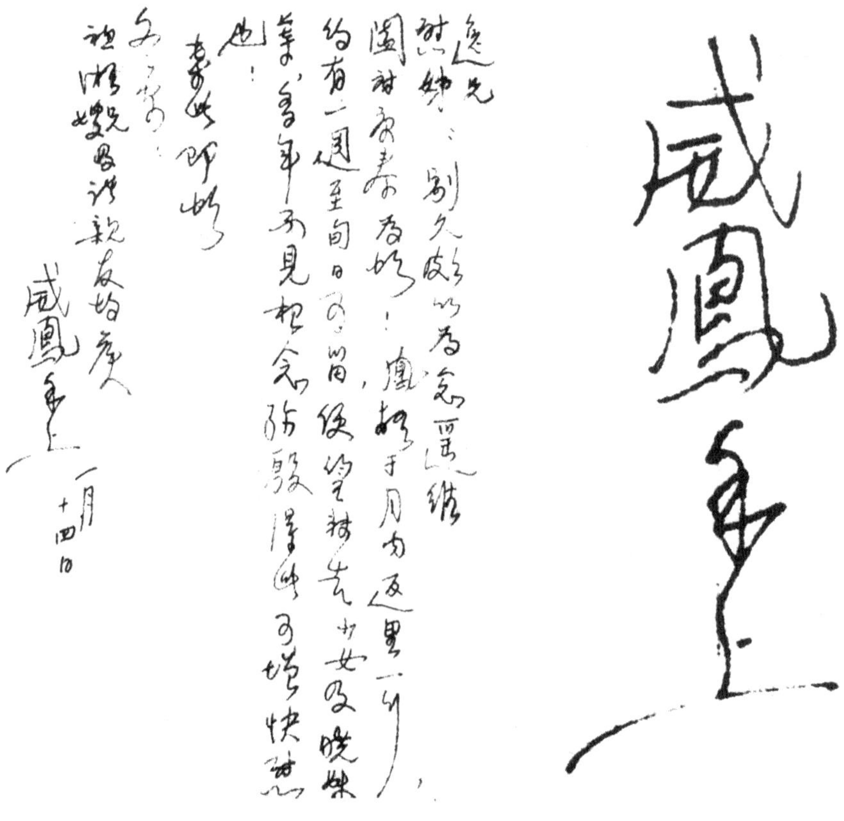

这是朱枫从台湾发出的唯一的一封“家书”，也是至今我们所能看到的烈士留在亲人手中的最后手迹。“简单的便条，要从蒋帮最后巢穴的台湾带出来也不容易，写于 1950 年 1 月 14 日，托人带到上海投邮已经是三月四号了”，“谁会想到，那时候她已落入敌人的魔掌！”——朱枫的爱人朱晓光在许多年后整理《朱枫烈士书信集》时，特地在这页信纸的原件旁作了这样特别的加注。

1950 年 1 月下旬，也是一个星期天的上午，朱枫像往常一样在 10 点钟之前来到“建昌行”。出乎意料，“老郑”没有露面，却接到蔡孝乾留给她的“报警”字条。

朱枫接到蔡孝乾留给她的“报警”字条后，立即去吴公馆找吴石。她告诉吴石，大陆家中有事情，打算尽快离台。由于基隆港船已停开，她走海路的计划不能实现了，听女婿说台北和舟山之间有军用飞机往来，那里离大陆很近，她想走这条线，请吴次长帮忙。

吴石回答说，空军方面熟人是有的，也许能用得上。这件事后来吴石交代给他的老部下聂曦办理。

1950 年 2 月 4 日，朱枫在吴石的协助下搭乘空军飞机飞往当时仍为国民党控制的浙江定海，并正欲搭船前往已经解放的上海。

朱枫没有能够赶在“月内返里”，向她通风报信、要她火速撤离的“老郑”，在 1950 年 1 月 29 日的这天晚上，在他从南部返回台北市内的居处时，被埋伏在那里的国民党保密局人员抓获了。但之后在带路指认时趁黑成功脱逃。

虽说蔡孝乾交代朱枫的电话号码迟了几天，打电话到阿菊家时扑了空，但敌人终于知道了大陆有派来女干部。之后，敌人侦查出朱枫的去向，把目标锁定在定海。顷刻之间，一道缉查和追捕“在逃女匪谍朱谌之”的密令送至定海县城内的警备司令部，所有的交通关卡都被严密地控制起来。一张铺天盖地的罗网在这座本来就不大的船形岛屿上撒下。她没有在县城落脚，而是去了舟山岛最东头的渔港沈家门，住进缪家路 15 号存济医院院长顾孙谋家，在长辈间有交情的顾家暂时安下身来。

而向她张开的厄运之网，却一天一天在收紧。1950 年 2 月 18 号，旧历正月初二,一个朔风怒号、寒流袭来的早晨，隐蔽了两个星期的朱枫被捕了，当即被解至定海县城里的看守所严密关押起来。羁押定海看守所之后，她料到台北方面一定出了问题，否则不会到舟山来抓她。2月26日深夜，这位忠贞的女共产党员用牙咬、用手掰，把金锁片和金链条分开，手镯折为两段，塞进自己的口中，试图吞金了结自己的生命，以自己的牺牲保全组织。《国防部历年侦破匪叛乱案汇编》对此有这样的议论："朱匪于被捕瞬间吞金企图自杀，证明其对应付事变，早作准备；匪干（指朱谌之）此种维护重要工作，不惜牺牲个人生命之纪律与精神，诚有可取法之处……"

朱枫自杀未遂，被看守发觉。就在这时，台北方面也在催促着"要人"，一架飞机将生死未卜的"重犯"从定海押送回台北，送进医院。实施抢救后，身体虚弱的朱枫受到严酷的审讯，始终没有低下共产党人高贵的头颅。

国民党保密局在"吴石案"档案的"综合检讨"中，对华东局派遣与吴石联络的朱谌之颇多解析，反映出国民党眼中所见的朱谌之。检讨说："(二）共匪运用女匪干朱谌之，与我台省警务处电讯管理所主任王昌诚（王经查明无罪恢复公职）之至亲关系办理入境证，及寄居王家，以掩护身份进行工作，此种大胆深入之方式，颇切合秘密工作之要求。(三）共匪运用党性坚强，学能优良之女匪干，担任交通联络工作，极易减少外界之注意与达成所负任务。(四）朱匪于被捕瞬间吞金企图自杀，证明其对应付事变，早做准备；匪干此种维护重要工作，不惜牺牲个人生命与纪律与精神，诚有可取法之处。(五）朱匪因与匪台湾省工委书记蔡孝乾及女匪干严秀峰联络，暴露身份，致遭失败，影响匪帮之'策反'即搜集情报工作甚大，而致此之由，实缘发生'横的联系'，所构成之严重错误。"

朱枫的被捕是由蔡孝乾引起的，而蔡孝乾的被捕则是由1949年底中共台湾省工委遭敌严重破坏导致的。1949年6月间，在对革命高潮即将到来的乐观估计中，台工委一些成员竟将机关报《光明报》塞进"行政院长"陈诚办公室以及蒋介石入住的士林官邸，事件惊动了最高当局。蒋介石限负责台湾安全事务的保安副司令彭孟辑一个月内破案，但彭在限定的时间内没能破案，于是蒋介石又交给保密局局长毛人凤办理。时任保密局二处处长的叶翔之研判后认定，能印报纸的地方，一定是学校，而且是中学，非大学。因为大学中保密局眼线密布，一旦出现就会被发现。结果，保密局派人到各中学调查，很快就发现基隆中学的考卷与《光明报》一致，一大批地下党人遭逮捕。于是，顺着线索追查，12 月台工委副书记兼组织部长陈泽民落入敌手，迅速危及台工委的高层。

陈泽民被捕后，蔡孝乾意识到形势严峻。他从大陆来的交通员朱谌之的神秘行踪中隐约感觉到另有一个秘密情报系统的存在，就找朱谌之商议，说部分同志身份暴露，需尽快撤回大陆，但国民党对出岛控制极严，没有国民党高官的帮助，很难成行，问朱谌之有没有什么办法。面对紧急情况，朱谌之答应想办法。

1950 年 4 月 27 日，蔡孝乾第二次被捕，彻底变节，出卖了中共台湾省工委整个组织。

1950 年 6 月 1 日，蔡孝乾在国民党的安排下在《中央日报》发表了一份公开声明，并在“中央电台”赤裸裸作录音讲话，对仍在台湾活动的地下党人造成严重的打击。他说：“我是蔡孝乾，也就是蔡乾，在中共有 20 多年的历史，也是中共极少数的台湾高级干部之一。今日中共许多党的老干部，不是我熟悉的朋友，就是我当年共患难生死的同伴……我曾经是苏区时代的中央执行委员，参加过两万五千里长征，也曾是中华苏维埃政府的内务部长。后来调任第十八集团军总政治部的敌工部长，抗日战争结束后，我是中共台湾省工作委员会的书记，党在台湾的实际负责人。……四年以来，我们在台湾，工作不能说不努力，对党也没有叛离，中共中央对我们的支持也是热切而有利的。虽然台湾的工作环境十分恶劣。”

同时，蔡孝乾又以台湾人的身份向本省人做另一广播：“最后，我要向台湾同胞，尤其是向尚未自首的中共党员们说明，中国共产党是一个组织严峻的集团，对党员的控制，是一贯使用严格的纪律，我在中共党内 25 年，期间不知受了多少痛苦和折磨，也不知受了多少压迫和欺凌，但是我是没有任何办法反抗的……”

保密局根据蔡孝乾供述，抓捕各级党员干部619人、群众96人，破获各级组织135个。由此，台湾一脚走进被后人称作的“扑杀红色时代”。

要说中共历史上的大叛徒，蔡孝乾应当算作重要的一个了。由于蔡孝乾供出所有组织成员，有“戴罪立功”之表现，在叶翔之等向蒋介石力保下，不但留住性命，还将他任命为国民党中央“国防部”保密局设计委员会委员，官及“国防部”情报局匪情研究室少将副主任，以此来威慑我地下组织。为破坏我地下组织，国防部保密局可谓机关算尽。他的《毛泽东军事思想研究》1970年被译成多国文字，1968年以后他以江西苏区回忆及红军长征回忆为主题写了多篇文章，并著有《日本帝国主义的殖民地台湾》等。

叛徒的日子并不自由。很长一段时间内，毛人凤并不相信蔡孝乾、陈泽民、洪幼樵投降的诚意，硬不让蔡孝乾、陈泽民、洪幼樵在保密局内办公，而是另外安排地点并严加警卫，予以提防。这3个投敌分子却不甘此境遇，表示抗议：“我们都投降了，还监视我们干什么？”当局虽经解释也不管用，如鲠在喉，又不能不做出样子。为安抚他们只好撤下警卫，给每人配两条德国大狼狗，做给其他投诚人员看。据说，当时台湾经济紧张，这些狼狗天天要吃肉，每月所耗相当于一位少校的薪水，成为一幕荒谬的闹剧。1982年，蔡孝乾死于台北，终年74岁。

其实蔡孝乾1950年1月29日第一次被捕，其真实身份未真正暴露。尽管此后不久蔡孝乾乘机脱逃，但有着灵敏嗅觉的保密局从他的口中锁定了从香港来台湾的朱枫的中共特派员身份，造成朱枫被捕，这方面情况上文已述，一张大网随即朝吴石撒来。随后又从一张吴石为地下党人刘桂麟办的“特别通行证”查到蛛丝马迹，一层层追查下去，由此，吴石方面也开始出现问题，潜伏者的秘密身份逐渐曝光。

吴石当时虽然只是中将军衔，却贵为参谋次长，而且重要的是，行政院长陈诚是他的同学、参谋总长周至柔是他的好友。对如此的重要人物，保密局自然颇多忌惮，经局长毛人凤报告蒋介石，亦仅含糊其辞，周至柔虽面有难色，只得命“先取证据，再办吴石”。经严密侦查，一张无形的大网向吴石凶猛扑来。

经侦讯，国民党保密局于1950年2月28日将吴石太太王碧奎请去。就在吴石太太被捕的第二天（3月1日）晚上，特务们再次敲开吴家的大门。

吴石被捕时的官邸客厅

听到勤务兵的通报后，身穿睡衣的主人从卧室里走出来。不速之客已站在会客室里，鉴于吴石的官阶，为首者还是颇有礼貌地说："吴次长，这么晚来打扰您，是因为您太太的事，上峰说还必须请吴次长亲自去一趟才能够解决。"

这是意料中的事，吴石坐在沙发上没有多考虑，便站起身来："好，我这就去。"

说过就回房间换衣，穿上一套草绿色的军便服，然后招呼隔壁的女儿，小声地要告诉她什么。这时候从会客室一直盯到卧室里来的两个特务，连忙上前干涉，要他有话要公开说，不能耳语。吴石很不高兴地挣脱两个家伙的纠缠，走回会客室坐下："我不去了，你们能将我怎么样？"刚才站在客厅里说话的那个领头的，又软中带硬地回答说："这是我们的公务，请吴次长见谅。要是不去的话，上峰有命令，我们可以采取任何必要的方法完成任务。"

他说完这话就掉头出门，一辆黑色轿车早已停靠在门外。另外两个特务随即紧挨着吴石，摆出一副挟持的架势。这时，女儿从卧室里冲出来，一把拉住爸爸，大声号哭起来。吴石强压着自己激动的情绪，慈爱地摸着女儿的头，安慰她说："别怕，爸爸去了，妈妈就会回来的。你在家里带好弟弟啊！"

留下身后女儿呜呜地哭泣，吴石跟着那两人坐进黑色轿车的后座，车门关上，迅速开走。

这时那特务头目又带人回到内室和书房，进行了仔细搜查。之后，保密局派人在吴宅监住一周。吴石所有的书籍、文件、印章都被收走。令保密局人员大为不解的是，堂堂的一个中将，除了字帖、古籍，还是字帖、古籍，穷酸到没有多少积蓄，搜遍屋子只有黄金 10 两。搜查人员嘴里嘀咕："这清官真不值得。"或许良心发现，这个特务对其子女说："算了，这些黄金就给你们好好过日子吧！"姐弟俩被这突如其来的举动着实惊吓不少。但他们坚信父母是无辜的，认为这一定是抓错了。——明天，最迟后天父母又会回家。他们等到的是，一周后，双双被赶出家门。从此，再没有踏进他们所熟悉的家，过着寄人篱下的生活。就在这个时候，同族吴荫先不顾受牵连，伸出援助之手，暂时收留了这对无依无靠的姐弟，总算解了燃眉之急。

"对吴石的侦讯是最困难的事"

1950 年 3 月 1 日夜，吴石的命运开始了逆转。吴石身陷囹圄，遭遇与高官显贵截然不同的境遇，有怎样的表现呢？这一次，他经历了人生最大的起落，从高级将领一下子滑到了黑牢里的"囚徒"。在狱中，吴石遭受酷刑，遭受反复的审讯，始终坚贞不屈。也因此，一只眼睛失去光明。

吴石毕竟是离不开笔墨的人，在狱中他极简单地记下有关要情。狱中遗留的手记使我们了解到在入狱后的大致情状：

三月一日午后九时半，被逮入狱。住看守所办公室之西厅。即晚，第二处叶处长来讯问。

二日，叶处长复来讯问。

四日夜，叶处长来讯问。

五日午后二时，迁禁于狱中五号。嗣后随时被讯问，均是使人神经异常紧张，心境异常刺激。

四月八日，国防部军法局派员来讯。于以知案已被交该局办，是次为侦讯性质。

廿六日，闻最高军法审审判长蒋鸣三氏予之运命，于是法定矣。

此期间仍不断在看守所被讯，其紧张、刺激如前。

廿八日，由五号狱房移住三号房。

五月廿日，房客挤至十之人多。我血压陡高，经医诊断后，认为人数过多，于生命有危险，房中因以减至七人。

卅一日，房客复稍调动，同房者六人。

从这段简短的记录中，可以得知：吴石 1950 年 3 月 5 日到 4 月 7 日遭到频繁且提心吊胆的提审，身心疲惫交加。从简短的文字中证实：鉴于吴石身份特别，且事关重大，国民党保密局二处处长叶翔之亲自出马负责主审。叶翔之后来升任台情报局局长，成为台湾情报圈极具影响的人物。

关于吴石被捕后在极其艰难的情况下坚守气节并曾周旋于敌人的文字记录十分罕见，也十分珍贵。

于 1950 年 3 月 9 日被捕、只比吴石晚了一个多星期的著名报人龚德柏以狱中见闻写了一部《蒋介石黑狱亲历记》，其中对“吴石案”有关的人和事也有零星的记叙。他所住的 4 号牢房就在吴所住的 3 号隔壁。保密局监狱前身是日据时期的军人监狱，原先的单人牢房“约九英尺长、四英尺半宽”，折合公制四平方米的面积都不到。牢房内“高地板，地板下可通风，虎头门约四尺半高，故出入均须低头。窗户口约六尺高，非抬头不能看见外面。窗口有铁栏杆，约三尺高、二尺宽，而在相对方向：即出入口上有一窗口，约二尺高、一尺半宽，中间有原木栏杆，故虽为对流而空气流通不甚好。四壁均系水泥，故与邻室不能说话。只敲壁响声，邻室可闻。”[①] 这样条件恶劣而狭窄的地方，因为国民党抓人太多，“第一晚就睡了四人，第二晚增至六人，第三晚又增一人，以后均为七八人，有时曾至十人。这样睡的问题已非常严重。但至五月十号，我被他人挤得连坐都不能坐，只得站立三小时。‘自由中国’进步至如此地步，希特勒的德国亦当自愧不如了。幸而只一星期，救星下降，即国防部次长吴石经医生检验，血压高至二百

① 李敖：《白色恐怖述奇——李敖作品精选》，中国友谊出版公司 2002 年 1 版，第 210 页。

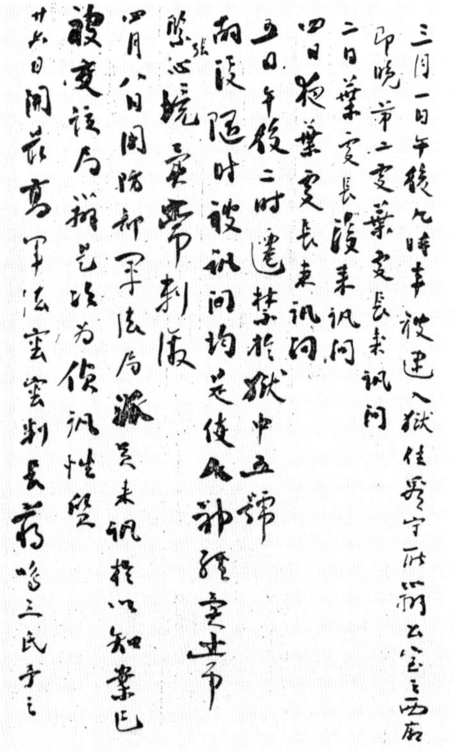

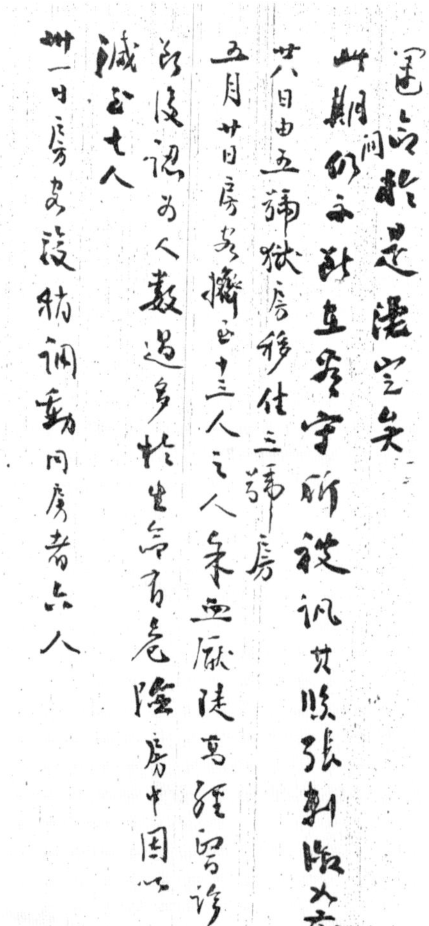

吴石记录入狱情形的手记

余度，非得安眠，有即日脑溢血而死之危险。但吴为要犯，非明正典刑不可，所以特别由吴石所住之三号，调出若干人，由四号调我，由十号调罗泽闽至三号，共凑成七人。此七人局势维持数日，又成为八人。”[1] 这段文字印证吴石手记的牢狱生活。他们被戴上手铐脚镣，一日三餐都是通过牢房门上的一个小窗口送进去。食物常常是掺杂着残羹剩菜，可以想象一切多么糟糕。

在国民党当局看来“对吴石的侦讯是最困难的事”。

据李资生《台湾大间谍案破获始末》一文记叙：“当他（指吴石）初来的时候，他一度想用参谋次长的威严来吓人。可是，当主管人员把一切情况暗示给他以后，他马上改变态度，从此，他就很诚恳、很明白地说明自己的经过。但他一贯的老脾气，就是吞吞吐吐，不肯直截了当地讲，除非把一切证据都提出来，他很难得承认，尤其是牵涉到第三者的时候，他总带着‘好心’来替别人洗刷。所以，我们说吴石‘诚意’‘坦白’，是在侦讯人员有计划的盘问中，使他不能不诚实，不能不坦白。严格地说，对吴石的侦讯是最困难的事。”这一段白纸黑字中极不情愿的语气，却让我们看到吴石坚贞不屈、沉着应对、保护战友的身影。

迟于吴石 10 天和吴石在“南所”相处一个多月的狱友、台共成员刘建修在 2009 年 8 月的口述，让我们读到了吴石在狱中最后的生命细节：

将近六十年前，那天是 1950 年 3 月 10 日，我因“邮电案”被逮捕。三个特务把我押送到“南所”，这是保密局的一个看守所。“南所”是在台北市的“台湾警备总司令部”围墙里面。“警总”大门在博爱路，但因为“南所”的位置靠近后门，所以这单位的人，是从延平南路的后门出入。“南所”是钢筋水泥的二层楼房，在一个院子里。从前日据时代，它是犯错的日本军官“关禁闭”的所在。

我那天在泉州街的家里被抓，特务立刻拿黑布把我眼睛蒙住。一直进了“南所”之后，脸上的布才被拿掉，所以我不知道这是哪里。后来才晓得，“南所”围墙的外面是电信局，就是我平时上班的地方。

---

① 李资生：《台湾大间谍案破获始末》，刊香港《新闻天地》1950 年 7 月。

特务把我带进“南所”时，大约是早上七八点钟。他们对我搜身检查；我身上的一些东西，例如腰带，都被没收了。这些事情做完后，特务把我交给一个“看守”；那人叫我跟着他走。这栋建筑物的内部，中间是一条走道，两旁有一个个房间。我的牢房在楼下左边，是第三或第四间。

牢房的面积很小。我看到里面已经关了两个人犯；年纪大的那人，就是吴石，约 50 岁，只是当时我还不知道他的名字。我那年才 23 岁，所以觉得他已经相当老了。吴石有些胖，身材不高，脸形是圆的；他头发很短，像个光头。那一天吴石把腿盘起来，坐在地板上看书，身旁也放了几本书，叠在一起。我心里想：“这么好，还有书可以看。”后来我听到吴石说话的口音，就晓得他是福州人，因为福州口音很好认。我的电信局同事中，有几个是从福州来的。

房里另外的一个人，大约 40 岁，个子高大；以后我由各方面去判断，他可能是山东人。那天我走进房间时，吴石转头看看我，没有说话。山东人向我打招呼，问：“你住哪里？”我简单地回答他：“台北。”“在哪里服务？”“电信局。”“什么事情把你抓来？”“不知道。”那人说：“既来之，则安之。没有事，没有事，放心啦。”

牢房的三面墙壁是水泥，一面是木头的门；看起来，整个空间像是日本式的。地面铺了木板，天花板也是木头材料。那个天花板的中央，安装了一个小电灯。房间面积大概只有 3 个 tatami。tatami 就是日本的叠席，大小等于一个单人床，但稍微窄一点；当时的台湾，常以 tatami 来计算室内的面积。

在房间里，后面墙壁的上方，有一个很小的窗子。门旁边的墙上开了小洞，“看守”可以从那小洞监视人犯。在门的下部，也有一个洞；每天我们吃的饭菜，就从这洞口送进来。平时，“看守”一直在走道上走来走去。

每天有一次放风，但时间很短，才 10 分钟。放风有时是在上午，有时在下午。如果“看守”把门打开，喊一声“放风”，我们就走出去。院子里只有草坪，没有树。我们在院子活动时，一个看守站在旁边监视。各牢房人犯的放风时间，似乎是错开的，因为我没有见过其他房间的人。

放风之后，吴石和山东人可以去洗澡。我因为什么用品都没有，所以被关在“南所”大约一个月期间，我都没洗澡、洗脸和刷牙。

“南所”的建筑已经有些旧了，但环境还好。牢房里没有桌椅。靠近门的地方，放了一个马桶。每天晚上，我睡在门旁边，吴石睡中间，那山东人在最里面。

被关在“南所”的人犯，一天吃两顿饭。上午吃稀饭，每个人大约有10颗花生米；好像偶尔能吃到豆浆和馒头。下午送进来的饭菜也很差：小盆子里放了白饭，每人可以分到两碗。所谓的“菜”，几乎每天都是冬瓜汤，是装在铝盆里，大家一起吃；一个人大约能吃3块冬瓜。有时候，厨房会用空心菜代替冬瓜。

吃饭时，我们三人围着坐下，饭菜放在中央。从第一天起，我就发现吴石可能不是一般的老百姓。因为每次都会送来一个小盆子，装着别的食物，是专门给他吃的。盆子里有肉、鱼，比一般人犯的伙食，要好很多。那个山东人似乎同吴石有些熟悉，因为他会吃吴石的菜，也主动向吴石说话、“献殷勤”，例如他问吴石：“还要不要再装饭？”那人对我就不说这些。

三四天后，吴石招呼我吃他的菜。后来我跟吴石比较熟了，有时会吃他盆子里的东西。吴石整天都很安静，几乎是从来不讲话。在他脸上，我看不出什么表情。他也没有明显忧愁的样子，可以说是相当镇定。吴石能够这样，是很不容易的；因为我对自己的命运就感到害怕，也担心家人和同志的情况。

在白天，吴石通常是一半时间在看书，其余时候就躺着。他要看书时，就坐在窗外光线照得到的地方。吴石一直在读同样的书。有一次他两手把书拿得比较高，我看到封面印着“中国文学史”几个字。他在牢里，好像还有一支笔。不过我现在始终想不起来，他究竟有没有戴眼镜。

吴石把另外几本书放在地板上，都是相当厚的、硬壳的精装本，而且是旧书。我对这些书籍有点好奇，但不敢去动它们。有一次我歪着头，看一下书的侧面。记得其中有两本是《中国史纲》《世界史纲》。因为房间太小，又不通风，有时吴石就只穿着汗衫。我自己什么东西也没有，只有身上穿的那一套，没有替换的衣服。吴石的衣物比较多，有枕头、毯子（或被子）和内衣、外衣。他换下的衣裤，会交给“看守”送出去，也有人给他送来干净的衣服。

我进来约两三天以后，听到那山东人说，他是上校，在国防部某单位工作，因为金钱方面出了问题，所以从半年前，就被关在这里；不过他的问题已查清楚，没有事了，大概一星期后就可以回去。那人还说，如果我和吴石有事要向家人交代，他可以帮忙传话。

我始终没问山东人姓什么。当时我心里恐惧，也知道有“窃听器”这类东西，所以任何话都不敢讲，只是用耳朵听。有时“看守”会把山东人叫出去；这种情形发生好几次。

大约过了几天，山东人和吴石互相在“咬耳朵”……小声地说话；看那样子，他们是怕我听到。接下来的几天，他们都这样讲话。

山东人又向我们说一些“已经调查完毕，很快就会被放回去”之类的话。果然，两三天后“看守”喊那人的名字。他收拾几件衣服，弄成一个小包袱，就走了。

又经过两天左右，吴石在晚上被叫出去。我想，大概是要审问他吧。整个夜里，只有我一人在房间睡觉；直到天亮，吴石还没回来。他的书堆在地板上；我过去看看。那本《中国文学史》封面，有毛笔写的“吴石”两字。字很端正。我这时才知道他的名字，心里在想：“这个名字不错嘛，很简单，好写又好记。”

下午，门突然被打开，两个特务很粗暴地把吴石丢进来。那门又立刻关上。我去查看他的情况。吴石被凌虐得很厉害，躺在地板上不动，也不讲话。当时他没有穿长裤，身上到处是伤，皮肤是红的、紫的，腿也肿得很大。

吴石一直是躺在那里，我也没讲话。大约过了一两小时，他慢慢坐起来，靠着墙壁，仍然没有开口。之后，饭送来了。吴石指着他的那盆菜，很虚弱地对我说：“吃吧，吃吧。”可是他自己并没有吃东西。我因为胃口很差，没有吃他的食物。我问吴石的情形，他说："我被用刑了。"我又问："什么事啊？"他说："没什么事。"

在那以后，"看守"每天会叫吴石出去擦药。不管是白天、晚上，他都躺着不动，也不看书。我问他："有没有我可以帮忙的？"吴石说："不用，不用。"他只吃少量的东西，喝一些稀饭和汤。

三五天后，吴石好一点了，有时坐起来看书，读的还是那本《中国文学史》。我问他："你是什么事情？"现在我不记得他是怎么回答。我看吴石不像坏人，很同情他。我是个社会主义者；在那时的前几年，台湾发生"2·28"事件，所以自己痛恨蒋家政权。我猜想，吴石应该也是反对国民党的。我想知道他的情况，但又不敢多问。

他也跟我交谈，问我"是哪里人，在哪里工作"等等。我对他说了，他点点头。吴石又问："你是不是蔡孝乾的案子？"我说不知道。我现在觉得，吴石判断得不错，但我当时真的不知道蔡孝乾是谁。我们有时候会说说话，不过现在我已忘记内容。吴石和我互相比较熟悉了。我心里怀疑那山东人有问题，吴石可能中了圈套。虽然我这样想，但这事情太严重，不适合跟吴石谈这些。

过了一两个星期，有一晚上，吴石又被叫出去，也是第二天下午才抬进来。

这次吴石更加痛苦。他睡了一天一夜，没有动，眼睛闭着，一直发出呻吟的声音。我有向他表示关心，现在不记得他是什么反应。我不敢吵他，而且自己害怕，知道这也是我将来的遭遇。每次饭菜被送进来时，我都会劝吴石："还是要吃一点。不吃不行。"他勉强爬起来，吃一点点，喝一些汤。我看到这个样子，心里实在很难过。又过一阵子，吴石的身体有些恢复。一天，"看守"把门打开，喊我的名字，说："出来"。这次轮到我了。

审问我时，那些特务分成3组，每组两个人，轮流进行。大约2—4小时，就换班一次。在那房子里，很强的灯光照在我脸上。用刑是非常可怕的。那些特务没有人性，不是人，简直是禽兽、魔鬼。我被抬回牢房时，也是不能动，只能躺着，连续几天都是这样。吴石自己虽然也很虚弱，但会对我说些鼓励的话，例如：“忍耐一点，忍耐一点。”送饭进来的时候，他会说：“吃饭啰，吃饭啰。”又过来问我：“可不可以起来？”并且叫我吃他那一盆食物。我没吃他的菜，实在是吃不下。我对吴石是感谢的，因为从他的眼神、口气，可以看得出来，他是关心我的。

从在狱中被用刑，而且在牢房里安插了卧底的特务，这些情况可以看出：吴石和其他囚犯不同的是，他是高级将领，他的神秘背景一而再、再而三地被调查。在保密局眼里他是一条大鱼，岂肯放过？

吴石在保密局监狱的日子一定过得相当痛苦。在将近3个月零11天的时间里，每天他都要准备随时可能到来的死亡：听到走廊上脚镣的声响，看到牢门钥匙的转动，等候与死神见面。面对十入九死的黑狱，吴石知道，没有任何指望会走出这深牢大狱。他的遗书早在狱中预先断断续续草就，在就义前的一刻用一首七言诗作结尾。遗书写在《元赵文敏九歌书画册》的背面，为行草所书。多少年后，他的亲人好友读到了这意味深长、字字珠玑的2000多字的遗书，心中滋生感怀。我想，吴石要使这份生命中的最后文字，传到狱外。尽管在当时的环境下，许多事不宜充分表白，有些文字还有些晦涩，但这最后的遗言已传递出他心底的颤音。这里面有他对亲人最深的怀思，有他对理想最执拗的坚守，有他对热心人帮助的深情答谢，有他对弘扬清廉家风的最后叮嘱，有他为民族命运不惜牺牲的心声。

打开遗书，其内容震撼人心，全文实际上由3个部分构成。其中最重要的为以下部分，约2000多字，陈述自己的经历，亦交代后事。

我家累世寒儒，读书为善，向为乡邻、戚友敬爱。先君生余，已届晚年，所期许者甚深。余于民元参加学生军，北伐满清，未几和议告成，乃从入伍生而预备学校、而保定军校，嗣更留学日本炮兵学校与陆军大学。在学时期，以勤苦劬学闻于侪辈。保定军校与留学日本，均得以第一人卒业。任事以还，忠慎勤清，绝不丝毫苟且，一息偷安。凡我师生僚友，无不称道，不绝于口。所著成绩，知我均能道之，不愿具述。

余韶龄颇聪颖，第因体孱多病，先君又衣食于奔走，致少年失学。幸入军事学校后，自知励志，殚力苦读，不特文艺学术出人头地，而体魄与术科亦极强胜。壮岁旅居北燕，受业于何梅生先生之门，经义诗词亦见精进，极蒙梅生夫子之赞许。友朋多以十二能之人目我，盖谓娴中外古今兵学，通文学，能诗、能词、能书、能画、能英语，能日语、能骑、能射、能驾、能泳也。不图今日竟陷此悲境，不能自保其身，亦可痛也。

自幼读书，颇知敦义爱人。自为学至于任事四十年来，对于助人一事，往往超越一己能力范围，对于恤贫周急，以及患难、失业之救济，冤狱之平反，慈善之提倡，经予一手力行者，不知凡几。今兹陷于囹圄，又复伊谁能救我乎。可笑亦复可哀！

余年廿九，方与碧奎结婚，壮年气盛，家中事稍不当意，便辞色俱历。然余心地温厚，待碧奎亦克尽夫道。碧奎既能忍受余之愤怒无怨色，待余亦甚亲切。卅年夫妇，极见和睦。此次累及碧（奎），无辜亦陷羁缧绁，余诚有负渠矣。提及儿女，至为伤心。长男美成原在武汉大学肄业，不幸于民（国）卅五乘轮返京途中轮遭回禄，美儿失踪，至今生死未卜，余与碧奎朝夕思念不置。二男展成生二月而殇，四男、五男均于抗战期间因乏良医良药，一因脑膜炎死于桂林，一因肺炎死于贵阳。两儿聪颖异常，爱我尤甚，均遭夭折，岂不痛哉。三男韶成、长女兰成，原在南京中大与上海医学院肄业，音书断绝，已期年矣。余最钟爱之少子健成今年才六龄，自伊呱呱坠地以来，曾未久离余膝下，朝夕拥抱调笑，无所不至，其足以解我忧郁，诚惟此子是赖。春间方报名入私立幼稚园，余尚未见其入学已被逮，不知父子尚有见面之日否？思之不禁泪涔涔下矣。

余著述除军事学课本多种不计外，第一部出版者为《兵学辞典》，抗战前曾再版，抗战间继续三版，并继以初续、再续两编刊行，国内外莫不视为最优良之军学参考，胜利后本拟综合三编重新修订，以人事总总未果。在陆大教授时代，尚编有《孙子兵法简编》及《克罗则维兹兵法研究》，已印行。《左传兵法》初稿已完，惜于桂柳会战原稿遗落，近正思着手重编，亦未果。抗战以来，编有《新战术之研究》《新国防论》《游日纪行》（是稿尚存颂络处）。近来，对于文武并重之精神，力加提倡，著有短编约十种；尚有《抗日新战法》《抗日回想录》

《历朝武学集解》等书，均集有资料，正拟着手编纂，今此望恐难偿矣。诗有《东游甲乙稿》已印，第二集与十年来所成诗稿均未印；词稿百余阕，亦于战时丢失。是均愿知我诸友好，设若予有不幸，为我辑印之也。

余惟一资财全在书籍。民（国）二十六以前在南京所有者最为可观，中以日本一切军事学参考资料（中有日本秘密兵书甚多），与余在日本陆大所得教程与个人战术战史作业等原件最为珍贵。其他各种古书，亦不在少数。乃因抗战撤退南京，所携带者仅少数而已；在桂亦经添补，桂柳会战退却，亦无法携带，遭二度损失。胜利后，复经多方收集，大部在福州乡中，亦望将来儿辈善为我整理保存。如能请诸友好协助为我设小规模图书馆，以作纪念，俾我爱书与好读之美习，传诸后人，则何幸如之。

余素不事资产，生活亦俭朴，手边有钱，均以购书与援助戚友。抗战前余薪入较丰，所羡馀于抗战期间，补贴无遗。胜利后，以人事纷冗，用度较大，有赖刘功芸兄与长芝族重任经济上援助者靡尠，余何能忘之。所望儿辈体会余一生清廉，应知自立，为善人，谨守吾家清廉俭（朴）家风，则吾意足矣。

十余年来风尘仆仆，又因抗战八载以迄于今，戎马关山都无闲逸之境，致读书养性功夫，大大欠缺，而有今日失足。夫复何言，夫复何言！

天意茫茫未可窥，悠悠世事更难知。

平生殚力唯忠善，如此收场亦太悲。

五十七年一梦中，声名志业总成空。

凭将一掬丹心在，泉下差堪对我翁。

另一方面内容侧重记录入狱的情况，写得从容、简明，在前文已提及，这里不赘述。

对子女的叮嘱构成遗书另一方面的独立内容：“学女，乖乖，要小心好好的看着，一切家中事请教胡伯伯（指胡雄将军，曾与吴石一家住在南京翠琅村一号），並请其照顾帮忙，门户好好的看，东西要收拾清楚。爹字。”

这里的“学女”指女儿吴学成，“乖乖”指小儿子吴健成，寥寥数语，恍如亲闻一位慈祥的老父亲对子女的临别叮嘱。这些话絮絮叨叨，周详恳切，将父子、父女间的至情展露得无余。

可以说，吴石将军在遗书中发自内心的最真实的情感在纸间蔓延，字里行间透露出吴石将军当时的心境竟是如此的坦然从容，人们从墨迹中感受到的只是凛然正气和心灵震撼。遗书流露出在最深的苦难中对世界和人生的深深思考，将一个硬汉的柔情与决绝表露无遗，将苦难的伟大自然呈现。

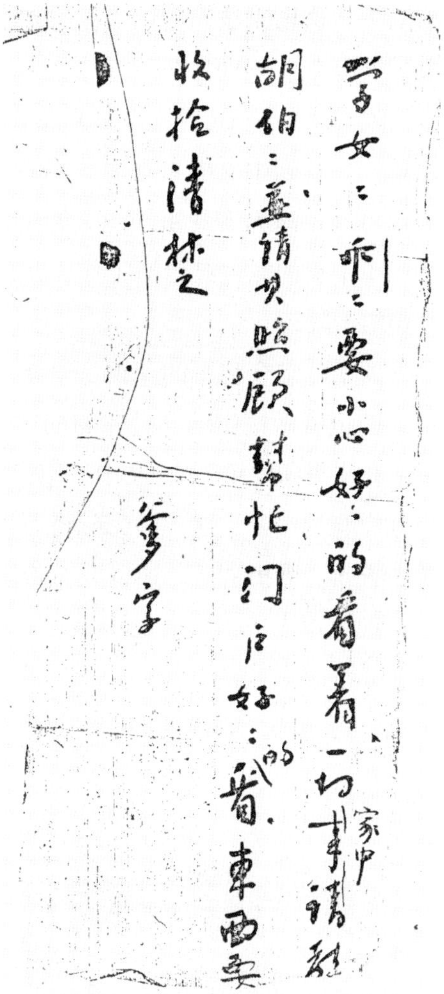
学女二二刚二二要小心好二的看着一切事 家中 请[illegible]
胡伯二二[illegible]请其照顾帮忙门户好二的看东西要
收拾清楚
爹字

吴石对子女的叮嘱只有只言片语，却父爱如山

吴石知道自己的生命即将走向终点，他觉得此时此刻必须向同在狱中的妻子有个最后的告别。于是，一场人间悲情时刻出现了。对于这次狱中的相会情形，1980 年 8 月 11 日，王碧奎从美国写给儿子吴韶成的信里有如泣如诉的倾述：“爹爹知道自己活不成，所以求管理人要见我。我两人相见极为悲伤。爹爹亲口交代遗嘱：最放心不下就是在大陆两兄妹，不知大学能读毕业否？希望两兄妹能成家立业，我（他）就安心。大概汝不久就可回家，与汝一点关系都没有。汝千万不可胡思乱想，自己要坚强，保重身体。这家专靠汝照顾，两个小孩健儿不太懂事，好好抚养成人，我的事汝不要管。听汝爹几句话我悲伤不得了，汝爹实在很勇敢，只顾关心儿女，自己不在乎。”这里“汝”字属福州方言，留有古汉语的痕迹，为“你”的意思。看着这段由一位饱经风霜、体会过生离死别的近 60 岁老者一笔一划写下满含血泪的记录，不禁让人潸

然泪下。这场无法逾越的人生劫难直逼吴石、王碧奎夫妇，这无疑是一个极易被历史遗忘的细节。

陈宝仓是迟于吴石 10 来天入狱的。1948 年春，陈宝仓在香港加入地下民革，并得到中共中央香港分局有关方面负责人饶彰风、方方等接见，陈表示可赴台湾为实现祖国统一做工作的愿望和决心。1949 年受中共华南局和民革中央的派遣赴台湾工作，在台协助吴石收集情报，定期由吴石汇总，传递给大陆。

关于陈宝仓将军的印象，早在 1939 年就有一个叫石辟澜（中共地下党员）的记者做过生动、具体的描述。石辟澜在《当粤北最紧张的时候——陈宝仓将军印象记》[①] 一文中，用极平静的口吻述说了 1939 年末粤北战役中对陈宝仓的印象，这“因为陈将军（指陈宝仓将军）关心文化、爱护文化、关心青年、爱护青年，所以我有许多机会看见陈将军魁梧的北方人的体格，一个现代军人应该具备的典型，时常显现在许多武装同志的中间，远望之显然充满了威武的气概！但稍一亲瞻，则盈溢着温雅的斯文气质，一副厚道的、可亲的、安详的面影，自然、和谐、平润的谈吐，使你简直忘记这是一位指挥杀敌的抗日军人。我曾经和陈将军说过：假使陈将军就文弃武，以您的文化素养和循循善诱青年的热情和态度，那一定要成为广大青年所拥护的教育家无疑。当然，陈将军只有谦虚地一笑置之。其实，除了这之外，陈将军在军事学上的修养以及对敌情的判断，调度谋划的准确及时，凡是读过陈将军《天寒岁暮敌之总崩溃战》一文的人，就应该

陈宝仓（中）、谢勃尔主持接受日本投降仪式

① 《新军》第 2 卷第 4 期，1939 年 3 月出版。作者石辟澜为中共地下党员。

相信陈将军是一位文武兼备的军人。在宣城之役，陈将军曾经被敌机轰炸而受重伤；阳新之役，因陈将军对工事构筑、炮兵运用的详密准确而获胜。乃至来粤后主办游击训练班和党政军干训团的周密计划，爱护学者；在长官部内，受各级工作人员的敬爱，被呼为‘阿爸’等等，都证明陈将军是一位娴于韬略而富于温良儒雅气质的军人。”

也就是这位军人1945年10月25日，作为国民党军政部胶济区中将特派员，与美国海军陆战队第六师谢勃尔少将司令一道，在青岛非常光荣地主持了受降仪式。在习习海风的吹拂下，接受日军代表、驻青岛日军司令官长野荣二的投降，一扫这位曾经不可一世的日本军阀的威风。当时，有人抓拍下这一历史性的时刻。这张照片，青岛市档案馆虽有保存，但品相极差，模糊不清。1980年前后，在美行医的陈宝仓将军二女婿栾立训遇到一位曾是“二战”时随军记者的美国病人。这位患者得了一种怪病，发作时高烧，恶寒，全身抽搐，几十年来一直被诊断为精神方面的痼疾，治疗后却不见效果。曾参加过远征军的栾立训结合自己多年临床经验，逐渐意识到这可能是一种罕见的恶性疟疾。经过一段针对性治疗后，病人病情大为好转。患者十分感激，取来早年他在中国时所留下的文章、影集给栾立训欣赏。当栾立训翻阅影集时，突然发现了一张老照片，照片上一展威武之姿的中国军官的身影让他感到似曾相识，经仔细辨认，辨认出是岳父在青岛接受日军降将长野荣二正屈身献刀的老照片。患者听完栾医生的最终确认，席地突然欢呼：“哈利路亚！我的上帝，这是他安排让我们相见，你找到了岳父的照片，我治好了折磨我30多年的病！”历史竟是如此的偶然与巧合，具有历史意义的老照片惊现异国他乡。很快，照片从美国寄回。在北京的陈宝仓女儿专门请北京修复高手袁宝钧老先生进行修复。经袁宝钧之巧手，在沉寂30多年之后这张老照片得以重见天日，一张让中国人扬眉吐气的老照片成为抗战胜利的有力见证。前几年，这张清晰的经典老照片在青岛一出现，就引起轰动。

在国民党保密局的档案资料里对陈宝仓用“狡狯”“镇定”一类的词语来形容，似面目模糊不清。但从他那魁梧而正直的形影上，还是不难看出这是一条让“毛人凤们”也头疼、发怵的燕赵好汉。

从容就义

死亡向吴石逼近。在蒋介石授意下一场血腥的罪恶屠杀即将开场。

1950 年 3 月底至 4 月初，随着对吴石等人侦讯的结束，对于“吴石案”相关人员的最后处理也提上了日程。

1950 年 4 月 7 日，“国防部”参谋总长周至柔签报蒋介石，提出审判人员组成的架构，请示如下：“奉：交办本部中将参谋次长吴石等叛乱一案，业饬军法局侦讯终结，依法应组织高等军法会审庭。陈派该局简二副局长曹秉喆、简三军法官宋膺三为本案审判官外，拟请指派战略顾问、二级上将蒋鼎文为审判长，战略顾问韩德勤、刘咏尧为审判官。当否，签请示遵。”4 天后，即 4 月 11 日，蒋介石以“可照办”三个字同意了“国防部”的意见。

由此，对吴石等的审判进入所谓程序。经过 1 个多月的审理，6 月初，蒋鼎文、韩德勤、刘咏尧呈文参谋总长周至柔，提出对吴石、陈宝仓、聂曦、朱谌之给予重判，但免于死刑。呈文经参谋总长周至柔之手，转呈蒋介石。6 月 7 日蒋介石阅后大怒，在参谋总长周至柔的转呈文上严厉地批下：“蒋鼎文、韩德勤、刘咏尧审判不公，并为罪犯说情，殊为不法之至，应即明该三员革除原职为要”，表明自己铲除异己的强硬态度。在蒋介石的干涉下，审判意见发生逆转。

历史已经走过了 60 多年，我们无法揣知蒋介石当时的心境，但可以想见的是，当毛人凤呈上吴石的审讯记录时，蒋介石该是如何的寒气陡生，冷汗涔涔。一个自北伐起就追随国民党的老军人，一个保定军校毕业的精英，一个曾在武汉会战期间蒙自己垂询嘉奖、到台湾后又委以重任的参谋奇才，竟然在自己眼皮底下为中共工作，不能不让他心惊肉跳。他在知晓吴石向中共靠拢后“殊为寒心，令即逮捕”[①]。此后更是对“吴石案”全程关注，并下最后判定。由此引出又一个“蒋记”杀人剧。

1950 年 6 月 10 日，一个阴霾满天的日子。下午 4 时，由蒋鼎文上将任

① 吕芳上、源流成主编：《蒋中正日记（1950）》，第 71 页。

审判长，韩德勤中将、刘咏尧中将等任审判官的“特别法庭”在国防部军法局开庭了。如此“高级别”的宣判，竟是在秘密状态下进行的，贴墙站着一溜头戴钢盔、全副武装的国民党军警凶神恶煞，虎视眈眈。

整个宣判的时间很短，只是这出“蒋记”杀人剧中一个事先安排好了的“法定过场”：审判长匆匆问过四名“要犯”的姓名、年龄和籍贯后，就匆匆“宣示死刑判决，并称死刑已经最高当局核准，立即执行”——这是当年国民党喉舌《中央日报》在第二天新闻报道中的原话。实际情况是，蒋介石亲自“核准”的《总统宁高字390084号》杀人密令已于开庭前一日送达军法局。

紧接着，一个名叫桑振业的书记官走近被告席，通知被判决的吴石、朱枫、陈宝仓和聂曦四人：如有遗言可当庭书写。这同样是一个仓促的安排，只有短短几分钟。短短几分钟，吴石却完成了自己最后的诗作。吴石写的是什么，国民党官方报纸第二天一字没有透露，倒是对吴石极尽“吴犯”“叛逆”等污蔑之词。在台湾岛内新闻一边倒的同时，饶有意味的是，香港《星岛日报》1950年6月11日在头版显要位置刊登了同类消息，但用词有其讲究，大标题《轰动台湾间谍案四要角同被处死》①，还特别加上副标题《吴石临刑前从容吟诗》，“从容”一词让有心的读者体味到编辑者要传达意味深长的信息，揣测出吴石之死另有隐情，编辑才气之高令人叫绝。

---

①《轰动台湾间谍案四要角同被处死，吴石临刑前从容吟诗》是香港《星岛日报》1950年6月11日头版新闻，在当时甚为轰动。选入注释，只为读者一睹这则史料提供方便。消息全文是：

（本报台北十一日电）轰动社会之间谍案主角前中将参谋次长吴石被捕后，数月来有关当局之严密侦查，及国防部所组织之高等军法会审庭，审讯明确，于十日下午四时，由该特庭审判长蒋鼎文、审判官韩德勤等，在国防部军法局将吴石连同前第四战区中将兵站总监陈宝仓，前某部上校科长聂曦，女共党干部朱谌之等三名，提庭监判死刑，由宪兵押赴本市马场町刑场，执行枪决。行刑前执行当局仍极守秘密，连军法人员知者亦少。因处决要犯，事前有保密的必要，吴石等四人行刑前，除聂曦因过度刺激神志昏迷外，其余三人都在公堂上书写遗书。吴事前早知难免一死，遗书早已在狱中预先草就，当堂只写诗一首，陈宝仓、朱谌之二犯所写，亦极简单。吴犯所预作遗书，嘱其妻代其教育子女，令其子为其刊行生平著作（按吴有军事学著作多编，诗作亦多）。

（本报台北十一日电）数月前在台以中共间谍嫌疑案被捕的国防部次长吴石中将，第四兵站总监陈宝仓中将，某机关交际科长聂曦上校，共产党女干部朱谌之四人，于昨日下午执行枪决。

报道还向读者透露："吴事前早知难免一死，遗书早在狱中预先草就，当堂只写诗一首。"至于这首诗写了什么，《星岛日报》未透露一字，之后也无后续报道，把悬念留给了读者，也留给了历史。几年前，我从吴石中将家人手中看到吴石最后的手迹，读到这首用生命、用一片冰心凝结成的诗句：

十日下午四时，国防部军法局高等军法审庭长蒋鼎文升庭，将吴石等四犯提到当庭审判，依据惩治叛乱条例，将吴石等判处死刑。四人闻到，默无一语，除聂曦外，其余三人均书写遗嘱，吴石并吟诗一首。

四人在庭上饮酒颇多，旋由宪兵将四犯捆押登卡车，于下午四时四十分，抵马场町刑场执行枪决。吴石中两枪毙命，朱谌之中六枪始毙命，血流遍地，事后分装入四具薄棺掩埋。

吴石现年五十四岁，福州人，陆大毕业，由排连长积功升至陆军中将，曾任国防部史政局长，福州绥靖公署副主任，国防部次长。去年春由沪赴穗，途经香港，在港与中共人员连络，返台湾后，搜集情报，供给中共，部分交由聂曦带出。去年十一月，朱谌之来台联络，后吴被捕，朱遂逃往定海，仍被捕获。

（中央社台北十一日电）前参谋次长吴石，前第四兵监总监陈宝仓，前陆军上校聂曦，呈敌工部女干部朱谌之（又名陈太太，惟非陈宝仓妻）等四犯，以触犯惩治叛变条例，经国防部组织之高等军法会审庭审讯明确，依法判处死刑，复经呈奉最高当局核准，照判执行，九日批准命令到达国防部军法局后，即于十日下午四时，将四犯提庭宣判，旋即绑赴刑场，执行枪决。

高等军法会审庭由蒋鼎文上将，韩德勤中将，刘泳尧中将，曹秉哲少将，宋膺三上校等组成，并由蒋鼎文上将担任审判长。

会审庭于下午四时正升庭，将吴犯等押赴法庭，首由审判长询明姓名年龄籍贯后，即宣示死刑判决，并称：死刑已经最高当局核准，立即执行。

宣判后，庭上桑书记官振亚晓谕各犯，如有遗言，准许当场书写。吴、陈、朱三犯均曾作简单遗嘱，聂犯则已迷惘不复书写，十分钟后各犯遗嘱分别草就，旋四犯即由宪兵一队，分别扶上行刑卡车，押赴刑场，沿途不少军民冒雨观者，四时二十五分到达刑场，是时四犯四肢均呈瘫软，经行刑宪兵扶持下车后，举步已见艰难。四时半，吴、朱、陈、聂四犯自左至右，依次下跪于刑场坡地，移时，命令一声执行，四宪兵执枪行刑，枪声齐响后，四犯立即同时倒地，吴犯惨叫一声后，其心脏缓缓自伤处突出。

叛逆吴石、陈宝仓、聂曦、朱谌之叛国罪行，经主管当局发表如次：国防部前参谋次长吴石，福州人，年五十四岁，早年毕业于日本陆军大学，由连排长升至陆军中将，三十八年春吴石由史政局长调升福州绥署主任。经沪港赴台时，遇投共立委何遂，介绍与华东局敌工部港负责人刘栋平发生联系，吴石于同年秋由港来台，经港时，又与刘栋平见面，并允到台代为收集情报，旋吴石于同年十月，由港抵台，因吴在港另由投共之吴仲禧，从中怂恿，并告吴石以前第四兵站总监陈宝仓，已早在台为共党工作，嘱吴到台与陈联络，陈可协助收集情报。吴石于同年十月，由港抵台，与陈取得联系后，陈即供给我军防守部队番号等情报，交由吴石。吴石即以一部分情报，派聂曦持往香港，交付共党。迨十一月底，刘匪栋平，复派敌工部女干朱谌之（又名陈太太）来台，专员连络传递情报之责。案经侦悉确实，派员先将吴石、朱谌之及一干有关人犯，依法拘捕，发交国防部组织高等军法会审。现已审讯明确，依法判决吴石、陈宝仓、聂曦、朱谌之（即陈太太）等四名死刑，呈奉最高当局核准，照判执行。

天意茫茫未可窥，悠悠世事更难知。

平生殚力唯忠善，如此收场亦太悲。

五十七年一梦中，声名志业总成空。

凭将一掬丹心在，泉下差堪对我翁。

人死了，原是一种彻底的解脱，什么也跟自己不相干了，应当并没有什么值得遗憾的，但我们的主人公虽明知即将为国捐躯，却为壮志未酬而遗憾。

这是无畏的表白！这是超越生死、超越名利的坦荡！

这何止是诗，更是一颗“求仁得仁”高贵灵魂的颤音！明明自己知道快要离开人世了，但他不是为自己的死感到悲伤，只有感叹未能看到他所憧憬的胜利。

一纸诗文，阅之动容。

令人遗憾的是原本意思明确的诗句却一度被国民党当局恶意篡改，被篡改的是第四句“如此收场亦太悲”。自称承办“吴石案”负责人李资生所撰《台湾大间谍案破获始末》中写道：“这个轰动世界的大间谍案，是最近两三个月以来大家关心的事情，在吴石等四犯正法以后，我们把这全案的内幕详情向读者作一忠实的报导之后，只有借用吴石临刑时所作的一句诗，来代替我们对这一大间谍案的观感：如此下场亦可悲！”“太”与“可”字虽一字之别，意思却截然不同。看似不经意，包藏的却是险恶的用心。

这是一张历尽劫波保存下来的照片。照片的画面定格在马场町朱枫英勇就义前的一瞬间。在军警的夹持下，这位被五花大绑的女共产党员昂首挺胸，毫不畏惧。虽说离死亡仅一步之遥，但她刚毅的神情告诉人们，她坚信她完成了组织赋予的使命，她坚信她向往光明的明天必定到来，她坚信她的血不会白流，革命自有后来人！

面对即将到来的死亡，陈宝仓没有一丝的慌乱，依然从容淡定。从临刑前留下的影像中，看到他心静如水，站如泰山般的沉稳。在他 50 年的人生中，多次遇险，每每逢凶化吉。1938 年春，陈宝仓参加安徽宣城战役，遭日机轰炸，身上受伤处达 200 多处，右眼失明，从此成为“独眼将军”。今天这位抗战将军没有牺牲在日军的炮火下，却因台湾省工委遭破坏而为解放台湾、统一祖国大业舍身成仁。出师未捷，未能将蒋家王朝消灭在台湾，他心不甘啊！

做过吴石副官的英俊的聂曦上校，默默地为中共工作，因为刘桂麟出境证事件而被捕，与吴石同时遇难。历史不该忘记，这位叫聂曦的福建闽清人曾将中共地下党收集的五万分之一的广东、湖南军用地图勇敢机智地从广州送到香港，转到中共华东局驻港情报组织手里，不经意间为广东、湖南的解放做了件大事。他那张轮廓分明、英气勃勃的脸庞，出现在多年后公开于海峡两岸的1950年代台湾白色恐怖时期历史照片上，给人的印象特别深刻。尤其是他从刑车上被军警押下的那张半身照：宽宽的肩膀、揉皱的条纹衬衫，领口处清晰可见两道紧勒着的细麻绳，捆缚的双臂仍被行刑队员紧紧抓住，浓眉大眼的他双唇微张，好像要呐喊，又像在说些什么……影像是凝固的时空、是打开的岁月之窗，将这位33岁就牺牲的福建青年永远地定格在时间的记忆里。

“宣判”总共10分钟，这个精心准备的“特别军事法庭”就草草收场，完成了杀人者所需要的一切“程序”。10分钟后，两辆站满了宪兵队的行刑卡车，将五花大绑的4位“要犯”送往刑场。

当刑车从青岛东路的军法局开出，一路经过上海路、南海路几个街区时，阴霾了大半天的台北下起了连绵的六月雨。一刻钟后，刑车抵达一个叫“马场町”的地方。这是河边的一片坡地，空旷而荒凉，早在日据时代，这里就是处决犯人的场所。

1950年6月10日下午4时30分——历史艰难又庄严地定格在了这个令人悲痛的时辰！刽子手连开2枪，杀害了时年57岁、正处壮年的吴石将军。

吴石将军倒下了，两粒泯灭人性的子弹穿透他的胸膛，将他的心脏拱出。他迎面卧倒在血染的坡地上，“凭将一掬丹心在，泉下差堪告我翁”——这位出生在闽江边的渔乡子弟实现了自己的人生追求。

淅淅沥沥的小雨似乎在轻轻哼唱《祈战死歌》，为英烈们送别：

短衣匹马出榕垣，喇叭铜鼓声。祈战死，临大敌，战袍滴滴胡儿血。生平自愿，为国牺牲，头颅一掷轻……

朱枫就义前英勇无畏

陈宝仓就义前从容淡定

聂曦英武不屈的身影成为经典

又过两个月，时为8月10日，因“吴石案”受牵连的吴石副官王正均、作战参谋林志森同样慷慨赴死。至此，因“吴石案”遭杀害的志士达6人之多。27岁的福州人王正均在遗书中坚定地写道：“我无言可诉”，表达自己入狱后坚持不认罪的铮铮铁骨。同时牺牲的林志森年仅31岁。2011年7月，中华人民共和国民政部追认王正均、林志森为革命烈士。

因“吴石案”受牵连者逾200人。总数字有多少，我们只好期待时间来给出答案。

第十三章
向吴石将军致敬

沉淀于历史的关怀和思念

吴石将军英勇就义的消息很快就传到大陆。1950 年 6 月 12 日新华社上海分社发行的《参考材料》第三七一号以《伪高级官员数名遭杀害》为题刊登了有关电讯："[台湾电台十一日广播] 台北讯：前参谋次长吴石、前第四兵站总监陈宝仓、前陆军上校聂曦及匪政工干部女匪干朱谌之等四犯已触犯惩治叛变条例，经高等军法会审讯终结，依法判处死刑亦经最高当局核准，已于十日下午四时将四犯提询宣判，随即绑赴刑场执行枪决。"

吴石、朱枫等为国牺牲的消息引起中共高层领导的关注。

国民党鼓噪宣传"破获中共间谍案，处决吴石、朱谌之等四要犯"的时候，政务院总理周恩来亲自下令主管部门调查有关案情和牺牲人员的状况，并及时作出妥善处理。李克农在接到总理指示后，即跟华东局和上海市的同志们联系。那天晚上，他在自己的办公室里焦虑地徘徊，等待各方面消息的汇总，并发出有关指示，工作了一个通宵，彻夜没有闭眼。随后，对在香港有关的人员和组织相应作出了保护性的安排——万景光于 1950 年下半年在出差广州的途中被通知调任北京，他的夫人冯修蕙于第二年春天带着孩子们离开香港北上。1952 年位于港岛跑马地摩利臣山道上的上海局驻港办事处（后改华东局对台工委第二工作队）也在完成历史使命之后被撤销，全体工作人员返回内地，其中就有与吴石联系密切的何世平。考虑到秘密工作的特殊性，中央有关方面指定何康将噩耗面告了吴石将军在大陆的儿子吴韶成，并告公开纪念是不相宜的。有关人员也被告知此事作为国家最高机密未经批准不能向他人透露。在那个一切服从"革命需要"的年代里，吴石将军在大陆的儿女吴韶成、吴兰成满怀对党的信任默默承受了突如其来、意料不到的哀痛。吴韶成在 1950 年 9 月 13 日寄给其三叔吴浩然的他及妹妹吴兰成的合影照的背面用钢笔写下哀伤之后的心声："三叔、三婶：这像是在去年上海刚解放时照的，现在可能更瘦些，但我们的心炼得更坚强。"在组织的关心下，吴韶成、吴兰成先后毕业于南京大学、上海第一医学院，并分别于 1966 年 3 月、1953 年 9 月光荣加入中国共产党，走上

吴石胞弟吴浩然

了父亲所向往、所引导的光明之路。吴石的侄儿吴杲离休前是福州市物资局副局长，当年曾在福州军区司令部工作。2003 年在接受采访时，他谈道：“当年在部队时，常常要求填写表格，明确要求填写主要社会关系。我每次填表格都如实填到叔叔是国民党中将，也就此问题专门向组织汇报过。但我总是奇怪——福州是海防前线，自己又在要害部门工作。战友中一些人亲属仅是国民党班长、士兵，都先后离开部队，而我这个国民党中将的侄儿却一直在那里。直到改革开放后我才知道，叔叔早就开始为党工作。”可见，吴杲在不知情的情况下当时得到特殊的关照。吴石的三弟吴浩然 1946 年 6 月赴台任台湾盐务管理局视察，在胞兄被捕后不久，他与家人想方设法乘小舢板渡过台湾海峡，冒险回到福州，向组织报告了台湾有关情况。经组织介绍，吴浩然被安排进福建文史研究馆，先是做秘书，后至 60 岁时转为福建文史研究馆馆员，直至 1959 年病逝。一同从台湾回来的吴浩然之女吴慧襄曾告诉子女：“台湾海峡的浪实在大，船差点翻了，差点没命了。”1954 年她还是大学二年级学生时，就加入中国共产党。在查其个人档案 1955 年 8 月向组织递交的自传中，她如实写道：“当时（指 1949 年）二伯父与民联有联系。解放前夕携眷赴台，1950 年被蒋匪以通共罪名杀害”。1956 年，吴慧襄大学毕业后留校，担任福建师范大学化学系讲师，默默耕耘在三尺讲台，即使在“文化大革命”中也未受到大的冲击，直到 1974 年不幸因病辞世。

吴韶成在接受我的访问时谈到父亲对他的影响。他肯定地说：“父亲的一生，给儿女没有留下多少资产，留下的只是无尽的精神遗产。父亲的足迹遍布祖国的许多地方，在全国很多城市住过，包括自己的故乡福州，都未留下寸土片瓦，住所从来都是租赁住。他两袖清风而去，家被查抄，除古典书籍和历代书法家名帖外，别无长物。”吴韶成离休前为河南省冶金厅总经济师，为发展中国有色冶金工业付出大半生的努力。他的足迹由南至北，从南京大学毕业后先是在哈尔滨工作，后到沈阳、北京工作，最后落脚河南郑州，在郑州铝厂、中国铝业公司、河南省冶金厅致力有色冶金工业研究，成为一名杰出的人才。吴韶成还是中国有色铝业的开拓者和对外开放的最早实践者。吴韶成于 2015 年 8 月病逝，享年 88 岁。

吴兰成从上海第一医学院毕业后支援边疆建设，一待就是 25 年，成为黑龙江省牙克石林业中心医院的儿科医生，在当地享有美誉。1978 年调到中国中医研究院，成为研究员，出任《中医文摘》编辑部主任，为传承祖国传统中医药孜孜不倦，1991 年荣获北京五一劳动模范称号，享受国务院颁发的特殊津贴。其子女事业有成，可告慰九泉之下的英灵。在史无前例的“文化大革命”这一特定的历史时期，吴石将军在大陆的子女、好友部下也难免遭受不白之冤。何遂承受了难以启口的诘问，含冤离世。吴长芝为保守这段秘密，被造反派隔离批斗，以致脑部受伤。1972 年 2 月，处于困境中的吴韶成向中共中央组织部门发出了求助信，恳请中央对其父问题作出结论，信中写道：“我是冶金工业部原中国铝业公司的干部（机关在河南郑州），一九五二年南京大学毕业，一九六六年三月参加中国共产党。我父亲叫吴石，据原华东局台湾工作的有关同志一九五〇年面告：吴石曾长期为我党工作，提供情报，上海解放前夕，接受我党委托去台湾，继续进行工作，一九五〇年被蒋匪杀害于台北。死时身份是蒋匪国防部参谋次长。其妻及幼子幼女各一，在台受敌人残酷迫害，生死不明。并说：此事牵涉国家机密，不便向本人详告，原华东局台湾工作委员会有档案可查。当时，我认为事情已是清楚了的，组织上是掌握的，更不应向党伸手要任何证明手续。此次无产阶级文化大革命中重新审查我的家庭问题是完全必要的。据河南省省直机关六团负责专案同志说，虽有不少旁证及报刊材料，但缺少组织上的直接证明，迄难结论。因此，我五年多来一直没有恢复组织生活。”[①] 在 1972 年不平常的年份，这封信经过数月的周转，到达了周恩来总理和刚复出的叶剑英手里，与吴石将军有数度交往的叶剑英当即批示，交代有关部门给予证明。之后，在周恩来、叶剑英的过问下，有关部门即派专

① 吴韶成 1972 年 2 月 2 日给中共中央组织部负责同志的信。

人赴河南调查，并向河南有关单位出具了组织结论。

吴韶成是个细心人，他将 1972 年 10 月中央有关部门写给河南冶金局的一封信记录下来，我们才得以了解当时对吴石将军善后事宜处理的一些情况。信是这样证明的：

"在我党的影响下，吴石同志于 1947 年即开始为我党工作，后按组织意图赴台湾执行任务，为革命事业做了不少工作，作出了应有的贡献。1950 年春因我台湾省工委遭敌破坏，吴石受牵连而被捕，该年夏天被蒋匪杀害于台北。当时为了保密起见，未给吴石同志的子女发烈士家属证明书。今后，对吴韶成同志应作革命烈士子女看待。在政治上要关心其成长，给予应有信任，生活上有什么困难，请酌情给予照顾。"①

这封信使吴韶成的政治命运获得转机，吴韶成重新回到组织的怀抱。同时也为确定吴石将军的政治待遇定了调。据此，1973 年 11 月 15 日河南省革命委员会就地追授吴石将军为革命烈士。1975 年 2 月 6 日，河南省革命委员会向吴石烈士家属颁发了"因战因公牺牲人员家属光荣纪念证"，证上注明："吴石同志在革命斗争中光荣牺牲，他的英勇事迹永垂不朽，望家属继承革命传统，争取更大光荣。除给予抚恤和优待之外，特发给此证，以资纪念。"这是特殊年代所作的特殊决定。吴石将军既不在河南省牺牲，也不属于河南籍，一些撰文者因此推理为吴石烈士出生地福建省革命委员会追授吴石将军为革命烈士，其实是不了解这段隐情而作出不符事实的推测。党组织还发给吴石烈士在大陆的子女 650 元的慰问金。吴石烈士在大陆的子女吴韶成、吴兰成这两位年轻的共产党员尽管在历次政治运动中多受到不公正的待遇，组织的这份关怀还是让他们感动不已，兄妹俩毅然将慰问金作为特殊党费上交党组织，以表达心中对党的信仰。

多情而多难的共和国始终没有忘记吴石将军，中国共产党没有忘记这位风雨同舟的忠诚朋友。1975 年 12 月 20 日清晨，生命垂危的周恩来总理，这位中国共产党情报工作的创始人和杰出的领导人再次想到在海峡那一边的朋友。这里再回溯这感人的历史一幕：

---

① 中央有关部门 1972 年 10 月 29 日给河南省革委会冶金局的复函。

北京之冬，早晨7点钟，天还没有完全亮。罗青长接到西花厅来的电话，对方说："罗部长，总理想见你，请你做好准备。中央有规定，只有政治局委员才能见总理，我们正在请示，可是天还早，中央首长还未起床，你做好准备，随时等候我们的通知。"邓小平是最早得到报告的，他果断地说："总理病成这个样子，他想见谁就见谁。"得到批准后，罗青长立即驱车奔往医院。当他进入病房后，一眼看到周恩来那消瘦的病体，憔悴的面容，心像刀绞一样难受，赶紧趋前问候，这时，周恩来正在发高烧，体质十分虚弱。见到罗青长，他紧紧地握住罗青长的双手久久不放，强忍着病痛的折磨，用微弱的声音说："青长同志，想不到我一病，就病成这样子，今天还能见到你……"听到这里，罗青长泪眼模糊，声音哽咽。他强忍悲痛，连声说："党政军的同志们都问候您，全国人民都关心您，希望您早日恢复健康。"周恩来会意地点点头，随后就嘱咐：千万要记住，不要忘记台湾的老朋友，他们曾经帮助过我们，如果祖国将来统一了，一定要好好照顾他们。我们不要忘记对人民做过有益事情的人，我们不能忘记台湾那边帮助过我们的朋友。谈着谈着，他的声音低落下去，眼睛逐渐合上。[①]之后再次醒来，用眼角扫过罗青长，轻轻地交代：……不要忘记吴石他们[②]……这是周恩来在弥留之际留下的深情嘱托！后来罗青长说："这是总理最后一次召见我，最后的诀别。总理的这些嘱托，我觉得不仅是对我讲的，也是对我们后一代，对我们中国人，对台湾人民讲的。"时隔15年，1991年12月10日，罗青长同志在京郊燕山饭店亲自接见了吴石将军在大陆的子女吴韶成、吴兰成。交谈之中，罗青长动情地转达老上级的托付："我们对你父亲的事一直念念不忘，我当时是当事人之一。1972年，接到你在'文化大革命'期间蒙受不白之冤的申诉报告，周总理、叶帅都亲自过目并作了批示。派人去河南专门处理此案，落实政策。确实是很不容易的。总理弥留之际，还不忘这些旧友，专门找我作过交代。你父亲为了人民解放事业和祖国统一，献出生命，作过很大贡献。"[③]这一席话令在场的吴韶成、吴兰成兄妹感

① 中央文献研究室第二编研部编：《话说周恩来》，中央文献出版社2000年版，第61页。

② 《文史精华》2015年第9期，纪敏：《罗青长讲述特赦国民党在押战犯内情》。

③ 福州郊区政协编：《吴石将军英魂略》之吴韶成《忆父亲》。

动不已，双目湿润。

吴石将军的夫人王碧奎于将军就义一个多月后走出国民党保密局的大牢，并带出丈夫的遗书。狱中5个多月的恶劣环境让她患上严重的关节炎，从此终生未能治愈。为了告慰亡夫的英灵，这位贤慧善良的妻子、母亲忍辱负重，典当家中什物，艰难度日，抚养儿女成人。每年清明的时候，都要早早赶到台北郊外寺庙为丈夫上香，以表达不尽的哀思。尽管岁月流逝，但一提起殉难的家人，她就感伤不已。1986年11月，她在给胞弟王钦甫的一封信中写道："汝妹丈39年（指民国三十九年）为国牺牲，妹所经苦难非笔墨所能描现，……以后回国见面说，细讲给汝们听。"[①] 烈士之子吴韶成将对父亲的怀念化作对父亲足迹的寻找，为了使父亲的事迹长留人间，吴韶成开始了多年的奔波，寻访有关人员及资料，后因身体原因不得不中止了搜寻、整理工作。听说我在整理其父亲的事迹，吴韶成将所有收集的资料提供出来。这一点也是本传得以完成的一个重要因素。

大陆最早见诸文字的缅怀出自鹿地亘之口。据1950年8月14日上海《新闻日报》刊发的日本记者林田勇夫所写的《鹿地亘访问记》，这次访问离吴石就义不到12天（6月22日），这是目前为止可以看到的、大陆当时唯一出现的关于吴石死讯的中文报道。病中的鹿地亘说："我和椎野谈了一些有关中国的事情，特别是关于最近在台湾被蒋介石屠杀掉的吴石将军的回忆……北平解放后不久，当时还是蒋伪政府国防部的局长吴石将军曾到过东京，并来看我了！我们一道喝了酒，谈了不少话。那时候我的病还没有爆发，更没有到这样严重的程度。我问道：'你对国民政府的将来看法如何？'他斩钉截铁似的回答了一句：'毫无希望'，我又问一句：'你以为失败的原因何在？'他回答说：'他们太不认识人民了。'我告诉他：'这是一针见血的看法。'他继续说道：'蒋介石是不懂得这个道理的。日本的吉田也完全不能了解。吉田正在走向蒋介石所走的那条死路……'住了一个时期，吴先生就回上海了。但不多久，人民解放军就渡过了长江。和我见面时，吴先生就略为表示不再当军人，想当一个老百姓，从事文化事业。我把这一次他在台湾所采取的行

① 1986年10月8日王碧奎给胞弟王钦甫的信。

动和那一次他的谈话联系在一起，知道了那时他已是胸有成竹了。我在重庆时，吴先生是我的反战斗争的有力援助者之一……”

吴石将军的挚友、带其走上革命道路的引路人何遂获悉噩耗后，心如刀绞，泪雨横飞，心脏病突发，后常常陷入追思之中，对吴石的追思伴他走到生命的终点。何遂之孙何代宁在《印证历史的踪迹——缅怀敬爱的爷爷》一文中披露：“吴石将军的遇害，对爷爷的打击极大，形成爷爷心中难以消除的痛楚。他总是认为吴石是因他而死，代他去牺牲的，从此郁郁寡欢。”[①]

吴石将军的挚友、原福建民联副主委刘通在惊悉吴石遇害后，写下悼念故友的诗句：“恸哭君真死，困难我独生。风光韩愈郡，灯火陵秣城。兵略山川富，诗心水月清。可怜临别语，生死是交情。”1969 年，他下放闽西，眼见病情加重，将此诗交给其孙，并嘱咐：“他日万一有机会见到彭冲、谢筱迺等老前辈中任何一位时，将此诗抄录，谨慎面呈，另有数语亦加报达：……现有一事殊耿耿于怀，即不知虞薰（吴石）之牺牲，有关各方曾肯否予以记载？便时祈予关照，勿使日后不明不白……”

1976 年的一个冬夜，窗外大雪纷飞。原上海地下民联负责人吴艺五老人被送进医院抢救。他越来越感到自己的生命进入“倒计时”，然而还有一桩心事尚未了却。这件事在他心中已埋藏了几十年，作为组织的最高机密，他从未向任何人透露过，他觉得如果不将这件事告诉活着的人，就这样去赴九泉，实在是对不起牺牲在台湾的吴石将军，自己也死而有憾啊！家里人似乎看出了他的心事，问他有什么交代的。吴艺五躺在病床上，用微弱的声音对家里人说：“打个电话……让梁佐华……来一趟。”民联组织上海负责人梁佐华接到电话，立即赶到医院，看到躺在病床上的老同事，心里十分难过，见他嘴在嚅动，想要说话，忙俯下身来。吴艺五吃力地对梁佐华说：“我有一件……心事要……告诉你，我们民联……还有一个人……在台湾，现在还绝对保密的。这个人叫吴石，1949 年去台湾……我们不能忘记他……”后来梁佐华饱含深情写下《战斗到最后一息的吴石烈士》一文，此文被收录进《上海民革与新中国》一书。

---

① 何代宁：《印证历史的踪迹——缅怀敬爱的爷爷》，何达主编：《何遂遗踪》，第 314 页。

广东省原政协副主席、老地下党人吴仲禧作为吴石将军的同窗、同乡，在生命之火即将熄灭的时候，抱病写下《回忆吴石烈士》的长文，“回忆往事，心潮激荡，勉成此文，以寄托多年的哀思！”[①]5个月后，吴老因肺癌含笑辞世。10年后，《回忆吴石烈士》一文公开发表，一度引起海外关注，台湾《名人传记》曾予转载，由此所谓“吴石案”再度撞击世人的眼球。

吴石在陆大的同事林斯贤曾回忆：“吴本人对中国文学有较深功底，为国学专家何振岱的得意学生，诗文、书法造诣极深，军事学亦相当深邃。在保定军校时，每试辄冠其曹，留日陆大亦以优异成绩见称，可谓文武兼资。惜死于非命，知者为之心痛，吾亦其中之一。”

吴石将军家乡的热心人士为整理将军事迹而四处奔波，也令人感动。1992年12月，原吴石将军的侍官柯玉锜将吴石将军的生平简介送给原郊区政协，得到即将卸任的区政协副主席陈子燊的积极回应。在陈子燊的牵头组织下，整理收集工作迅速展开。在他个人退休之际，《吴石将军英魂略》横空出世，这使得有关吴石将军的一些第一手资料得以留存。文集汇编了吴仲禧、刘通、柯玉冈、王强等生前好友、故旧的回忆和纪念文章，也收进吴韶成等烈士家属、子女所写的缅怀文章，也实录了《蒋介石下野后在福州召开军事会议前后》《记福建北伐学生军》等有关文章。

在这本书里，还收集了吴石将军生前的遗书、部分遗照、印章，让人们得以看到吴石将军多才多艺、文武兼备的一个侧面，也感受到吴石将军忧国忧民、赴汤蹈火的风范。

收入该书的还有国务院原副秘书长、原中央顾问委员会委员罗青长的题词：“要知松高洁，待到雪化时”。原中央党史资料征集委员会副主任谢筱迺的题词：“文采武韬，国之精英，儒将雅度，和蔼可亲，忧民爱国，壮烈成仁，忠魂宛在，正气长存”，深情追思吴石将军。中华人民共和国农业部原部长何康题词：“义重千秋”，深切怀念他父亲的挚友、自己的“吴石老伯”。1999年福州电视台制作的电视专题片《解放之路》在大陆首次披露吴石将军的一些鲜为人知的曾经的故事。

---

① 吴仲禧：《回忆吴石烈士》，《广东文史资料》第73期，1993年版。

2006 年 6 月 30 日，福州市人民政府决定将吴石将军曾住过的宫巷故居列入福州市三坊七巷历史文化街区的保护和管理[①]。

2009 年 4 月 1 日（清明节前夕），吴石将军母校福州第十四中学（前身是吴石将军早年就读的福州开智小学堂）举办隆重的“校友吴石将军事迹报告会”，全校千名学子参加报告会。同时将吴石将军的英雄事迹编印成《虎穴忠魂》小册子供师生阅读，校友的英雄事迹让师生深深感动。报告会结束后，举行庄重的网络祭奠仪式，同学们手持红烛，献上鲜花，朗诵吴石将军生前留下的诗篇，以这种时尚的方式缅怀校友，寄托对烈士的哀思。

2009 年 8 月，与吴石同住一个牢房的狱友刘建修在台北回忆：“他对人客气，有学问，也不随便讲话。现在我听说，大陆有人提议在福州建立‘吴石纪念馆’。吴石先生牺牲 60 年了，他是为我们祖国而死的。我希望中国人不要忘记这些烈士和那段历史。”

2021 年春夏之交，在新华通讯社福建分社组成写作团队，经过多方采访，精心打磨，赶在吴石将军英勇殉难 71 周年来临之际，于 6 月 8 日在新华通讯社所属的《新华每日电讯》刊发长篇通讯《“红色密使”的“家国密码”——“潜伏者”吴石的传奇人生》等一组稿件，向海内外首次披露吴石的英雄事迹，致敬这位功勋卓著的无名英雄，在读者中引发强烈反响。

同年底，本传作者参与策划、勘校、编辑的近 72 万字的《吴石遗墨》由中央文献出版社出版。全书按遗作集萃、悼忆粹篇、附录三部分编排，收录吴石专著、译著 11 部，诗文 300 多篇（首）及若干有代表性的纪念文章，吴石生前“设若予有不幸，为我编辑印之”的遗愿终得实现。如果吴石烈士泉下有知，可感欣慰？

海峡风雨护英灵

如果说吴石将军等英勇殉国是极具悲壮色彩的话，那么，之后发生的事情就颇为离奇曲折了。英雄骨灰搜寻过程中的一个个故事同样充满着传奇，

① 见福州市人民政府第 34 号令，2006 年 6 月 30 日。

步步惊心，感人心扉。

最早去收尸的是吴石将军的族人吴荫先，其过人胆识令人钦佩。吴石将军就义的消息见报后，吴石将军夫人王碧奎仍陷囹圄之中，只是到了 1950 年底，经吴石故旧营救，王碧奎得以出狱。尽管吴石将军在军界有着较为深厚的人际关系，迫于当时的环境，许多人只能心存同情、怜悯，但不敢公开出面。面对令人发怵的“白色恐怖”，就连不少亲属都不敢公开出面领取亲人的尸体。这时，热心好义的吴石将军在台同族吴荫先闻讯后，不顾受牵连的危险，偕吴石将军在台的子女到台“军法局”申请领取遗骨。得到台“军法局”的首肯后，他们取回骨灰。在居无定所的情况下，吴荫先决定将骨灰暂时安放在台北以安葬福州人为主的一个叫“福州山”的墓地[①]的寺庙中，不曾想到：骨灰一放就是 30 多年。王碧奎女士在每年清明的时候，都要早早带着在台的子女赶到寺庙为亡夫上香，以表达不尽的哀思，告慰亡灵。随父母去台湾的吴健成于 1980 年赴美留学，王碧奎老人随身带着自己丈夫的亲笔遗书也赴美定居。至此，吴石烈士狱中遗物从台湾辗转到了美国。但吴石的骨灰仍留在寺庙中，由在台湾的女儿打理。之后，留在大陆的吴韶成、吴兰成于 1982 年 4 月赴美探亲，在台湾的吴学成得到消息后也从台湾赶到美国，经过几十年的骨肉分离，吴家的四个子女——留在大陆的吴韶成、吴兰成，留在台湾的吴学成、吴健成与母亲相聚洛杉矶，实现了团聚。家人相聚，抱头痛哭，既喜又悲，感慨万端。由于台湾当局的限制，直到 1990 年，吴石烈士的骨灰盒才由在台湾的女儿吴学成、女婿夏金辰从台湾千里迢迢带回，送到留在大陆的兄长吴韶成的手中。从吴荫先冒死领尸，到偏安寺庙，到最终离台，进而送归大陆，经历了整整 40 年，一家人间的遗骨大接力有了圆满的结局。此后，王碧奎老人一直期待着择期让自己丈夫入土归葬。但由于种种缘故，在她 90 岁仙逝时也未了却。但她的子女们在有关方面的帮助下，于 1994 年了却了二老的心愿。详情下文将有记叙。

紧接着取回骨灰的是陈宝仓的家人。1950 年在台湾，“政治犯”的遗体

① 该地位于台北捷运麟光站附近，现已改造为以生态保育为特色的福州山公园。

较少有人敢去领取及火化。噩耗传到香港，陈宝仓家人甚为悲愤、失声痛哭。陈宝仓妻子师文通是个基督教教徒，她多方联络，通过教会的关系找到在台湾两名教友唐辉麟、陈克敏，希望他们能帮忙找回丈夫的尸体。既是因受教友的重托，又感佩陈宝仓将军一生光明磊落，两位教友冒死到火化厂寻找陈宝仓将军遗体，加以火化，并取到了骨灰。而把英烈骨灰安全转交到陈家人手里则又成了一项艰险的任务。陈宝仓将军之三女陈禹方在台北时的高中同学殷晓霞（也是教友），出于对陈宝仓将军的景仰和对陈家人的同情，毅然承担转送骨灰的拜托。1950 年 7 月的一天，她乘船离台，由香港转道回上海报考大学。船快要抵达香港时，由于没有搞到“入港证”，港方又查验甚严。情急之下，殷晓霞扔掉自己随身携带的所有行李和物品，只将骨灰盒包好并牢牢绑在身上，趁着夜色跳入茫茫大海，冒险偷渡登岸。当师文通拿到丈夫的骨灰盒时，里面骨灰还是潮的。三位好友的义举让陈宝仓家人深为感动，至今念念不忘。当时师文通出资帮助陈克敏去了美国。之后，师文通尽快地克制住悲痛，振作起精神，与子女们回到大陆。师文通 1902 年出生于一个小康家庭，曾就读于著名的北京贝满女子中学，参加过五四运动。面对亡夫之痛，她所表现的坚强、知性、豁达令人敬佩。有朋友问及丈夫遇难之事，她坦然地回答：“革命斗争中有成功者，必有成仁者。”

1951 年 7 月 30 日，中国国民党革命委员会主席李济深以书面证明：陈宝仓同志系到台湾从事祖国统一工作而牺牲。陈宝仓将军牺牲两年之后，1952 年 5 月 9 日，国家主席毛泽东签署颁发了“革命牺牲工作人员家属光荣纪念证”，授予陈宝仓革命烈士称号。

又过一年半的光景，1953 年 9 月 14 日，这是新一周开始的第一天，一个晴朗的日子，中央民革主持陈宝仓烈士公祭仪式，以国家的名义致敬英灵。李济深主祭，李济深秘书周范文代表其宣读《悼念陈宝仓同志》祭文：

陈宝仓同志，字自箴，北京人（应为河北省遵化县人），生于一八九九年（应为一九零零年）。先世是农民，到了他的父亲的时候，经管商业，是一个小康的家庭，故他在幼年时能够上学读书，接受过军事教育，一九二三年毕业保定军官学校第九期。毕业后即在山西省伪军中任中下级参谋，积升至团长。

在这一段时期，他由受旧式军事教育，以至作幕僚、作部队长，在封建军阀的军队里不断地向上爬，成为统治阶级的工具，与一般旧社会的军人全无二致。

在抗日战争发动的前一年——一九三六年，他离开了山西的部队，调任江西南城土木工程训练班主任，继又调任武汉伪军分校教育科科长，三七年抗日战争爆发，调任工兵指挥官，在东战场作战，宣城之役受伤，右目失明。一九三八年调第八集团军总司令部参谋长。当第八集团军在上海作战的时候，郭沫若先生集合革命知识分子数人组成“战地服务队”，由中国共产党人钱亦石同志任队长，当时有杜国庠（现广东省人民政府委员兼文教厅长），何家槐（现马列学院教授）、左洪涛（原中共华南统战部部长）、林默涵（中共中央宣传部处长）、张凌青（著作家）、孙慎（名作曲家）、唐瑜（电影艺术工作者）、王亚平（诗人）、周范文（民主人士）等同志，服务队队员中有颇多一部分共产党人，先后在东战场和华南战场进行了宣传鼓动和组织民众的工作。这时陈宝仓同志在第八集团军中经常与“战地服务队”同志们接触，发生密切的联系，接受了革命思想的熏陶，开始转向进步。一九三九年，第八集团军总司令张发奎调升第四战区伪司令长官，陈宝仓同志随亦改调第四战区司令长官部副参谋长（参谋长前为蒋光鼐同志，后为吴石同志），原来隶属于第八集团军总司令部的“战地服务队”，这时亦编入第四战区司令长官部，由陈宝仓同志率领到广东曲江，陈宝仓同志自此与服务队的同志更进一步结合，对他们的革命活动尽力协助和掩护。四一年，第四战区长官部移驻广西柳州，地处西南交通要冲，而且和当时民主运动中心的桂林临近，革命工作更加活跃，因此，反动分子对潜伏在长官部里面的地下工作同志们十分嫉视，不断给以打击，而陈宝仓同志亦被反动分子加以“左”倾的罪名，但陈宝仓同志绝不顾虑，反增强了倾向革命的意志。到了一九四四年，桂柳会战失败后，陈宝仓同志逐被迫调离第四战区司令长官部。以后陈宝仓同志曾在山东做过胶济区伪军事特派员，继又调任第四兵站伪总监。四六年，伪山东省主席王耀武曾密告蒋介石，谓陈宝仓同志有遗失兵站给养物资，故意资助解放军的嫌疑，但因无确实证据，结果仅被免职了事。陈宝仓同志于四七年脱离伪军后，即在南京闲住。四八年，中国国民党革命委员会派吴仲禧同志由香港到南京做地下工作，与陈宝仓同志联系，由此他就参加了民革的地下组织。四九年春，陈宝仓同志到广州，当时民革中央派吴石同志去台湾从事策反，陈宝仓同志自动要求同往，毅然负起深入虎穴的艰巨任务。吴、陈二同志到台湾后，由陈宝仓同志搜集蒋匪帮各种军事重要情报，交由吴石同志转送香港中共负责人参考。因为事机不密，被蒋匪帮察觉，于五〇年三月与吴石同志同时被捕，同年六月十日同被杀害，殉难时年五十一岁。

这就是陈宝仓烈士的生平事迹。

陈宝仓同志原来不过是一个普通的旧式军官，他在幼年所受的是军国主义的教育，他也曾为封建军阀长期服务。可是他所处的时代却是新民主主义革命的时代，他在中国社会大转变中，由于客观世界的发展与改变，也逐渐改造了他的主观世界。在反对日本帝国主义的民族战争中，因负伤而失去了右目，已写下了光荣的一页。以后他又在军队中接触了中国共产党人，接受了革命影响，因而日渐倾向革命，对中共地下工作同志的支援与掩护不遗余力。最后还参加了民革的地下组织，在统战工作中有了极端英勇的表现，自动要求前往台湾协助吴石同志进行策反工作，向壁垒森严的匪巢内搜集有利于我方的情报。当他坚决要求深入匪巢，肩负起十分危险而艰巨的任务时，我想：他早已置生死于度外了。不幸事机不密，终以身殉国，所谓“求仁得仁”，在陈宝仓同志为革命而付出了宝贵的生命，这正如同万千个革命烈士临危受命，临大节而不辱的奋斗精神是一样，他是死而无憾的。古人说：“死有重于泰山，有轻于鸿毛”，陈宝仓同志之死，是重于泰山，是光荣的！我们的同志和祖国人民是永远不会忘记他的！

穷凶极恶的刽子手蒋介石匪帮，在他们将要走进自己坟墓之前，还想用白色恐怖的手段来维持它苟延残喘的生命，可是历史注定了这一帮匪徒连同他们的主子帝国主义在内，不论采取任何形式的法西斯残酷暴虐的统治，终究要倒下来，终究逃不出人民的手掌的。

中国人民在伟大的毛主席和中国共产党领导之下，早已解放了大陆，驱除了帝国主义者和籍帝国主义势力以生存的国民党匪帮，下一步骤，将是扫穴犁庭的时候，我们绝不让一小撮匪帮在台湾长此盘踞下去，我们收回海外领土、解放台湾人民的时间表迫近了，我们为陈宝仓同志复仇的日子也就不远了！

陈宝仓同志的英灵永远不朽！

安息吧，陈宝仓同志！

仪式毕，在场的人员向陈宝仓墓地敬礼。之后，大家依依不舍地离去。

这是特殊年代所举行的特殊祭奠。尽管墓碑及墓体尚未建好，尽管因保密的需要，参加的人数控制最小的范围，仅 10 来人，但仪式由国家领导人主祭，规格之高，这在人民共和国的历史上恐怕也是不多见的。伟大的英雄，祖国是你不离不弃的生死依托！

经过千辛万苦寻取回来的骨灰被安葬于八宝山革命公墓，陈宝仓烈士回家了。令人遗憾的是师文通于次年（1954 年）4 月在京病逝。

陈宝仓墓地号为八宝山革命烈士公墓剑字区二号。亲爱的朋友，您若是到北京，如果有空，不妨去看看安眠于此的这位为国捐躯的英雄吧，献上心香一瓣。

朱枫烈士骨骸的搜寻一波三折，在她就义 50 年后成为海峡两岸的一段佳话。2001 年，朱枫在大陆的女儿朱晓枫看到山东画报出版的《老照片》第 16 辑刊出母亲临刑前的影像，萌生出在她有生之年寻找回母亲遗骸的迫切愿望。2002 年，《老照片》的编者收到朱晓枫的来信："一年前，我看到了山东画报出版社《老照片》第 16 辑中的一幅照片，照片真实地记载了我母亲朱枫（朱谌之）1950 年在台湾临刑前受审的场景。这是我在 50 年后第一次看到当时的情景，一时间感慨万分……照片中的母亲，穿着一件在上海家中经常穿的小花旗袍，上身加了一件毛线背心，面庞仍然是那样的消瘦，身影仍是那么熟悉。照片中的母亲已面临死神，但她是那么镇定自若……她长期做着时刻有生命危险的地下工作，曾两次被捕，经受了严刑拷打以致拇指伤残，但信念始终坚定如初……母亲在全国大陆即将解放、为执行任务赴台前，在书信中盼望同家人团聚；在给我的 3 封信中，第一封信要我寄照片给她（因为工作，母亲已与我几年未见）；第二封信要我近期到广州，等她从香港来见上一面；第三封信说她已要出发赴台，个人的事先放一放……母亲重感情，但能为了事业牺牲个人的一切。母亲牺牲在全国大陆已经解放的1950年，她一天也没有享受过解放后的幸福生活，更没有盼到与家人团聚。”

2003年春，经我的好友、热心的大陆作家冯亦同牵线，朱晓枫联系上在上海旅游的台湾文史工作者徐宗懋（笔名秦风）。徐宗懋被朱晓枫有生之年寻回母亲遗骸的心愿所打动，回台后，古道热肠的徐宗懋约台湾一家电视台的朋友同来南京，为朱晓枫寻母遗骸拍摄新闻专题片，在台公开播放。还在台湾《中国时报》上发表《返乡安息　朱晓枫寻母遗骸》等长篇报道，在海峡那一头引起广泛关注。经过种种曲折和苦苦追寻，2005年4月间，徐宗懋在台北挂长途电话给朱晓枫：“阿菊（朱枫在台的女儿陈莲芳）找到了。”并遗憾地告诉朱晓枫：迫于当时的环境，王昌诚夫妇在朱枫牺牲后未能去刑场收尸。其实，这不难理解，在台湾的一个屋檐底下，母女两人，一个是共产党的特工，一个是国民党的特工，这大概是那个时代特有的奇情。虽然这次搜寻并无正果，但热心人的搜寻并未结束。时隔4年，2009年，为了寻找自己在戒严时期失踪的父亲，上海的潘溱在台湾辛亥革命第二殡仪馆提供的一份有303名罹难人员名单中，看到了“朱谌文”这个名字。由于字形相似，曾经看过朱枫事迹的潘溱通过朋友联系上朱家人。因不能确定真伪，朱家辗转委托台湾“中央研究院”教授朱浤源寻访。热心的朱浤源三次冒雨前往几个有可能的公墓，根据编号，最终在11号墓地找到了“朱谌之”的骨灰坛子，并证实名册上的登记是连笔错误。之后，在台湾“中国生命公司”的协助下，2010年12月9日，朱枫烈士的遗骨成功移灵北京。次年7月14日国家安全部在朱枫烈士的家乡浙江镇海革命烈士陵园隆重举行骨灰安放仪式，新华社、中央电视台等媒体高调报道。新华社在报道指出：“朱枫是中国共产党隐蔽战线杰出的无名英雄。”2011年7月18日《人民日报》以《青松伴忠骨，红枫映丹心——追忆红色女特工朱枫烈士》一文，公开追忆朱枫烈士的革命生涯。

60年后，朱枫终于归来！

因种种原因，聂曦的骨骸迄今仍留在台湾。在聂曦就义后的第四天

（1950 年 6 月 14 日），其妻高秀娟因患重病于台湾嘉义，委托聂曦表妹杨韵清到“军法处”代为领回聂曦的骨骸，后寄存于台北一公墓。

安息吧，吴石将军

在国家有关方面的帮助下，在吴石将军夫人去世的第二年（1994 年）春天，一座汉白玉纪念碑矗立于北京福田公墓。经过一系列曲折，吴石将军、王碧奎女士归葬了、回家了。

1994 年 4 月 22 日，这是一个晴空万里的日子，一个迟来的祭奠隆重举行。上午，北京郊外阳光灿烂。一个特殊的仪式在北京福田公墓举行，吴石将军、王碧奎女士家属及生前友好近百人从上海、广东、福建以及美国、澳大利亚、中国台湾赶来，用这一隆重的仪式倾诉他们埋藏内心多年的情感。在凄婉的哀乐声中，在默哀仪式之后，中华人民共和国农业部原部长、吴石将军生前好友何康致悼词：“我们怀着十分崇敬的心情在这里举行吴石将军、王碧奎女士骨灰安放仪式。我代表吴石将军、王碧奎女士的亲属及生前好友向吴石将军、王碧奎女士表示沉痛的哀悼！”说着说着，何康抑制不住老泪纵横，在场人员无不唏嘘。

“吴石将军、王碧奎女士是爱国主义者，他们同情共产党领导革命，渴望中国有一个光明的前途，对于国民党贪污腐败深为不满，对于蒋介石消极抗日、积极反共十分不满。吴石将军曾经表示决不直接参与内战指挥，不为蒋介石出一谋一策，对投降日寇的国民党将领非常蔑视。抗战胜利后，吴石将军反对内战，致力于全国解放和祖国统一的大业，功垂千秋。吴石将军博学多才，廉洁奉公，忠厚待人，爱憎分明，一生两袖清风，在那个时代实在难能可贵，这是我们亲自看到和亲自受到教育。吴石将军牺牲后，遗书子女要谨守清廉勤俭家风，树立民族正气，爱国思想溢于言表。

吴石将军为中国人民的革命事业献出了宝贵的生命，今天我们在这里举行吴石将军、王碧奎女士骨灰安放仪式，实现了我们多年来的心愿。我们相信，吴石烈士的精神将不断激励我们为实现祖国统一大业、振兴中华而努力奋斗。

安息吧！吴石将军、王碧奎女士！”[①]

仪式虽是简短的，但却是隆重之至，沉淀在亲人和朋友记忆深处的深情思念，止不住涌上在场的人们心头。之后，大家来到墓地，共同掬一把泥土，吴石将军、王碧奎女士骨骸安然入殓，让吴石将军有了最后的归宿。

10年后（2004年）9月的一天，在北京出差的我特地寻访这方墓地。那一天正午，我驱车赶到福田公墓，在灿烂的阳光下，凭吊将军之墓。庄严的汉白玉墓碑上铭刻着：“吴石将军、王碧奎夫人之墓”。墓碑上一对麒麟浮雕精致、生动，祥瑞之气萦绕墓冢。墓碑背面记刻着：“吴石，字虞薰，号湛然，一八九四年生于福建闽侯螺洲，早年参加北伐学生军。和议告成乃从入伍生、而预备学校、而保定学校，嗣更留学日本炮兵学校与陆军大学。才学渊博，文武兼通，任事忠慎勤清，爱国爱民，两袖清风，慈善助人。抗战时期运筹帷幄，卓著功勋。胜利后反对内战，致力全国解放及统一大业，功垂千秋。台国防部参谋次长任内于一九五〇年六月十日被害于台北，时年五十七岁。临刑遗书儿辈，谨守清廉勤俭家风，树立民族正气，大义凛然。一九七五年（应为一九七三年——笔者注），人民政府追赠革命烈士。夫人王碧奎一九九三年二月九日逝于美国，享年九十岁，同葬于此。”（文中标点为笔者所加）尽管碑文中由于当时形势需要，并未明言其彪炳中共情报事业的功绩，但还是给出了“功垂千秋”的评语。碑文由吴石将军之子吴韶成撰拟，并经罗青长修改审定，吴石将军原秘书郑葆生手书。仔细端详，碑文字迹端庄、苍劲，饱含老部下不尽的哀思与崇敬。当我离去时，深深地向烈士墓再次鞠躬，向心中的英雄致敬。之后，轻轻掸去飘落坟墓上的几片枯叶。墓地四周一片寂静，我感到世界在这里睡去，只有将军醒着。这方墓碑，延伸到遥远的天边。只有问询这方坟墓，或许才会懂得生与死的大义。回到寓所，我在采访本上写下：“再过一段日子，香山的红叶就会在瑟瑟秋风中把层林尽染，而离此不远的地方香山双清别墅，正是一代领袖毛泽东指挥渡江战役、宣告蒋家王朝覆灭的地方。吴石将军作为渡江战役的幕后功臣，葬于斯，遥对双清别墅，是巧合，还是刻意安

① 据吴石将军、王碧奎女士骨灰安放仪式录像资料。

排？吴石将军永远地长眠在香山的丛林之中，满山的红叶会告诉人们：这是将军鲜血的颜色。”

淼淼海峡，浩浩长天。吴石将军遗骨终于安放在北京——他为之献出生命的新中国的心脏。各位朋友，如果您到了北京，有时间的话，就请抽一点时间去踏勘这位英雄的归宿：北京石景山八大处公园东，香山南路南端西五环路东侧的福田公墓，沟南 4 组宙字区 13 号墓地。特别提示：6 月 10 日，是吴石将军的殉难日。

2006 年 11 月 22 日，中华人民共和国民政部追认吴石为革命烈士，并向吴石烈士的家属颁发了《革命烈士证明书》。吴石烈士长子吴韶成所在地河南省金水区专程派人向其送去了这份《革命烈士证明书》。在标明豫烈字第 010197 号的《革命烈士证明书》上赫然写着：“吴石同志因参加革命斗争，于 1950 年 6 月 10 日壮烈牺牲，经批准为革命烈士。特发此证，以资褒扬。”吴石将军泉下有知，亦可笑慰了。

在即将结束这篇传记的时候，我读到了当年流行在台湾左派人士中的一首叫《安息歌》的歌词：

安息吧！死难的同志，
别再为祖国担忧——
你流的血照亮着路，
指引我们向前走。
你是民族的光荣，你为爱国而牺牲。
冬天有凄凉的风，却是春天的摇篮。
安息吧，死难的同志，
别再为祖国担忧——
你流的血照亮着路，
我们会继续向前走！

这是真的勇士执着的信仰。革命者决不会轻易低下自己高贵的头颅！这首悲愤而激昂的歌词今天读来，仍让我震撼。我不能不由衷钦佩吴石将军的选择。这是信仰的力量、无畏的精神。我确信，精神是永生的，最终的胜利属于正义，属于崇高的信仰。我们活着的人没有理由不为心中的信仰去做些事情，去担当落在自己肩膀上的道义。

2011 年春，两岸关系柳暗花明之际，我有幸踏上祖国宝岛台湾，来到台北。我问起当年的“吴石案”，从导游到民众没有一人知晓。在台北街头，向路人问起吴石将军就义的地方——马场町，连问数人，均摇头连声说：真不晓得，让我有些茫然。幸有一出租车司机告我，听说过那个地方发生过不幸的事，但在 2000 年的时候那里已改为马场町纪念公园。站在公园，昔日的蛮荒之地已变成颇有味道的公园。公园广场中央立着造型独特的黑色大理石碑，此碑如同一本书展开在地面，上面镌刻着：

马场町河滨公园纪念丘碑文

1950 年代为追求社会正义及政治改革之热血志士，在戒严时期被逮捕，并在这马场町土丘一带枪决死亡。

现为追思死者并纪念这历史事迹，特为保存马场町土丘，追悼千万个台湾牺牲的英魂，并供后来者凭吊及瞻仰。

中华民国八十九年八月二十六日

2012 年秋，台北市政府重修马场町纪念公园。

2013 年 12 月，一座无名英雄大型纪念广场在风景优美的北京西山国家森林公园拔地而起，以国家的名义表达对 20 世纪 50 年代牺牲在台湾的英雄儿女的深切致敬，在两岸引起积极反响。整个广场依山而建，坐西面东，视界开阔，气势壮观，占地约 3000 平方米。沿着左右台阶拾级而上，两边的花岗岩墙壁上镌刻着经各方查找发现的吴石、陈宝仓、聂曦、朱枫、王正均、林志森等牺牲于台湾的烈士英名。名字以阴文素镌，若隐若现，既暗合了隐蔽战线的斗争特质，也彰显无名英雄们淡泊名利的高尚品格。吴石、陈宝仓、聂曦、朱枫的汉白玉塑像矗立在宏伟的广场上，以供后人瞻仰，铭记曾经的峥嵘岁月。

纪念源于感怀，感怀因而祭奠。半个多世纪后的今天，当我们穿梭于时空的隧道，应当用什么来祭奠 60 余年前为了民族命运而浴血奋斗，为了下一代人过上幸福生活而献身的人们？

附录一：吴石文稿

自　传

初学时代——军校毕业

余祖居福建省闽侯县之螺洲乡。清季文风极盛，族人求学者众。家世虽非显宦，亦代有功名。余既于此优良环境中长成，似可遍读群书，厕身士林，顾事实不如是。盖吾家本寒素，父复常远游，不克躬自督课，而余童年且体弱多病，频为疟疾所苦，虽就塾读，殊勘进益。

余八岁时，当世科举制艺不重复，群尚策论，渐知注重西学。螺洲乡开风气之先，首由陈弢庵（宝琛）先生创办一乡村公学，学科以汉文为主，并授英算两科。乡中知名之士，悉迎聘执教，吾父适于此时归来，遂受聘为汉文主讲，招收生徒，咸年近成童。余时甚幼，随父入学作旁听生。诵读以经为主，教学则重背诵默记，乃经义深奥，不易熟习。年长之同学每遇默读，辄错误百出，因而遭师责者，比比皆是。余年虽最幼，犹幸所受之课，隔日即可默写无讹，记忆力之强，遂震惊侪辈。

经岁后，省垣及附郭诸乡学校林立，乡公学停办，父亦他就。余初入城中师范学校附属小学，因病抱辍。适乡中亦有小学，以往返较便，遂就读。教师多自东瀛留学归来者，循循善诱，得其启发，学渐进，对其他科学亦能深切了解。犹忆习算学时，师母以学程以外之课题相试，余均能解答，师以为奇。在校月考期考，咸列前茅，由是养成一种不落人后之自信心。

阅二年，求知欲望益高。乡学尚觉不惬意，乃转入城中开智学校。斯校于吾闽中具革命性，标榜新学，与保守派不相容。所聘教师悉知名之士，授汉文者尤多绩学，讲解则妙趣横生，批改尤精当透辟。在校一年，获益匪浅，余之文学根底得以奠立初基。诚受斯校之赐也。

世风丕变，群骛新学。开智固佳，第数理英文较之教会学校尚逊一筹，遂改入外人所办之格致学校。仅半年值辛亥起义，是年秋，吾闽志士闻风响应，开智学校首倡组织北伐学生军，余虽就读格致，亦毅然从之。初于福州东门外之东岳庙受训，尔时入伍青年，率皆志气激昂，家人劝阻均不为动。是岁冬，学生军北上。留沪数月，南北气候迥异，余乍离乡土，与冰雪周旋，觉寒不可耐，甚以为苦，然志不稍衰，寝久亦习惯矣。翌春，赴金陵，编入入伍生队。未几，和议告成，北伐中止，入伍生编入校受训。余入武昌第二预备学校，从此，遂正式为军校学生。按当时学制，入预备学校二年，始得升保定军校为正式生。预备学程虽短，而学科颇多，汉英文字与他科并重，教师既优，教法亦良；学生程度之不齐者，皆按程度之高下调整分班。余性好胜，不甘居后，汉文英文皆在最高班，且于常课之外，致力进修，未明即起，孜孜不息。余体素弱，自参加入伍生队后，朝夕锻炼。进入预备学校，益注意体育，尤努力于器械操，一年后，中等以上动作除一二最难者外皆能为之。余应考试具一特癖，即缴卷必为第一人，算学非满分不乐。此种心理，盖自幼养成，长而弥甚，平生除此外则无所争也。

预备学校结业后，余志愿入炮科，赴第二师（王占元部）见习。当时军队干部以出身行伍者多，纪律训练不稍宽假，与在校时有殊，余安之若素焉。初入伍时，习骑术不敢懈怠；余体不其伟，惟他人能者，我亦能之。及毕业考试，凡骑术、套跑、器械、操等竞赛，辄冠其曹，得上评，足以自豪。益深信，能尽一分努力必能得一分效果也。

入保定军校后，益精进不懈，逢各种演习，常受命任指挥官；某次，习马术，余任指挥，乘一劣马，匹驰骤间，忽坠马下，攀鞍复上，未几复蹶，伤颇重，股几折，然犹未肯休，仍奋身再骑，连长嘉余勇而惧伤，力阻始罢。余少年时，强项不屈，乃如此。在校行动异平常人，每日午寝，余独不睡，利用此余间临池为乐。久之，同学效我所为者渐多。尤奇者余临眉山帖，同学作书者，亦皆习苏也。民国五年十二月举行毕业考试，与试者八百余人，余又冠军，此时忽一不如意事，为毕生所不忘者，即行毕业典礼之前一夕，余忽病，军校向例毕业典礼极隆重，大总统黎元洪氏且亲临致训，校中指定余作答词，乃在此时，突病例，体温甚高，虽欲力疾执笔，而病不能兴，不得已，乃请同学王凤韶为促刀，尽一夜草成，天明始脱稿。余自入预备学校，受严格之训练后，体渐强壮，不病者已数年。此次忽无端卧病，诚非意料所及矣。

保定军校毕业——入日本陆大

民国五年十二月十五日，余毕业于保定军校第三期炮科。余以为学能致用，抱负颇高，在校数年，孜孜不息，即期他日以其所学贡献国家，不意生不逢时，命途多舛，出校后之遭遇，使余大感失望，缘其时陆军部为速成学校派所把持，此辈率多出身行伍，对新进之军官颇存歧视，动加排挤。分发时，以省籍为标准，结果川浙粤桂等省籍之同学，以本省地方原有部队，故能有发展之途径，独闽籍同学则不然，吾闽本无地方部队，仅得一第十一混成旅服务，有何成绩可言！故余回闽后，历时五月，一筹莫展，懊恼之情，莫可名状。余甫出就事，即遭此打击，影响前途实匪浅鲜。其时，闽督李厚基以北洋军阀作袁氏爪牙盘踞一方，作妄威福，而粤省亦为滇军把持，情形混乱。于是，革命志士奋起闽南，展开驱李运动，余亦离福州赴鼓浪屿参与其事。惜以组织欠健全，为李（厚基）所破获，乃仓卒偕二三青年，避地汕头。方韶松（声涛）与李协和合作，压粤计划谋返闽，有征闽之组织李任总司令，方以总指挥代理，同学林知渊等适在军中，招往任上尉参谋（时为民六下半年），此为余毕业后初任工作之大概也。

余任参谋时，无论处身何地，担任何事，大之如作战计划，小之如译电工作，皆不辞劳瘁，以一身任之。每出入枪林弹雨中无所畏缩，屡濒于险，尤以珠江水灾几死者数，某次从第一线退至后方，日行二百二十里，历二十余小时之久，此种奇迹亦属罕见。余压征闽军，凡十阅月，张幹之（贞）崛起闽南，以民军为号召，扩充部队为混成旅，自任旅长，力邀余往任工兵大队附兼连长。余本习炮兵，以民军尚无炮兵，不得已乃就工兵，是余担任部队长之开始。

检讨当时贡献殊渺，夷考其故厥有三端：第一，民众武力素质不良；第二，装备补给皆极困难；第三，驻地非沃土，给养不易，因之一切匮乏须赖人力补足。余处此环境毫不灰心，仍思以毅力克服之。行伍间，闽粤人皆有，方言庞什，影响团结，余乃致力于语言之统一，颇有成就。

阅时未久，又受挫折，乃为魔病所扰。患喉疾甚剧，致不得不离开部队，就医香港。正值革命团体因种种关系无法发展，方韶松等皆蹙蹙靡所聘，余亦奔走闽粤间，几数月，自何叙甫归自欧洲，幹之、韶松重至闽南，收合闽军图再举，倡言驱逐军阀为革命树立基础，余是时亦在部队任少校参谋，征闽之举，虽为方张辈所发动，而操纵于陈炯明，陈率粤军入闽驱李，奄有泉漳一带，李固受其打击，即民军之势力，亦为削弱不少，余默察时势，知民军处境困难，地方复遭涂炭，且值余病后体亏，几不可支，各方友好纷劝异境暂休，后于民〔国〕十一年至十三年间息影北平，从何梅生习诗词，期陶冶性灵，爱好词章从此始。

十三年，黄埔军校开办，粤中故人一再函邀南返，以余之资历言应任少校，乃竟以中校教官相约，意至善也，然余乃却之未就。尽其时因观感不同，且缘久习文词，耽于恬静，遂坐令时机错过，至今怳然若失。此诚平生事业前途之一顿挫也。

是年冬，冯焕章（玉祥）先生自喜峰回师，与孙胡两先生组国民军，何叙甫任十四师师长，委余为军械处处长，并指挥炮兵，居洛阳之七月，整理兵器。嗣南苑干部学校成立，余被认为上校教官，历一年。迄十五年春，何公（应钦）敬之任国民革命军第一军军长，率师入闽，张幹之响应之，其众受编为第四师，招余返闽任参谋长。至闽后，今主席蒋公就总司令职誓师北伐，朱一民（绍良）为总部参谋长，陈空如为参谋处长，辟余为作战科长，虽仍充幕僚，幸能发挥作用，志为少舒，此事视为余之事业转折点，时为民国十六年也。无何蒋公总司令部结束，朱陈皆他往，余亦去之沪上间居两月，自方韶松回闽主持，余又归来任军事所参谋处处长，历时阅八月。在此期间，稍有建树，如整理民军也皆尽心擘划，期为本省军队稍树楷模。经事愈多，愈感学识不足，遂决心东渡入日本陆大求深造。方公颇嘉余志力，赞其行，以福建省政府名义送往。于是，余又从服务时期转入求学时期矣。

求学日本陆大——任职国防部

余自出校任事以来，备受刺激，感想良多。时届第一次欧战之后军事学术已日新月异，诚有再求深造之必需，每与曩曾留日之同学往返，获知日本陆大组织健全，颇负时誉，乃谋东渡求学。幸得方韶松先生之助，由福建省政府保送，同行者三人，为余与萧其昌、陈东生两君，抵达后陈变计中止东行，后改赴德。

日本陆大极不易入。虽收中国学生为第一种政策耳，初系每年招收一次，后易为三年一班。余抵日后，方知最近一班入校仅一年，须待其毕业，始得收新生，当时颇感徬徨。一般友好咸劝余不如先入炮兵专门学校，余纳其言。爰补习三月，为投考炮校之准备。初日本各兵科学校皆可保送，毋需考试。厥后来者渐多，乃废保送之例，而且考试极严。余幸应付裕如，幸获考取，入校后学习亦不感困难。

翌年，炮校毕业，考陆大之时机已至，此时投考日本陆大难关重重，第一因为来考者多，合各省籍计共四五十人。余为福建省政府所保送，限于经费，无法继续，势须先解决学费困难问题，余遂返闽交涉并至南京请愿。当时，日本陆大限定我国学生名额，每期仅六名。来考者四五十人，中间有知难而退者，但仍有十人候考，余志在必得，虽知困难，意不稍馁，乃竭其全力准备，延富有应考陆大经验者二人为导师，准备三个月后，始往应试，与试者四十人，而录取名额仅六名，群感希望甚微，乃于考后向日政府交涉增加名额。时幣原当政，对吾国比较缓和，允增两名共为八名，余幸录取入校。

民国十九年冬，余入日本陆大肄业。翌岁秋，于参谋旅行期间，忽闻“九一八”之变，遂返东京。其时留日学生中，发生继续留日抑立即回国之问题，请示结果，为普通学生回国，士官学生退学。于是，去者纷纷，观望者亦不少。时留学生监督已回国，陷于无管理之状态。有二同学另有作用，欲率各校学生返国。当时士官生中，有因要求回国，而被日警侮辱者。某日集会解决去留问题，余主张：陆大学生之地位非士官生可比，盖吾人中国派往国外将校及陆大学生，两种立场，举动必须审慎，不能稍受侮辱，回国并不反对，但行动不可轻率，须得中央命令，始可离日。此言一出，同学多数赞同。惟其中二人，大肆咆哮，几欲动武。余谓："士各有志，各行其是可耳"，众韪余言。翌日，中央电至，坚嘱勿行。原主张回国之二人，以声言退学在先，不得不行矣。"九一八"事变后，日本陆大当局对于中国学生仍未改常态，故吾人卒能忍痛再读二年，完成学业。

日本陆大于入校时，限制极严，非确实俊秀之学生，决难幸致。日本学生视此为最重要之关头。除具特别天才者外，自准尉以上非经过数次考试，不能入选。在校时，功课繁重，每日皆有作业。平常能考列前茅者，率皆苦下工夫，往往彻夜不寐。余知其然，故三年在校片刻不懈，各科作业，皆按时交足，对其他科目如外国语、骑术等，他人多等闲视之，余独郑重其事，从未缺席。授外国语等项辅助科目时，往往仅得余与一二人到场而已。至于所作之战术案，日教官颇重视，常付印分送，并命余登台讲述。参谋本部公评留日学生，以余为最有心得之一人。

二十三年，余学成归国。值参谋部方改组，辟余入部任职，陆军大学亦聘为教官，时第十期入校，甫一年学生以不满教官引起风潮。余甫任教两个月，风潮即告平息，当时战术多采德籍顾问，来校任教者，态度非常傲慢，目中无人。自余以生力军加入后，彼等遂稍敛其前态矣。时参谋本部第三所正成立一研究日本及收集情报之机构，邀余参与。余知"九一八"事变发生后，日人之野心已昭然若揭，大战爆发仅属时间问题耳，未雨绸缪，应有准备。但此项工作初无基础，一旦从事，实感困难，且情报来源尤无从着手，余乃多方设法，以达成此艰巨之任务。利用余原有之日本书报杂志，及托留日士官生猎取各种有关材料，加以整理研究，历时三载，共编成日本作战之判断及与政治、经济、航空兵总动员有关之材料十余种，名为《参二室蓝皮书》，此书初出无人注意，迄"八一三"抗战军与日本侵略一切兵力部署及攻击指向，悉如《蓝皮书》所判断（即开战以来，敌人之兵力番号与编制，亦无一不相符）。当时与余共任此工作者，如郑水如、吴鹤予、蔡重江、周季煜、王斐丞、万祖章等六人。

"七七"事变发生后，委座即决计组织大本营，参谋本部改为第一部，第二厅改为第二组，徐祖贻（燕谋）任组长，余任副组长，兼第一处处长。战端既启，敌之资料尤不易搜集，无已乃以旧有之《蓝皮书》，翻印以应需要。此外，则临时设法收集新资料。情报之来源，不外战场搜索与国际刺探，但战场搜索为不可能，故当时情报来源，仅有两种：一为日本报纸，一为敌人广播。日本行征兵制，其军队遇有伤亡，必于报纸公布，吾人可按其兵籍，以判断其所属之师团，结果证明所判断者殊确，其始敌人之广播甚详尽，吾人可依此断定其兵力为何种部队，为数几何，辄十九不误。

京沪会战后，大本营移武汉。徐组长祖贻任第五战区参谋长，余以副组长代组长仍兼第一处处长。如是者一年，劳悴备至。时苏联派来情报人员多人与余合作，见余服务精神振奋，均心悦诚服。其后张鼓峰、诺门坎两役迭起，彼等即摭取余所供资料，报告其本国，皆膺重赏，于是争以时计、水笔馈余。忆在汉时今主席每周必召见咨询一次，深为嘉许；则苏方人员揄扬之力也。

武汉作战时，第一部改军令部，第二组改第二厅，徐培根任厅长。论余代组长已一年，本可争逐厅长，乃事实却不然者，盖由一已具有事业重于地位之见解。当时忙于作战大计划，昕夕应付，已感目不暇给，何暇自谋升迁。以时俗眼光视之，余蹉跎之误，固觉难以自解，然不矜功，不言禄，淡泊自甘，未始非培养一种美德之途径。其时第二厅全部工作重心，悉在第一处。余致力于斯，固夙夜匪懈也。

二十七年秋，武汉转进大本营移重庆。今国防部部长白公（崇禧）任桂林行营主任，次长林公为参谋长，辟余为参谋处长。时部中人事不甚协调，余乃决计赴桂，桂林行营范围颇广，辖三、四、六、九等战区，白公自任指挥。桂南会战时，余方病，力疾从事数夕不交睫，病苦不可名状。长沙第二次会战后，今主席即预料又有第三次会战发生，乃命李任潮（济深）、贺贵严（衷寒）、熊天翼、张向华（发奎）、薛百陵（岳）、顾墨三（祝同）、白健生（崇禧）、林蔚诸公草拟第三次会战计划，余亦参预其事，实负起草之全责。昆仑关之役，亦因余之指导而告大捷，杜光庭即以此一战成名。柳州会战后，桂林行营即撤销，余受命任第四战区参谋长。

第四战区长官司令部原驻曲江，昆仑关会战后始移驻柳州，司令长官为蒋自兼、张向华（发奎）副之，而代理其职务，始以蒋光鼐任参谋长，蒋辞后以余继之。余任事适在南宁作战之后，战事虽暂告休止，然对于南宁之规复，正刻意准备，盖预定敌不能久留桂境，终须退出，为未雨绸缪计，乃作参谋旅行二次、战史旅行一次。当敌开始撤退时，余自广播得情报，适张长官不在柳，未及请示，乃将邓龙先、夏威之部队集中作追击之部署，命令既上。翌日，敌即退出南宁，余电请张长官回柳主持，自任追击之责，以吾人追击颇为活跃，故所获战利品亦夥，敌仓徨消遁，不及行破坏工作，地方赖以保全者甚多，邕市区内之建筑物，桥梁及水电设备完整无缺，不可谓非得追击迅速之效果也。试观卅四年，敌自广西撤退，桂柳名城成为焦土。前后比较，相去几何！越日，张长官抵南宁，余乃督队前进，敌在钦县略施抵抗，随即出海，余亦归。

余在参谋长任内，对于幕僚任务，皆切实履行，既不自我宣传，亦不矜功自伐。上峰对余之印象批评如何不得而知，在袍泽间莫不交口称颂，平日推许备至。自问人之誉我，愈令一己增加自信心，愈思努力奋勉。个人所作《南宁战后战史旅行之实录》及《参谋业务》两巨册传诵一时，各方皆认为信史为范本，见解独特，许为知言，此诚差堪自慰，而五年以无大愆，尤以堪自信。

三十三年夏，敌大举犯湘。衡阳既陷，长驱入桂。桂柳战役情况之困难，有过于他役，敌分数度入寇，战线之广，自越边龙州沿南路以达粤桂湘桂省境，以包围广西，正面绵延五百里，敌挟其八师团之兵力，持向心力之态势随变深入，欲一举而打通其南洋路线，威胁我大后方，我方之兵力仅得十六集团军两个军，嗣增入九十三军，兵力仍原有限。湖南会战后，自九战区调来两个军皆残余部队，有名无实，其战斗力亦极薄弱，当时请求增兵之电在二十以上，迄未邀准，指导上之困难已臻极点，殆业生所未经。兵力既呈劣势，态势又复险恶，再感觉命令不能全盘调和，在此严重情况下，其不为所歼灭者几希，犹忆敌人进入桂林地带时，曾受我军抗拒，歼灭不少，敌在南战场来宾一路，亦曾受挫折，当时若能增入生力援军，则局势未尝不可挽回也。时我军于桂林方面取守势，来宾方面取攻势。部队由柳州退出后，预料敌必止于宜山。但因独山以南，物资颇多，敌到宜后或再前进，不能无准备以掩护物资之后移。故余抵怀远后，即设立阵地凭河固守，虽有良好据点数处，惜无可用之兵，仅得重炮三四门，战车七八辆与工重一团与斯而已，余即以炮兵为基干，编成阵地阻敌前进，相持七日敌之来者均不敢渡河，余为此部署，近于冒险，人心惴惴颇怀疑惧，不知余早有准备，意料敌人自桂林兼程前进，兵力必不多，且无重炮窜柳后地区更大，用于此方之兵力至有限。势必稍加整理，然后搜索前进，余之敢于用少数兵力，抗敌于怀远者即以此。时长官部在河池，余每日必亲赴前线一次躬亲指挥。无何，河池又告急，乃退至六寨。六寨不幸为盟军误炸，全镇尽毁。余居车站，幸免于难。余眷于柳州退出时，虽已尽室先行，第交通工具极度困难，亦饱受琐尾流离之苦，余生平最珍贵之书籍沿途散失无遗，爱子复殇其一。余抵筑后与家人凄然相对，忧劳感伤，竟罹大病一场。时长官部已由安顺移桂西百色，余则为疾所缠，犹留贵阳。

长官部抵百色后，奉命改为第二方面军。溯余自四战区参谋长历时五载，颇有勌意，现既改方面军，去志益坚。斯时林蔚方任军政部次长，电邀赴渝。为顾全公谊私交，仍于病愈后遄赴百色，为维持两月始离去。

三十四年三月杪，余自百色乘美军运输机赴昆明谒前总长何公，蒙慰勉有加，希望余仍留二方面军，以参谋长兼副司令官，或留昆任陆军司令部副参谋长，余以“返中央任职之意已决”婉谢之，遂于四月一日飞重庆，入军政部，任主任参事。

军政部参事室向以例行公文为多，业务清简。主任参事虽为高级幕僚，实等于伴食宰相。余到部后，作风丕变，合参秘两室为部长办公室，余兼主任，工作性质已化例行为设计。凡一切章制计划之拟订皆余起草，全部案牍皆须过目，业务视前已增加三分之一有奇。日本投降后，工作更见紧张，关于受降、复员、整军、建军等计划，咸殚精竭力以赴，自平旦达夜分，从无休息，一年以来曾尽平生最大之努力。然卒以劳顿过度，血压高涨，病又起矣。医师皆嘱必须静休三月，否则病将不治。余亦知其然，但不欲以私废公，养疴仅旬日，即销假视事。

还都以后，中央军事机构改组工作即行展开。今主席指定部长陈公为改组委员会主任委员，林次长蔚文、刘次长为章、刘次长任夫、袁副部长守谦为副主任委员、钱厅长企农等十五人为委员，余为秘书组组长，负责指导业务及拟订计划，历时六月，改组工作粗告完成。国防部成立，余任史料局局长，其后十阅月，后呈奉核定改史料局为史政局焉。

余检讨一生，自觉碌碌无他长，惟亦有两点稍异于他人者。兹分述之：

其一，守着固执始终不变。以学习而言，既下决心，则必到达目的而后已。儿时体弱，每年必患疟疾两月，疥疮与头痛经常不愈。入陆军预备学校，乃决心学习各种体操，以锻炼体格。初觉为难，久亦习以为常，体遂日益健硕矣。习汉文时，每日清晨即起，从无间断，每作文课必寄与吾父批改。后随何梅生先生学诗，以不谙音律之人，短时就学，即能吟咏。习外国语，进步极速，初到日本，对日文一字不识。两阅月，而听讲能力已臻上乘。初习游泳，贸然入水，几遭没顶，然绝不畏缩，习之不已，现亦能泳越小河。就以上所举各例而言，则余锲而不舍之精神与毅力，终觉事与愿违者殆命也乎。

其二，余性忠厚，待人以诚，为人谋而忠，一生成败皆系于此。以能尽力为人助，故能得生死患难之交；以待人诚笃，故或见款于小人颇受其累。赋性如此，致事业前途与生计方面，不免同受影响也。

此外，余尚有一特点，则辨别善恶过于分明。往往面对小人，憎恶之情，见诸辞色。此殆得之先天或吾闽之国民性，短于辞令，不喜夸矜，往往思想内容极佳，但难期娓娓动听，以不克达到辩才无碍之境，引为憾事。夫言语为智力与学力之表观，余乃独拙于此，其亦秉赋所然欤。

（据吴石好友魏应麒保存的《萃文叔生平传誌》（手抄本）校勘。该自传约写于 1947 年，20 世纪 90 年代由其子魏世熙、女魏世媄转交吴石之子吴韶成。）

新战术论

第一章　导言

自一九三九年八月，欧战爆发以来，德军之对波兰、挪威、丹麦、比利时以至英法等国作战，出乎世人意想之外，尽其风飘电闪纵横驰骋之能事，流风所播，迩来倭寇对我作战，亦渐露新样矣。尤以敌最近在太平洋无端掀起之滔天巨浸，敢奋螳螂之臂，以与美英角胜负者，亦以自恃剿袭德意而得有作战之诡道也。虽然斯诡道也，实现今战术潮流之趋向，诚以今日战术之发展，已全然反乎第一次欧战时代之旧观，吾人于此不能不大加警惕。是故应把握战术中心思想为第一要义，原夫国防之设施，必先有其中心思想，然后一切革新强化，方有其鹄的为据。是故一国欲策国家之安全，先有国防方针，但国防所能决定者，为战争之准备，至于实施作战，应用何种方术，方足制胜致者，则战术尚然，而此战术亦需有中心思想，而后装备编制训练，方有确实之准据。战术思想，原受历史的条件（如国民性、军队组织等），地理的条件（战场交通线情形等），经济的条件（如军事工业经济力、军事技术等），政治的条件（如假想敌人等）所制限，然而必须根据以往之作战经验，而选择适合于时代如何战胜敌人之最善方法，而自动的确立之，乃可。欧西某军事家有言曰："近代作战，非如作文，即席可成，乃争力之数字，所谓力之数字，必先把握战术之中心，依适合此中心之需要，平时加以培养、配备、统制、安排，战时始克依照预定策划，应付敌人，战胜敌人"。诚不刊之论也。其次则要随时明了战术之趋势，不可拘局于一端，与故步自封。法总理雷诺曾有检讨此次败绩原因谓："法军败北真正原因，在吾辈对作战一贯观点，不合乎新战术观念，因对作战方法根本不同，大规模之重战车队，及空陆的配合作战，以及降落伞部队之扰乱敌人后方，如德取荷兰国比国之战术。咸非吾辈意料所及。"（于以可知法之败于德，完全昧于战术之趋势也。）孙子曰：“兵者国之大事，死生之地，存亡之道，不可不察也”。鲁登导夫论：“全体性战争，乃全民族生存所系”。是故作战之一切术策，苟不深思熟察，竭力以赴，则其危险有不堪言状者。英国新进军事家谓：“一个国家在军事上采取保守主义，其危险诚无有过之者。”余有鉴于斯，爰对现代世界交战各国之战术思想，与战术趋势所在，紬绎其要义，以供海内袍泽之参考，庶于我国军将来策定战术思想，增订战术原则时，作涓流之助云。

第二章　新战术之概念

现代化之战术，实已反乎旧观，而在新的条件之下，以新的姿态，发展新的作战也。阐析其意义，因经纬多端，但细加归纳，其要点所在，不外合全面作战、纵深作战与快速运动战三者而构成之。兹分释之如次：

第一节　全面作战

全面作战（注一）之意义，类似于全面（全体性）战争。全面战争其战也不仅武力，其担任战争也，不仅武人。而全面作战，其战也不仅战线，其担任作战也不仅战斗员（军队中之非战斗员甚至一般民众均应从事作战）。申言之即：敌我之战斗，从一线而变成面，从平面而演成立体，从一面而变成多面。若以一住宅受贼劫攻为喻：在前此之战法，其攻打不过一门，或一方面有敌而已，今日之作战，乃前后左右各门，以至于屋顶、瓦角、边、墙底，均变成贼之攻略对象，甚至梁间、堂奥均受不意之敌埋伏与内应。更以拳击为喻：前此之战斗，不过伸拳击其一点，而今乃以一掌具有锋利指甲之五指，每指抓住一个弱点，而同时多面的猛力突刺，而收总力之效果，是乃全面作战形态之大较也。

第二节　纵深作战（注二）

从前之战斗方法，乃以肉体于敌火之下，作异常困难之匍匐前进，其进展也极有限度。至于现在，战斗一经发动，即企图将敌之抵抗全纵深，前后区划为若干阶段，一面于全线加以巨大之压力，一面逐步加以决定的猛击，而粉碎歼灭其抵抗力之全部，亦即将敌军第一线与后方部队，同时一举突击，深入而击灭之也。至其手段，不外赖强力之兵器威力，以作强袭（以压力为主）的深入，与探求弱点，以作奇袭（以出敌不意为主）的深入，而确达压倒歼灭之目的，此种战术，苏联提倡最早，有称为苏联战术者。

第三节　快速运动战（注三）

运动战乃通常战术原则中所称道，而与阵地战对待之作战也。至所谓快速运动战者，即运动战要求高速的机动，与往昔之运动战大有悬殊也。此种运动战，亦可称为新型运动战，或高速运动战，亦即反阵地战反堑壕战也。德国在第二次欧战所采用之闪电战，实即此种高速运动战云。

新运动战，最主要之因素，即奇袭与机动，亦即特别发皇，孙子所谓："后之发先之至"与"出其不意攻其无备"与"善攻者不知其所守"之意义也。

（注一）全面作战者，利用快速部队，与新的装备新的组织之部队，从空中地上，对敌上下、前后、左右，出敌不意，兼行迂回、包围、突击，以期借极迅速手段，击破敌人之全面作战组织之谓也。

（注二）纵深作战者，以现代的装备与组织，依迅速与猛烈之手段，对敌行突袭突破，或乘敌弱点，突入敌后，且彼此呼应，将敌之战略配备之全纵深，加以压倒的击破毁灭之谓也。

（注三）快速运动战者，发挥特殊机动力之装备（以飞机战车为主）与编组，以迅雷不及掩耳之手段，行强悍不顾一切之突击，与迂回绕回之进击，期于最短时间，与敌以崩溃的打击，而收决定的战果之谓也。

第三章　新战术演变之由来

大凡战术原则有永久性与变迁性之两面。永久性者，千古不磨之原则，如攻击精神，重点主义，与包围、迂回、奇袭机动等，过去如是，现在将来亦复不变也。至于变迁性者，则因军事技术、军事工业之发达而递嬗演变，如纵队战术变为横队战术，疏开战斗变为散兵战斗，与战斗群之战斗等是也。此种战术之演变，初非突如其来，实有其历史性与一定之阶段。所谓现代化战术，溯其由来，实源于第一次欧战德法西方战场自一九一四年麻伦会战后，德法两军，延翼竞争达于极端之际，双方均竞行于所占领之阵地位置，构成坚固阵地，演成阵地战，于第一线构筑散兵壕，与掩护之据点，以至构筑第二线阵地。时日之经逐渐增强，乃以坚固材料，筑成数线坚固阵地，以便于使用多量之机关枪大炮等兵器，与坚强各种防御及障碍物。当时双方军队，均以大量炮兵火力，作大规模炮击，以期摧毁敌方阵地，但当步兵前进接近时，始发现敌方机关枪等，仍形成极严密之火网，使企图攻击者，蒙极大牺牲，陷于无成功，只得蜷伏于壕沟，互相僵持。迨一九一七年三月以降，迄一九一八年战争结束止，阵地战可谓达于最高潮。四年之中，德军在西部战线，虽迭次攻势，而终无法奏功，尤以一九一八年五次大攻势，费九牛二虎之力，经数月以极巨量之兵力与武器，虽于攻击初期，突破阵地一角，进入数公里，或十数公里之突破幅员，待对方兵力增援，攻势即受顿挫，终归于恢复原态。此种攻势，每次所消耗者，实占全战力之二三，结果了无所得，而一战之消耗，实费数个月之准备，是双方企图击毁敌方者，反自陷于消耗疲敝之苦，终至战争结束。德军痛定思痛，检讨以往失败，深以阵地战徒消耗兵力，僵持战局，无法达成作战目的，经深慎研究之结果，其战术思想，排消极迟钝之行为，而全力主发挥其主动（制人之气）、猛烈（无敌之勇）、强力（不竭之力）、迅捷（不意之机），期以迅雷不及掩耳之威，与泰山压卵之力，以收决定的效果。所谓突击战法是也。迨后更对于兵器方面，极力发挥空军与机械化兵器，推翻前此防势的兵器之优势，而成攻势的兵器之优势。于战术方面，所谓全面作战，深入作战，与高速度运动战，亦即反阵地战反壕堑战遂应运而生，而至于大成，是亦即以近代的战斗资材，而运用孙子所云："兵之所加，如以段投石"，兵之迅疾，譬如"激水""鸷鸟"，与乎"善战者，其势险，其节短"之原则云。于是对于战法之安排试验，兵器之设计创造，军需品之准备调整，军队之训练经验，干部之养成，竭其一切之力以赴之，至其发展过程，则以西班牙内战为新战法新武器之试验时期，意大利对阿尔巴尼亚之作战，为应用时期，迨一九四〇年德波开战，德以奇袭之闪电战法而得异常之成功云。

是故此战术之集大成，当推德国，更夷考其对新战术之创立，在乎鉴知已往之失败，而完成其战术思想，完备其整军计划。西班牙内战结果，更予判定其编制装备及军备等适应现代作战与否，如法国等，则不知战术之变迁性，狃于第一次欧战之胜利，徒具苟安心理，仍保守陈旧之战法，对于西班牙内战德意之勤勤研究，与德军之装备训练，已突飞猛进，亦丝毫不觉察，置如许教训于罔顾，一旦开战，仓皇挫败，丧师灭国，抑亦可哀矣。

第四章　新战术要义之分析

新战术内容分析颇为复杂，但其要点所在，概可分为战术思想、作战目的、战斗手段之三者，兹分述如次：

第一节　战术思想

新战术之思想，旨在使用快速猛烈之兵器与奇突之手段，迅速收得决定效果也，分析言之，当有如次所列：

1. 战斗自始至终，以完全歼灭敌军为目的，敢行大胆之作战，迅速决定战局。

2. 彻底实行积极主动强力之攻势，且不惜任何牺牲，务期于精神上、物质上发挥最大之威力。

3. 随时随地于决胜点，彻底集注最大限之兵力，俾获得压倒的胜利。

4. 极力排除不彻底与呆板式之战斗。

5. 力避阵地战、战壕战等之消耗持久战。

6. 无论上下切实履行极严格之统帅与独立自主、奋勇无前之精神。

7. 但抱“目的观念”而忘“生死观念”之牺牲精神。

第二节　战斗目的

新战术之作战目的，不外乎予敌以强力打击，使无再起之可能，予敌以不意奇袭，使无抵抗之裕，因是如消灭作战意志，残害中枢神经，破坏指挥系统，摧毁战斗组织，阻遇二次决战，毁灭作战力量，迅举战争效果等，均为最重要之着眼。

第一款　消灭作战意志

作战意志，乃作战之生命。如“士无斗志”“民无斗志”，纵使拥有优势之兵力、与优良之装备、智勇之将领，亦无所发挥战力。孙子所谓：“攻心为上”，是也。故近代战法，特用各种猛烈、阴狠手段，以期消灭敌之作战意志，希特勒《自白》一书有言：“吾等原有广泛之战略，智识的武器，可以采用，我等苟能以其他更好与更廉价方法，摧毁敌人士气，为何尚须采取军事手段乎。”于以今日之作战，对于战意之攻防，诚较一切为重要也，其所用手段，如以强盛其力，压屯敌国国境，以事威吓，或空军之猛烈轰炸，使对方仓皇失措，或绪战之际，以特强兵力作严重之奇袭，以图歼灭敌军，或遮断其退路，或利用第五纵队及降落伞部队、便衣队等，到处不意出现，肆行破坏内应，与散布恐怖谣言，鼓励后方居民起厌战、反战心理等行也。一九三七年意大利对阿尔巴尼亚作战，在战事将爆发时，海陆军即以迅雷不及掩耳之手段，乘阿国动员未守毕之际，即行奇袭，以使其无抗战之意志，即其例也。

第二款　残害中枢神经

人生纵有最强健之身体，苟中枢神经受害，则命源已绝。作战亦然，如战争指导之中枢机关，最高统帅机构，皆所谓中构神经也，新战术着眼于此，即古语所谓：“擒贼先擒王”之手段，如以威猛强大兵力之压迫，或空军之猛烈轰炸，或其他第五纵队等之捣乱破坏等，以使统帅部与战争指导机关，光其机能，俾克达所期之目的，如第二次欧战，德军压迫比京时，比王之投降，乃狞猛、强大之压迫也，挪威叛徒迪士林之叛国，则属于谋略策动，与第五纵队煽动之效也。至于法贝常之求和于德，则又合以上各种之手段而成云。

第三款　破坏指挥系统

指挥系统，亦属局部之神经。若被破坏，较之将敌全部军力一一毁灭，自属效果大而费力轻，且指挥系统，既被破坏，则部队失去统制力，即以少数兵力行扰乱，亦可收甚大之效果，尤为此次欧战各战役，所充分证明也。所谓指挥系统者，分析之，即：指挥部与一切通信联络系统也。在第一次欧战之际，亦已着眼炮击与飞机轰炸指挥部，但收效甚微，今则空军，快速部队、第五纵队、降落伞部队、便衣队及其他挺进组织之部队等，均以袭击敌指挥部与破坏通信线、切断通信等，为最重要之目标，德军之在欧洲东西各方作战，均极力后行之。

第四款　摧毁战斗组织

所谓战斗组织，如野战部队，与战略预备队之关系：第一线与后方部队之关系；陆地部队与空军之关系；警戒部队与主力部队之关系；步兵与炮、工、战车兵等之关系；陆地部队与空军之关系；指挥机关与战列部队之关系，等是也。新战术，即看破此种关系之重要，而极力以空军、机械化部队，及其陆上部队之机动性与攻击力，多方予以猛烈破坏袭击，使前后不相应，彼此不相保，以致土崩瓦解，陷于极度混乱，而趋于毁灭。如波兰有常备30万之陆军（动员部队不在内），并相当之空军与德国抗衡，原可支持相当时期（外国军事家持论，可支持六个月），乃因德国军着眼于空军破坏其飞机根据地交通线，并摧毁其前线与前方部队之组织及指挥通信线等，使战斗组织整个摧毁，故仅费二星期之时间，便达战争目的。德军之对法作战，何尝非使法军陷于瓦解之局，而收得最大成果，德人曾自诩其又打法之胜利，实超过于最乐观、最有利之估计多多也。

第五款　阻遏二次决战

在往昔作战，因仅限于前方一线，故于该线即被击败时，仍可退却于后方相当距离，选择有利地形，再行占领阵地，恢复态势，或待后继兵团到达，再图与敌决战。有时以在前方与敌决战为不利，而特指导后退于有利地形与有利态势而行决战。所谓“退僻作战”（参阅拙作《兵学辞典粹篇》）者，如第一次欧战，法军因国境会战不利，特指导有秩序之后退，于麻伦河附近之反攻，皆其例也。至于新战术之着眼，攻击敌人，端在一举歼灭，既经击破敌阵地之后，即对前方退却之残余部队，及炮兵阵地等极力击毁，使完全失去战斗力。对后方增援部队，亦同时予以击破，且于敌部备队与后方部队，未能组成新防线之先，而已挺进到达其后方，而加以击毁，甚至一切交通机关，以及后方机关，一例加以破坏扰乱，各方并行，不稍疏漏，使敌不克于后方占领阵地，恢复态势，而行反击之余裕，如第二次欧战德阳军在西线之对法军是也。

第六款　毁灭作战力量

作战之目的，端在压倒歼敌之战斗力，是乃古今之铁则，新战术亦何能外量，但以往之歼灭，每因速度之缓慢，与质优之不变，所以多未能举预期迅速之效果，现代战，则因机械化兵器威力与速力之加强，而毁灭战力之力量，亦以增加，是亦不外利用物理学之原理，如（mv）之公式而已。

说近所谓“毁灭战”者即以完全毁灭敌国使失去抵抗力，与政治统制力为目的之作战也。其作占目标，为无限制，其攻击对象不仅限于武力，战争终了后，战胜者无须与战败者谈判和平条件，惟意所欲，令战败者接受或任意加以支配。此种战术思想，澎湃于轴收国家者，为日已久，意大利一九三六年之对阿尔巴尼亚，咸实现此毁灭战者也，德国对此所持尤烈，希特勒之战争指导原理，与战术主义均造基于是。德国国防杂志大书特书：“所谓毁灭战其真正政治目的，在使敌国完全毁灭，”又谓：“未来战争，特为全体的，不仅动员须为全体，胜利亦为全体，即令战败国完全毁灭，使从历史上绝迹是也。”观其併奥国吞捷克灭波兰，何莫非发挥其此惨酷之手段，新战术之凶恶性于以可明矣。

第七款　迅举作战成果

是乃速战速决之意义，以上所列各项目的，其最终目的，原复如是，诚以速战速决，有战略上与战术上之分，在战略上，则因一国国防与军事因素之不同，故指导战争，有采取速战速决者，有以消耗战为有利者，至于战术上，即战场上实行战斗言，现今战术之趋势，实以“迅举作战成果”为依归，即战争指导方针上，以持久战为目的，而战斗上仍采用速战速决，吾人不可不察也。

第三节　战斗手段

现今战术之特异点加以归纳：即“质的战斗”“智的战斗”与“勇的战斗”是也。所谓“质的战斗”者，往昔之战斗过程为炮兵破坏轻重火器与枪火之杀伤，而以刺刀肉搏，结束其战局，而今则高速度、高性能之飞机群，与装甲兵团联合之闪电式攻击、机械化部队之突击与战车群之突击等，形成毁灭的效能，其对坚固堡垒更以极周到、细密之战术的与技术方法以夺略之。所谓“智的战斗”者，统帅部与指挥部当竭智能，以发挥奇计诡军之能事也。所谓“勇的战斗”者，要求将士悉心贡献其生命于国家，以彻底完成作战之目的也。兹更举新战术之战斗手段，荦荦大者有如下列各款。

第一款　适时奇袭

采用“适时奇袭之战术”，以收不意打击之效，使敌方无起而抵抗之余裕，所谓闪击战之要诀，悉在乎是。考“适时奇袭”一语，乃出自意国，“适时”二字，即绝对可收得效果之时期也。意国 1939 年对阿尔巴尼亚作战，即窥破亚国作战能动员若干军队，动员需若干时日，意军即乘敌动员未完成之机会，以少数（实际仅二万三千人，而最初渡海侵人阿京者仅 1200 名）机械化部队与空军之奇兵（空军与轻快部队），对阿国作适时奇袭，占领其国土要地，而使其动员失效、战志颓丧而屈服，此种作战计划，名为适时作战计划云。再观德国之对波兰、挪威、丹麦、卢森堡等。悉用此种奇袭之手段，于短时间收得预期之效果。最近，倭寇之对太平洋美英各根据地，一方阳作与美国晋行交涉，一方阴行准备，择西人所重视星期安息日（12 月 8 日）之机会，一举对夏威夷、关岛、菲律宾、新加坡、香港同时起而袭击，何莫非效颦奇袭之诡计，是故几时奇袭，乃新战术最重要术策之一云。

第二款　极端袭挥优势

对敌作战于数量与质量占绝对优势，为战略上最上乘，尤以于决胜点集注优势战力，为古今颠扑不破之原则。克罗则维兹曰：“兵数之优势，乃战胜之重大要素，以故战略原则之第一义为‘务以强大兵力开战’，其次则‘决胜点必须集注最大限之兵力’。”诚至言也。

新战术之对此点，尤能极端重视，为期确得胜利计，其所使用如战车、飞机等新式兵器，据欧西军事家之理论，用经验所得之结论，采取攻势之兵力，必须有三与一之比之优势，德国进攻波兰等，此种新兵器，实较波多三倍以上，及其企图进攻西线英法时，深恐其优势之不及，乃于1939年冬季加紧准备，扩充力量，直至翌年夏季，已超过三对一之比。据确实统计，飞机之比已达四与一，战车则为五与一，其毅然敢行闪电战，非偶然也。

德军对欲击破之敌，必集结最大威力，务必达到目的而后已，且其使用兵力，不但最初攻击之际占优势，即攻击继续亦以极多量兵力，随时补充以维持此优势，所谓循环作战即于此际用之，是亦鉴于第一次欧战德军行阵地突破战时，往往以到达法军后方阵地线后，因战力已竭，受敌反击，则更无法扩充战果以致失败。

第三款　极端利用机动性

新兵器发达所造成战略上与战术之机动性，厥效极伟。现代机械化兵器如战车、装甲汽车等，均具有此种甚大之机动性，新战术以此为突击与深入作战最适之武器，往昔步兵的速度之攻击前进，已不适用于今日，必依快速部队与不顾间隙，或补给之危险，强迫敌人，行迅速的决战，而使其无有喘息之余裕，并利用之以行高速之迂回包围，尔然出现于敌之背后与侧方，或断敌退路，以达对敌之广正面全纵深同时摧毁敌全部战斗部署之目的。考第一次欧战，德军八月四日占领列日，九月五日到麻伦河，计需三十一日。而第二次欧战，五月二日占领列日，而五月十五日即到麻伦河，为时仅十三日，其机动性之悬殊，有如是之甚云。

机动性可分为兵器机动与技术机动之二种。兵器之机动亦即可谓质的机动，如现今所用机械化兵器其最著者也，自下机械化部队，一般速度在行进时平均昼间二十公里，夜间十二至十六公里，战斗时在良好天候与地形，平均概为十六公里，其与步兵相较不啻五六倍矣。德军在西线对英法作战，其机械化部队十二日行三百公里达英法海峡，就中有48小时进出一百三十公里者。其他飞机以每小时四百英里左右之速度，在空中独立或配合各部队施行各种任务，极端发挥机动之能事，使战局瞬息万变。苟不有深慎之戒备，则将陷于不可收拾之状态。至于技术的机动，则赖指挥官与幕僚等，奋其敏活不失时期之指导与处置，使部队之活动，无一分一秒之浪费，以策动部队实施突击而高度运动战。主张机械化作战之英国军事家谓："惯于指挥慢动作军队之将领，不适应于高度部队之指挥，只有与机械化武器同时长大之人才，乃能指挥如意。"是诚警策之言。总之，机械化部队之机动，可谓为物质的机动，而技术的机动乃脑力的机动，综合二者之全力，而后方能完成所预期之目的，而收速战速决之效。

第四款　运用渗透战术

渗透战术者，以高远机动部队（机械化部队等）寻觅敌之弱点，予以突破，然后集注其最大兵力，且深入敌后，以达全面与纵深之作战目的之谓也。其手段以机械化搜索队及其他在前方部队，对敌阵地试探其弱点，凡敌固守之地点则回避之而迂回于地形险峻或敌不注意之处渗透而入，故攻击时必先探求弱点，此弱点一经寻出或发现敌败退之际，即集结绝对优势兵力，从事侵入，以击溃敌阵地，其已经突破之纵队，则不顾一切，深入敌后，必达其目的，始收得彻底效果而后止。

最初发明此战术为 1918 年德国参谋盖叶上尉，彼认为攻击之际，不宜用多彼之横队，而当用多支之纵队，一经觅得弱点，或已突破，即应不顾一切，遂行前进，其他部队则趋向扩张战果，席卷包围，当时鲁登道夫于西线第五次大攻势曾试用之，结果十分成功，于五星期内，德军已进出至距巴黎 25 哩之地。惟是时德军战力已衰竭，故无法再扩张战果。德国经此教训，益知以有力部队实施渗透战术，效果甚大。二次欧战，遂更巧妙运用此种战术达于极效。德军其对荷比战役与佛兰德会战，与 1941 年春倭军在九龙、马来半岛之作战，均为渗透战术之效果云。

第五款　最新战斗资材作最有效之使用

现代战术之变革，悉缘于现代战斗资材（兵器装备）之长足进步。如，防护力火力与机动力特大之现代化兵器，所呈之效用，远非第一次欧战时代可比，尤以第一次欧战时代，所谓"防御兵器"压倒"攻击兵器"者，今则一反此种之形态，是皆现代战术急剧改变之原因，总之，现代战之基础条件，存于最新类之兵器，即优秀空军与机械化部队及高能性之步炮兵等之效用；使现代战术特显其异常之成就，不特存于兵器本身之效能，尤其运用臻于至善，即能集团的与组织的最有效使用也。

第一项　集团的使用

兵器之集团使用，实即战术上所谓重点所在，应关注最大兵力之原理。就战车言，德国深知战车为近代战极重要之兵器，毅然采用佛勒尔之唐克战术思想，编成大集团之战车部队，自一九三九年十月，开始创设装甲师团三个，以后逐渐增加，自下至少在三十个师团以上，其编制：每师有战车一旅，计有战车四百五十辆至五百辆。其攻击正面，原则上每师团约三公里，大攻击之际，兼夹使用战车，略选二三千辆，极力发挥战车集团之威力。如德军一九三九年对波兰作战，使用装甲师团五个，轻装甲团四个，汽车化师团四个，统计所用战车在三千辆以上。对法国突破战，所用装甲师团十个，汽车化师团六个以上。对苏作战使用至二十个师团之多，据报告，参加作战之战车达一万五千辆之多。就炮兵言，德国五个师团装备，有大小炮至三百九十万门之多，装甲车防御炮每师有五六十门，其一般原则，每公里应有战车防御炮一十二门，诚可谓欧集团之能事矣。就空军言，德国对空军亦以闪电战术为指导方针，预期于最短时间，发挥最大之破坏力耳，故最注重于数量之压倒敌方，其对于空军之组织亦极端化集团主义，全国空军供攻势使用者，区分为五个集团，每个集团有二个师，内含有各种飞机一千六百架至一千七百架，足以负责对一方面之作战。对波兰，作战所用飞机达二千架。一九四〇年五月三十日，德军对丹刻克之空袭，使用空军二个飞行集团，计轰炸机、驱逐机各三百至五百架，最激烈时，每分投弹二百枚。一九四〇年秋季，对英国空袭，所谓“戈林攻势”每次出动四五百架，每日出动空军至一师以上，机数达二千余架，最多时有日用至四千架者，其空袭时间，延续至四十八小时是皆集团主义之大较也。

第二项　组织的使用

欧西名军学家谓：国防力量乃由人力、物力与组织力而成。以是推之，作战之威力，亦当由组织力之加强，方克收最有效之成果，是诚至当不易之精义也。兹分述如次：

1. 飞机与地上机械化部队之配合使用。机械化部队之能发挥大效力，必赖飞机之配合协同。析书之，如机械部队行动前之搜索敌情地形，与乎代替炮兵破坏敌妨害我机械化部队之敌炮兵，乃其他火器与障碍物术、工术等，又于我机械部队行动中之协同，与其开拓修路，乃破坏制压敌之各种火器，我机械化部队突破阵地后，协同作猛烈、迅速之追击，适合时期空输步炮兵降落于敌方要点，达成其担任务，以及指挥国家联络侦察等皆是也，第二次欧战，德军之攻击法军，完全成功于空军与地上部队协同一致，乃史实所证明，无待赘言者也。

2. 机械化部队之合理组织与使用。机械化部队因所负任务不同，通常有侦察纵队、突破纵队与占领纵队之区分，而其所使用兵器。亦有适合达成任务之装备，加侦察纵队以大机动力之机踏车与装甲汽车或轻战车为主，占领纵队，以富有极强性，且具有相当机动力之汽车化步炮兵为主是也。

3. 机械化兵团与一般步炮兵配合使用，其目的在各能发挥固有之性能，而彼此长短互补，协同策应。

第一线：机械化部队任突破

第二线：摩托化部队任占领

第三线：徒步步兵等任占领地之交换

如此先后呼应，循环进行，借以达成作战之目的云。

4. 各种战车之使用先后顺序，为期使敌之障碍物防御火力，与敌阵地能如期破坏且顾虑使敌无有破坏道路桥梁之余裕起见，重型与中型战车使用在先，（其前方尚有轻快之搜索队自不待言），是为突破战车队，轻型战车则随其后，不失时机扩充战果，是为攻击战车队，最后经验学习而得者也，原来法国战车战术原则，均为轻型者在前，重型者在后，但轻型战车之攻击力、防御力薄弱，故往往未能突破敌阵地，而已被敌战防炮等所破坏，而敌能识破我使用战车，而感防御困难时，即迅速将桥梁、交通路等破坏，至重型战车无法前进，发挥其威力。德军依此深刻之教训，遂改善如上述各种战车先后适当使用顺序之新战法云。

第六款　轻战势与重战势之适切运用

所谓轻战势者，用轻快之机械化兵器，如机踏车、装甲汽车或乘马骑兵，及相当之空军，组成之部队，行轻易之战斗也。如挺进攻击，前卫战、后卫战与追击战，及对准备未成之敌军不意奇袭之作战也。此种战斗，利在迅速出敌不意，所谓奇兵是也，重战势者，以具有火力防护力极强之装甲部队为主，双力倾倒全力，两决胜负之战斗也，又谓之激烈战斗。此种战斗着眼，以庞大之实力，行堂堂正正之决斗，必须获得决定的效果，所谓“正兵”是也。总之，轻战势之着眼，在收迅捷奇袭片段战斗之效，而重点战势之着眼，则在击溃敌之主力，收全败之战果，此两者必须适切使用与适当配合。如前冲之突袭敌人，收得效果之端绪时，即已经开拓获效之进路时，则主力部队应迅速积极倾其全力，以压倒敌人，或敌被击破后，复施等轻战势之战斗。轻战势之使用，亦有专经对敌方之装备战力居劣者，如德军对荷兰，以降落伞部队与空军等为主，亦一种轻战势战斗，至于对法比英联合军之突袭，则举其空军陆军精锐之全力，而行极猛烈之闪击，则纯用重战势矣。以是对轻重两战势之连续性与差别性，则应积极酌斟损益，而择其主当者也。

第七款　实施间歇攻击

新战术之目的，在毁灭敌之战力，而自己战力所蒙损失小。故总以避免与敌作下面之冲突，以是，于攻击之际，乃采用所谓“间歇攻击”。

间歇攻击者，即战略攻击，配合以战术防御之所谓也。换言之，即运用战术的攻击、防御、迎战、反击等，完成战略攻势之谓也。析之；即，最初奇袭敌主要防御线，而占得外面之战略据点后，即稍行休顿，而引诱敌方因我攻击，而作粗率之反攻，其越出阵地后，乃以迅雷不及掩耳之反击，而与其决战，即将有弹性之攻击力，作有节制之发挥，使实力少，而奏功大也。

一九四〇年五月之间，德军对西线联军进攻时，先威胁荷兰、比利时，以引诱法军将主力摆脱在法比边疆之既设阵地线，而向比荷前进，然后另从卢森堡突破色当麦节尔间阵地，而长驱直入，附击英法军主力之资助后，而包围歼灭之，是间歇攻击之一例。

第八款　强力并用包围与突击

攻击之战法，有中央突破与包围迂回、侧面攻击等各种方式，在往昔于攻略某目标，类皆故当时之状况，而采取上列中之一种方式，如企图包围敌人时，则下面之部队不过佯攻、索制、欺骗，使包围之兵团成功容易，此不仅兵力上以如是为宜，即指挥上，亦以包围部队，为达成目的之有利态势尚未形成时，即未达到预定之目标地时，若任下面攻击之部队，过于积极进攻，反致敌感觉苦痛，而致退却，而去包围之机会，如苏联战术有所谓："打击部队"与"拘束部队"，任务上一为积极一为消极，截然分明，即任重点与非重点方面，或正面与包围方面之一取积极，取消极，彼此策应，互相为用，鲜有各方面均取积极行动者。至于现代战法，为期达成全面作战，与纵深作战目的计，突破与包围，都非单纯取其一式而已，其攻击也，或一方猛力突破，一方勇敢包围，使全战局陷于支离必裂，如德对波兰是也。或于初期先行猛力突破，既突破之后，则从突破孔行深入之包围，同时一举行多方面突击，使防者无退却，或届行占领阵地，挽回战势，或企图反击之余裕。如第二次欧占德军既突破色当，爱节尔闻之法军阵地后，即长驱追入亚贝威勒，而包围佛兰德尔之英法比联军，而陷于孤立，而歼灭之，以是知新战术之各种作战方式，与往昔原无二致，所差异者，过去仅单纯性，今则演变为复杂性与连环性耳，是其特征之所在也。

第九款　同时行广正面大纵深之打击

同时行广正面大纵深之打击，使敌趋于溃灭之手段，实近代战术之特性。其重要战术，概如下所列：

一、利用空军，对敌野战军作空军迂回与包围，或深入敌后，袭击敌司令部兵营，铁路公路交叉点，及其他交通线，及后方各机关，不断协力策应地上部队之闪击与突击。

二、在地上部队，则多派各种装备完整堪以独立作战之各兵团，各赋予目标，使其分途长驱，任迂回包围与突破，以收"独立战斗""协同作战"新战术所要求之伟效。

三、以极精密之搜索与威力侦察，以试探弱点，与间隙，以其获得包围迂回占领之进出路，以便深入敌后，袭击敌之指挥机关，破坏敌之战斗组织。

四、适时使用降落伞部队，与地上之五纵队，或间谍等，互相呼应，占领要地或破坏指挥系统，各机关与后方部队等，以收奇袭与斗吓之成果。

第十款　实施恐怖战略

晋史载：晋谢元与秦符坚战于淝水，秦兵败北，“八公山上，草木皆兵”，是亦一种战争败北与恐怖之表现。近代战略所谓“神经战”者，其目的完全在用各种诈术，使敌主动战前或战斗军队与民众之神经失却正常状态，因而，丧失战意，且与兵力之攻击互相为用，收作战完全之成果也。举其重要数端如次：

一、多数飞机之狂炸。观今战斗，空军之使用均发挥极大数量，以期收精神、物质双方之效果。通常以数百架障无蔽日之轰炸机，对一目标狂炸，甚至以特制速广四五哩之飞机，向目标作俯冲轰炸，其所投子弹与所发噪声，发生精神上极端之恐怖。

二、故意以飞机轰炸不设防都市与平民区，使居民遁逃混乱，而拥塞战略道路，使敌既被突破之后，后方之接济与增援部队等，既无法前进，前方部队亦无法作有秩序之退却，终至无从恢复有利态势，不至于溃灭不止。如第二次欧战，德军之于法比军，亦善用此种手段，法比军受此种苦痛极大云。

三、以便衣队捣乱破坏指挥机关或后方机关，或扰乱民心，使车队作战陷于困难而影响及于全战局。（如第二次长沙会战倭寇所施者）

四、使用特种兵器，如啸声炸弹等，使敌军闻其所发惨声，而起异常之恐怖，而失其战力。如德军之对法军是也，其他如喷火战车、超高热炮，麻痹生死观之使用等，无非以精神上威力为尤。又如倭寇曾于某战场，使用发烟筒射击，发出种浓雾，使我军认为毒气而起恐慌，而致战斗困难，乃乘机敢行冲锋，是亦用恐怖战略之诡策云。

五、利用降落伞部队等，突如从天而下，使敌部队与后方民众，大起恐慌、失措而溃遁。

六、散布谣言，使兵方民众与士兵起恐慌，而丧失其斗志。

第十一款　方行政治的各种策动与武力战配合

孙子谓：“兵者诡道”“不战屈人”，又谓“兵者以诈主，以利动，以分合为变”云云，是皆示战争不仅以武力角其胜负，更须以阴谋诡道，以崩坏敌方也。故政治策动与宣传谋略等与武力战配合，其手段之重要，自古已然。而于新战术，尤有特殊之计划与组织，而以严格实施之。如德军鉴于第一次欧战之失败，由于政略上指导之缺陷，致受英法等宣传谋略所侵袭，有以致之。故其所行之“闪电战”，其基础重要之一端，即精政治、外交、广播、宣传、谋略、策动及特种务工作等之配合作用，以实施其高度奇袭，而奏奇功。换言之，即闪电战基本条件，仅以武力攻击为整个战争机构之因素，此因素虽可视为决定的，但此种军事行动，应以亦军事行动为前驱，以使军事行动容易，其胜利之获得，必以政治的阴谋与军事的技术在于同等重要地位，即以政治阴谋为里，以闪电战为表，前者用之有效，则收不战屈人之功，否则济之以武力一闪击一。如是，表里互相为用，以收速战速决之效。观德国对波兰，虽用闪电击及成功后，则对英法等，大肆其“政治攻势”，及其既告无效也，复各个的以闪电与阴谋互相为用，以袭挪威、比利时、卢森堡，其对巴尔干半岛各国，亦复如是，借收其表里相济之功。是故，今日之战争，甚至于一个会战，一个战斗，此种阴谋之潜势，实较战车、飞机、炮火、毒气为尤甚，不可不深察者也。

第五章　新战术原则上应注意之管见

第一节　通说

以上各章，均为新战术原理之阐释，换言之，即：新战术演成之由来，所谓演绎的意义也。兹章更对新战术原则上应注意之点，加以归纳移述，借资学术之研讨，与今后国军作战指挥之参考资料。

原夫战术原则，实含有精神的与技术的两面，而精神方面，要以战术思想与战术主义为中心所在，开章已道及之，故新战术原则，苟脱离乎是，则不啻舍精华而崇糟粕，遗灵魂而存躯壳，不免有本末倒弃、拾人雅慧之讥，诚首宜加之意者也。

至于国军今后战术思想之着眼点；一方当发挥舍身取义与威武不屈之民族精神，一往无前，艰苦共尝之革命性格，与地广、民众、物阜之优越条件，一方更须顾虑科学技术，与装备未臻完善之现况，以自遵循最高统帅所昭示战略上行持久战，战术上行歼灭战，战斗上机械化为主体，与步兵为主体之战斗并行不悖，是诚至当不蜀之要义，爰本斯胪举重要各点，分节述之如次。

第二节 认清旧战争观念与新战争观念之分歧点

拿氏称战术五年一小变，十年一大变。故世界无绝对相同之战斗，亦无一成不变之战法；战争为国家安危所系，苟袭陈旧，安于故度，必败之道也。第二次欧战同盟国之不足以敌德，主因全在乎是，故明旧战争观念与新战争观念之分歧，为讲求新战术之第一要义，亦即策定战术思想与战术主义之重要准据，所谓旧战争观念，析之有如下列：

1. 防御兵器压倒攻击兵器（以机关枪为中心之防御兵器）；

2. 攻势防御为最适当之战术（战略上先求消耗敌战力，战术上以火力挫折攻者，然后转为攻势，不使单独发挥其固有威力）；

3. 步炮为主要兵器，飞机战车不过为从属兵器（无论速度上火力上，飞机战车均配属于步炮兵，不使单独发挥其固有威力）；

4. 筑城为国防第一重要手段（根据第一次欧战阵地战之见地，以为加强筑城，愈能达到消耗战略，待机转为攻势之目的）；

5. 线式作战（只注全力于战线而于后方不加顾虑）；

6. 集团作战；（大军集结各兵种随时听从命令作单纯呆滞之一齐进退）；

至于新战争之观念，综括之有如下之特点：

1. 攻击兵器，优于防御兵器（以飞机与机械化兵器为中心，与其他新型武器，能收奇袭闪击攻势效果）；

2. 攻势之优越点彻底发挥（以彻底发挥攻击精神主动精神与机动神速之精神为主之作战）；

3. 从飞机与机械化为主体，配合火炮及新锐远近之火兵武器发挥所之最大威力；

4. 国防与作战最可恃军队之攻击力，一切筑城不过辅助此战斗力之发挥；

5. 全面作战（反线式超集团作战）。

第三节　彻底发挥高度攻击精神

攻击为战胜唯一方法，亦为战斗唯一方法，更为战术思想第一意义，一般战术中虽有攻击、防御、追击、退却之分，但防御为攻击之准备，退却为攻击之转捩，一切战斗，即从胜利为依归，如果在防势与退却之际，不存攻击精神，则有一蹶不振之势，尤以下列各种原因，需要精神之条件为尤殷：

（一）现代作战之激烈性；如飞机机械化等兵器，战斗所蒙损害，交通之被破坏，战线之被突破，后方之被遮断，其惨烈情状，远超于往昔，苟部队非随时有充溢高度之攻击精神，势不至陷于溃败不止。

（二）现代战争之全体性；敌为期战胜计，除猛烈武力压迫外，其他手段，亦无所不用其极，如宣传、煽动、威胁、扰乱等，以至第五纵队便衣队间谍之活动，在足以影响颓败士气。

（三）现代战争之全民化；人民因战争所受之经济破坏封锁与乎国家总动员之课赋，空袭之损害以及战场直接所蒙损害等，影响战争意志极大。

在第二次欧战发起，英法方面，有主张所谓优势防御者，盖依第一次欧战阵地战之经验，以为一味攻击，牺牲人力物力过大，不如先取防御，以待敌之来攻，以便于以牺牲消耗，然后加以击破，最为得策，其战术思想，乃鄙弃所谓炮灰进攻，而注重攻势防御，马其诺防线，即因是而生，结果受德军之新运动战奇袭猛烈深入之攻击，而无法抵抗矣。洎德军一九四〇年五月间，突破色当附近，直向海岸前进之际，其长驱直入，两翼虽有防护，然处处薄弱，其深入达一百五十公里，成为英法军从南北夹攻之机会，乃因精神上已受彻底打击，遂莫挽危局，是今因误于物质的之权衡得失，而忘却精神因素之作用，平时不知培养攻击精神，而狃于优势防御之美名，弄巧而反拙，图一刻之安，而遗千载之羞。反观我军对倭之战，如淞沪徐州武汉等会战，所显示之攻击精神，虽战斗本身一时蹉跌，而终能保持此攻击精神，使敌莫奈我何也。是故国家不从事战争则已，否则下列二者乃为作战开章明义之要项：

一、一般人民，必须抱明确之战争之观念，而增强作战精神。

二、在军队无论战斗员与非战斗员，必须具高度攻击精神，绝不因敌之策动，或状况之变迁，而有动摇。总之高度攻击精神，为现代战争战胜之唯一要素，不容丝毫假借者也。

第四节　安全之保障

《孙子·军形篇》有云："昔之善战者，先为不可胜，以待敌之可胜"。又云："善战者，立于不败之地，而不失敌之败也"。所谓"不可胜"与"立于不败之地"者，非"退缩""畏怯"之谓也，乃竭各种之准备，而讲各种安全之手段也。现代之战争，即如是之复杂激烈与危险，故战争之际，必需对时间、空间、战术、技术，各方面加以周密之顾虑与准备，一有疏忽则有陷于不可收拾之危机。如第二次欧战，法国对色当东方亚尔登森林地带，疏于防备，德国仅费两日时间即突破色当，使法军作战无法挽救。我军抗战对中条山山岳地带，被倭军突击，与浙西绍兴之受奇袭，皆对安全之保障未尽厥力也。古语谓"戒慎乎其所不睹""恐惧乎其所不闻"，是为现代战最警策之原则。安全保障之要义，有自卫与互卫之二者，兹分述如次：

1. 关于自卫者：不外搜索警戒与连络是也。搜索以明敌情地形，使识破政行动，或洞识敌之企图，而加以防范，不致有临时失措之虞。我国对倭作战四年余，各种战法，皆有进步，惟搜索勤务仍鲜成效，良宜特加努力者。警戒为直接保卫之手段，德军一方极力推奖闪电式深入不顾一切，进攻作战；一面极端注意安全，其最要之口号为："朝夜不息之警戒"，是警戒于作战之重要性因现代战而大有增。言空间：则上下，四方，前后，险夷，均须注意周到；言技术：如防空防毒、防战车、防伞兵、防第五纵队、防便衣兵等，均须有适合配置。又在后方之部队以及通信、兵站、卫生、政工等机关，不可恃前方已有保障，自身不在战线为安全，而疏于警戒。

至于连络，为搜索与警戒之"神经系"，苟不健全与敏捷，则一切搜索与警戒之效果，全归乌有，故必须发挥十分力量与技能而后可。

2. 关于互卫者：即部队自身配备互相保护安全也，换言之，即：战斗组织之严密，要形成一种非常团结不可破之形体，即依第一线以卫护第二线，依第二级以卫护第一级，依第一线与二线以卫护指挥部，依各警戒搜索连络等兵队以卫护第一线与第二线也。依战斗部队以卫护后方部队，依后方部队以掩护战斗部队也。

第五节　奇袭之运用与对策

第一款　奇袭之真义

孙子曰："攻其无备，出敌不意，此兵家之胜，不可先传者也。"是奇袭战法，为古兵家所极端推重，现行典范令中；如战纲第九、步操第六、阵要第七，对此均有确切提示，良以奇袭于作战之效能有如下各点。

a. 易于达成作战目的；

b. 能确实获得主动地位；

c. 能以最少之代价得最大之成果；

d. 使敌无有对抗之余裕；

e. 使敌无有恢复战力之时间与可能。

以故作战运用奇袭，所收效果之大，证之战史历历可指，在闪击战法全面战法推行之今日，奇袭之重要性，诚已达于极点。惟吾人对于奇袭战法，有不能不明了者，即奇袭战法用之于作战则可，用之战争则不可，如倭寇固惯用所谓"不宣而战"，即"战争之奇袭"，如一八九四年中日战争袭击我在朝鲜部队，一九〇四年日俄战争之袭击仁川港俄国军舰，一九三七年七七之袭击我芦沟桥与南苑部队，与一九四一年十二月八日之袭击新加坡、菲律宾、香港、夏威夷等，皆其最得意之战法，而终不免为世所唾弃，视为弃信背盟，不仁无义之强盗国家。我国文化在贵"以德服人"，古称"先礼而后兵"，解释武之真义重道德而不重暴力，故贵"不战而屈人"，如貌示和平心存窃夺，如美国务卿赫尔之面斥倭使野村与来栖，以倭国为人类史所罕见之不德不义行为，良非道义邦所宜取。故奇袭不可用于战争，而当用于作战，是当为我兵学主义所在，不可不察也。

第二款　运用奇袭之要决

奇袭之成功要义有四，即：（1）秘密完善；（2）欺骗巧妙；（3）准备周到；（4）行动神速是也。完善之秘密，为奇袭成功第一要素，所谓"出敌不意攻敌无备"，其"不意""无备"者，即因敌不明我之企图与动态固也。

故讲求秘密之手段，实为第一要义。第一次欧战一九一五年，德军对意军于勘不勒突破线，其企图计划即其同盟国奥军之指挥官，亦不全知晓，为恐泄漏也。倭寇对太平洋作战亦颇得秘密之要领，使夏威夷，新加坡，香港各地之防卫，毫无准备，其明证也。

欺骗即秘密之别义，欲期我真正之企图秘密，则伪装各种姿态以误敌之视听，如第二次欧战德对法作战，故意攻荷比，以欺骗吸引英法兵力，然后便于色当附近之突破。倭对太平洋作战，故使来栖赴美。以缓和美国之情感，使其判断错误。是皆欺骗敌方以达成奇袭之例证。欺骗手段固无定则要以临机应变，适当现状而达目的为着眼。

准备周到，乃实施奇袭最要之条件，原以奇袭之义必以迅雷不及掩耳之手段，然后方有成效，与令中亦经指明，惟欲期神速，必须事前准备周到，方临事推行无阻，是二者乃相因而生不可或悖，德国之对法作战，距征服波兰后八个月之久然后动，其用意虽多端，而充分准备亦其一因也。

第三款　奇袭之对策

我古兵家言：“不备不虞不可以师”，孙子兵法所谓“五胜”中有“以虞待不虞者胜”一语，德军事家谓：“任何战争，皆应由坚强的自卫开始”。是故无论平时之国防，与战时之国防指导，与战斗实施均当防卫不虞，吾人之战争指导主义，虽不宜用无端背弃盟约奇袭他国，而对国际间如倭国之不顾信义者，若不加以慎重之防备，一旦受其奇袭，如今日英美在太平洋所蒙之蹉跌，良为严重之教训，不可不引为前车之鉴，故后述二事必须注意：

1. 平时不可因主观之判断，对于一切武力等防备，陷于疏忽，尤以当国际风云紧张，与国交严重之际为然。（平时必须明了各国情势，尤以假想敌国之情势为然。）

2. 战争开始后，应无论时地之若何，战场之巨细，均应立于不败之地，确实防御，不予敌以奇袭之隙。（要十分周密之谍报、搜索、警戒为准备。）

第六节　独立自动之战斗

第一款　独立自动战斗之真义

所谓自动战斗者，即发挥独断自立之精神于极致也，人自为战，本为我国自古战术之重要原则，现用一般典范令，亦皆推崇独断自主之精神，而近代战术，对自动战斗之要求，尤较一切为重要与迫切，兹举其重要意义如次：

1. 现代战之要求在纵深突击，故就空间言须突破阵地，而深入，或迂回敌之侧背，或潜入敌之间隙，或潜伏敌中，伺机而活动，或从空输而降落敌后，其环境皆在敌对场合，是惟有赖各级指挥官及士兵，以独立自动勇往直前不顾一切之精神，以求打破困难，挺进活跃，方能达成其任务，若更待其他协助与策应，往往予敌以应付之余裕，驯致陷于孤立与危殆矣。

2. 近代战斗，因兵器之激烈性及迅速性，其精神上及肉体上所受威胁与打击，实千百倍于往昔，且危机皆在瞬息之间，不容有考虑与纠正之余裕，故为干部者，必须秉乎勇敢果决之精神，临机应变之智慧，独断自立以打破难局，然后方有获取胜利之可能。

3. 现代战争，所用火器如炮兵之轰击，战车之驰突，飞机之轰炸扫射，以及奇兵之不意出现，间谍之乘隙，伞兵之骤降等，往往与上官及友军之关系因而截断，前后左右之连系因而杜绝，是各部队，甚至一兵一卒，若不能独立自动战斗，惟有蒙被敌各个击破各个消灭之惨境耳，反之若能奋勇打击，则对零星小敌，不难歼灭于俄顷，使其无从逞跳梁扰乱之诈术。

4. 固兵器兵种与战斗技术之复杂，战场的扩张，机动的加甚，若一一均赖上级指挥官之指示，非常困难，且有不能适合时机，适合状况之弊，故要求独断专行远过于往昔者不啻什百倍。

第二款　独立自动战斗之要素

独立自动战斗应具之要素，分释之有如下之各端：

1. 深切之认识，与强国之信念。“不入虎穴，焉得虎子”，是为现代战斗第一特性，尤为自动战斗第一紧要信念，换言之：现代作战之必胜信念，惟各部队各自战争，即自主作战，一尽其最大努力，是故无论官兵，必先有此认识，而更确把此信念，方克有济。

2. 训练之确实。勇气因为战斗必要条件，但暴虎冯河之勇，不足济事，必须训练其本领，使其增高娴熟，外国军事家莫不共口承认：“长时间而严格之训练，确有自然增加官兵之勇气”，所谓“艺高则胆大”是也。以故对现代之独立战斗之新方式，如何发挥自己之武器达于最高度，如何可以与他种武器与友军配合发挥协同之威力，如何对付敌方之武器如飞机、快速部队、炮兵、骑兵、战车、装甲部队、伞兵等；如何扑灭敌便衣队，间谍，第五纵队等，如何讲求交通线、补给线、通信网、指挥机关、军队组织之防护与在破坏方法，如何当被敌包围或遮断后方联络之际，仍能独立作战，打破难局，均须有充分之训练与演习，方能临事镇定，勇往迈进。

3. 小部队各种火器之配合，为自动战斗必要条件。近代战争对各兵种之适切配合，为要素之一，尤以步兵内各种重火器之配合，便独立作战，乃现代作战重要着眼之点，是故轻重火器混合使用，是现代军队，一种主要发展，德国从西班牙内战所学之原则，即最小单位之部队，必须尽量装备各种武器，所谓“步兵炮队化”者，已达坚强之程度。

德国近来趋势，一般军官希望小规模师之出现，虽未成事实，而加强团之使用，已认为论理上之战术单位，除遭遇特别顽强固定阵地之抵抗之场合，当别定部置外，一般从前军团应行之任务，可由师团行之，结果全陆军之训练，均以增强连队之行军与战斗为依归，此增加团，遂成德军突出与战斗之最有力最理想之部队。

第七节　游击战术之运用

游击战战法者，即西班牙所谓“格利拉”战法，苏法等国所谓“帕苏齐赞”战法，德鲁登道夫全民战争中所谓“便衣军作战”也。此种战法，欧西各国自昔已视为重要作战手段，如古昔之西班牙，及十九世纪之法国革命，以及二十世纪苏联革命等时期均采用之，而著有良效，最近苏联之抗德，尤能于战略上战术上获巨大之成果。更就我国对倭抗战之经验，游击战所发挥之成效，尤非寻常可比。鲁登道夫谓：“游击战为现代战争中新的战斗力量”，良有以也。盖游击战乃实行全民战争最确实本质的战斗方式，尤以军事科学军事技术未发达国家，必须采取之战法，换言之，即：装备劣势之国家，对装备优势之国家，欲从事现代战，以采用游击战为有利，故我国对侵略国之作战，必须运用游击战，已成不拔之论也。运用旅游击战，必须着眼二点：

（一）游击战与正规战适当配合，为惟一战胜法则。孙子所谓“凡战者以正合以奇胜”，又谓“三军三众，可使受敌而无败者奇正是也”。在另一意义言：“正”可指正规战，而“奇”指游击战也。又谓“奇正相生，如循环无端，孰行穷之哉”？引之为游击战与正规战配合之原则，良极确当。盖仅有正规战，则因装备劣势，战力上难以保持均衡，而易至穷溃，仅有游击战，则欲期大规模击破敌军殊非易事，故分离则势孤，相合则无敌，是为第一要义。

（二）游击战有刚柔二法：刚的方式，如目下我游击战所行攻击敌侧后方，及其连络线，破坏敌伪政治组织，与经济设施，不断予敌以扰乱、牵制、破坏与歼灭等是也。在柔的方式，德国一九一八年后在鲁尔战区所采用之科学的破坏方法，使敌无从发觉。如秘密投放砂糖于汽油库内，使致毁坏，与秘密置压窄之炸药于煤块内，使燃烧是项煤炭，而致爆炸，是乃完全运用科学机智之能力，作巧妙潜伏之行动以达成目的也。

第八节　干部战斗技能之提高

《孙子兵法》对军队干部之良赋，为军事胜负与国家安危所系，言之甚为深切。《作战篇》谓：“知兵之将，民之司令，国家安危之主也”；《谋攻篇》谓：“将者国之辅也，辅周则国必强，辅隙则国必弱”；《始计篇》对敌我胜负之比较，“将属有能”视为要素之一，而为将之道，以智居首。是我国兵家，对于将校素质之重视，诚已昭示以不可动摇之铁则，况现在战争方式，日趋复杂，所用兵器，日趋巧妙，所谓“军队机械化”“步兵炮队化”等名词，均说明无论兵种如何，与部队之大小，其装备运用，非如往昔之单纯浅率，为军官者非仅有一兵科或一部门之知识，即可胜任，必须各兵种各门类兵器之使用与战法，均能了解，方克指挥运用臻于至善，近来苏德及倭国等之军官，均废除兵科之分，亦即要求为军官者，须兼知一切战术与兵器之运用。返视我国军官素质，类未为优，尤宜急起直追，力求上进，不特明了一般既有之战法与兵器，且须不断研究，期有创造与发展，方足应付现代战，而成为现代军人云。

第九节 新战法具体对策之一斑

现代战所用各种战法，已于前章述其梗概，而对于此种战法之方策，必须具备之手段，以上各节亦经举其荦荦大者，兹为研究便易计，更将新战法具体对策数端列表如次：

名称	对策
突贯包围作战	搜索周到，警戒严密（尤须注意地形困难之处），对可能被敌突破之点，应特加强设备，对突贯深入之敌，应力加反击侧击，纵深配备须加强，多筑小支点之各线阵地。
适时奇袭	随时随地不断搜索警戒，随时随地不可疏忽战斗准备，注意不可受敌之欺骗与牵制，一切配备部署有能应急之处置。
循环战法 渗透战术	以循环对循环，诱敌于不利之地形与时期而击破之，实施各个击破。警戒周到，配备严密（须适合地形，并加强纵深，弱点与间隙必须消除），联络确实，发挥独立自动之战斗，预备队及第二线部队等，均应随时有实施战斗之准备。
间歇攻击	确实搜索，并判断敌情，勿致受敌之牵制与欺骗，我进攻时应作周到之准备，严密部署配置，勿致为敌所乘，确行各个击破敌人。
恐怖战法	人民对战争意识必须巩固，现代战争常识必须具有，军队战斗意志必须加强，对各种恐怖发生之因素预先有防备与扑灭之方策与配备（发挥独立自主之作战），政治工作必须有绵密计划与实施。
降陆作战	警戒严密，尤以敌可能降陆之地为然，后方及战略要点飞机场交通要点等均应预有对敌降落伞部队及敌机降落之防备（如阵地及交通阻塞兵力配备等），部队及民众对敌降落伞等之射击扑灭，应常时训练，以期临时军民协力防卫，党政军民应切实合作。

第五纵队与便衣队之扰乱	警戒谍报调查严密，确查户籍并实施连坐法，战地附近于某区域内加以封锁，无论前后部队及各机关均应确实自行防卫，以便衣队对便衣队，党政军民联系合作确实，发挥独立自动之作战，政工活动须确实有效。

（据兵学研究会1940年11月版《新战术论》校勘，并删部分注释）

附录二：吴石年表

1894 年 9 月 14 日，1 岁

9 月 14 日（甲午八月十五），生于福建闽侯县螺洲（今福州市仓山区螺洲镇）寒儒家庭。

父吴国琬，字秀珍，号耐庐，举人。母董氏。

原名萃文，字虞薰、湛然。

8 岁前在家，由母亲抚育。

1902 年，9 岁

入“帝师”陈宝琛创办的螺洲两等小学旁听。

1904 年，11 岁

乡公学停办，入福州师范学校附属小学，后因病辍学。回乡中学校学习，学业日进。

1910 年，17 岁

入福州开智小学堂学习，接触新学。

1911 年，18 岁

春，转入格致书院（教会创办）就读，接受西学教化。

12 月，吴石与开智小学堂林炘、郑九鼎等同学出资台伏币百余元，捐助组织福建北伐学生军，并毅然报名参加。

1912 年，19 岁

1 月 17 日，吴石随福建北伐学生军出发，乘“万象”号商轮离榕赴沪，在沪参加军训。

2 月初，闽、浙学生军奉南京临时政府陆军部之命，会于南京，合编为南京陆军入伍生队。入伍生队下分两营，福建学生军为第二营，吴石被编入。2 月 15 日，孙中山携文武官员前往明孝陵祭奠，吴石等入伍生随往护卫。

6月，黄兴辞去南京留守。离职前，黄以陆军部长名义通知陆军入伍生暂时遣散回原藉，等待入武昌第二预备军官学校学习。吴石乘舟回闽等待。

8月，入武昌第二预备军官学校，开始军校生活。

1913年，20岁

3月，获悉宋教仁遭暗杀，吴石深感悲愤，约同学回福建参加倒袁运动，因海上交通临时断绝而未成行。

7月，同窗雷彪在秘密参加李烈钧发起的九江起义中被捕牺牲。吴石知情后秘密书写挽联，召集福建、江西籍同学悼念。

1914年，21岁

10月，在武昌陆军第二预备学校以第一名的成绩毕业。

12月，转入保定陆军军官学校第三期炮科，接受高级军官教育。与张治中、蔡廷锴、白崇禧、黄绍竑、刘建绪等人同班学习，同期闽籍同学有吴仲禧、施泰祯、张贞、许显时、林知渊等，袍泽情谊伴随一生。

1916年，23岁

8月，以第一名的成绩从保定军官学校第三期炮科毕业。在8月10日的毕业典礼上，校指定吴石为毕业生代表为黎元洪总统致训作答谢辞。一时名扬，被誉“吴状元”。

1918年，25岁

4月，回闽参加倒袁驱李（厚基）运动。到厦门鼓浪屿闽南军司令部协助工作，后遭北洋军阀李厚基部追捕，避走广东汕头。

4月，粤滇军第四师师长方声涛与江西李烈钧合作在广东成立征闽靖国军。10月，吴石参加征闽靖国军，任征闽靖国军总指挥部工兵第四营第二连连长。

1919年，26岁

5月，吴石离开征闽靖国军。

1920年，27岁

3月，应张贞之邀，任福建军总司令部参谋。

1921 年，28 岁

9 月，因喉疾加剧，离开福建军总司令部，到北京等地治疗、休养。

1922 年，29 岁

6 月，入京汉铁路管理局工务处工程课课员。

1923 年，30 岁

3 月，调派京汉铁路管理局材料处处长室办事。

经族人介绍，跟从在京的闽籍诗词大家何振岱学习，开始喜好词章。

年底，吴石与同乡王碧奎结婚。婚后，吴石与王氏共生六男二女，长幼次序如下：吴美成（长男、已殇）、吴展成（未足岁殁）、吴韶成（三男）、吴康成（四男、已殇）、吴竞成（五男、已殇）、吴兰成（长女）、吴学成（次女）、吴健成（六男）。王碧奎于 1993 年 2 月 9 日逝世于美国洛杉矶，享年 90 岁。

1924 年，31 岁

9 月 17 日，第二次直奉战争爆发。10 月，直系军阀内部分化，冯玉祥发动北京政变。冬，冯玉祥将军在河南组织国民军，宣布拥护国民革命。12 月，应国民军第三军孙岳部参谋长兼第十四师师长何遂之邀，吴石离开京汉铁路管理局到洛阳就任该师军械处处长，兼统领炮兵。

1925 年，32 岁

1 月，南苑干部学校成立，吴石兼任上校教官。

1926 年，33 岁

国民军在直奉两军夹击下瓦解。

春，国民革命军在广东组建，誓师北伐。4 月，闽南民军张贞部被改编为国民革命军独立第四师，张贞任师长，吴石应邀赴任师司令部参谋处长。

1927 年，34 岁

1—5 月，任国民革命军独立第四师司令部参谋长。

5—12 月，任国民革命军总司令部参谋处科长。

1928 年，35 岁

2 月，任福建省政府军事厅参谋处处长。

11 月，在方声涛帮助下，由福建省政府官费保送日本留学，考入日本野战炮兵学校。

1930 年，37 岁

刊印个人诗集《东游甲稿》，收入东游日本诗作 85 篇。

11 月，通过严格考试，被日本陆军大学录取。在校成绩优异，有“十二能人”之誉（即：通晓古今中外兵书，能文、能诗、能词、能书、能画、能英语、能日语、能骑、能射、能驾、能泳）。

1931 年，38 岁

9 月 18 日，日本帝国主义武装侵入东北，制造震惊中外的“九一八”事变，远东战争策源地形成。在日留学的吴石愤然写下《神州》《时事》《闻北警感赋》等爱国诗篇。

1932 年，39 岁

6 月，由故宫印书局出版著作《最新航空述要》，并将书款捐助用于发展我国航空事业。

1933 年，40 岁

11 月，毕业于日本陆军大学。

1934 年，41 岁

年初，举家乘苏联邮轮从东京航行五天抵沪。

1 月，就任为陆军大学校兵学教官。

1935 年，42 岁

2 月，加入中国国民党。

同月，就职参谋本部第二厅，任第一处（主管日本情报）处长。

3 月 5 日，“帝师”陈宝琛在京逝世。吴石以“门下再晚生”名义送去挽联：“先君承香火再传，何期小子跻堂，曾受推恩申矩矱；四海痛老成忽邈，岂但乡人思德，相将洒涕满松榆”，寄托哀思。

编印个人诗集《东游甲乙稿》，共收诗歌 173 首，何振岱作序。

出版著作《近代战争与国防之本质》。

1936 年，43 岁

1 月，商务印务馆出版其译著《警察学纲要》（松井茂著）。

2月3日，被授予国民革命军陆军少将。

5月，任参谋本部第二厅第二处（主管国际情报）处长。

11月，出版《孙子兵法简释》。

12月，由兵学研究会出版专著《兵学辞典粹编》，蒋介石等题词或作序，得到广泛好评。

仲夏，陪同恩师何振岱游览南京栖霞寺、嘉兴烟雨楼等吴中名胜，作诗互答，郊游甚欢。

1937年，44岁

历时3年编撰出反映日本军事和军队情况的《参二室蓝皮本》，弥补国民政府对日军事情报研究的缺位。

4月，《兵学辞典粹编》三版、四版发行。

5月，中共代表团抵达南京。在何遂私宅，经何遂介绍，首次会晤中共代表团叶剑英、李克农等同志，对共产党人有了初步认识。

7月，著作《克罗则维兹<战争论>之研究》出版。

7月，国民政府中央军事委员会将参谋本部改称第一部，参谋本部第二厅改称第二组。

8月，吴石任军委会第一部情报组第一处处长、组长，主管对日作战情报及各国情报。

8月13日，发生八一三事变，淞沪战役开始。吴石奔赴前线视察。

8月20日，国民政府颁发战争指导方案，全国划为五个战区：第一战区为河北及山东北部地区；第二战区为山西、察哈尔、绥远；第三战区为苏南、浙江；第四战区为福建、广东；第五战区为苏北、山东。

本年，获军委会传令嘉奖，并获国民政府颁发甲种二等干城奖章、四等云麾章。

1938年，45岁

1月，国民政府中央军事委员会最高常务会议决定，军委会一部与参谋本部合并，成立军令部。

2月，任命为军令部第二厅中将待遇副厅长。

6月，《兵学辞典粹编》第六版发行。

8月，军令部第二厅指定吴石在武汉主办战地情况参谋训练班，吴石邀请周恩来、叶剑英讲课，其中：周恩来作形势报告、叶剑英讲游击战大课，周、叶的人格魅力给吴石留下深刻印象。吴石作情报素养讲话。

12月，吴石调任军委会委员长桂林行营参谋处处长。

本年，出版军事著作《战术讲话》。

1939年，46岁

策划指导长沙、昆仑关等会战。

组建福建旅桂同乡会，并出任会长。

牵头创办黄花岗纪念学校。

12月，在吴石等国民党上层人士支持下，在华日人反战同盟西南支部在国民党统治区桂林成立。

与日本进步作家鹿地亘结下终身友谊。

1940年，47岁

5月，吴石调任第四战区司令长官司令部中将参谋长。

8月，在广西桂林与率南洋华侨回国慰劳视察团慰问抗战军民的爱国侨领陈嘉庚会晤，共商抗战大计。

1941年，48岁

4月，吴石分别在何遂创作的《长江万里图》长卷题诗4首，书画合璧。其中题《长江万里图 · 川江》七律为："恕无俊语酬风物，如此江山处处幽。杰阁凌虚吞远势，孤城衔日入深秋。四峨隐约云中辨，三水飞腾峡里流。胜地故应人杰萃，摩抄往迹思悠悠。"题在《长江万里图 · 三峡》七律为："远览方知天地宽，心安蜀道未为难。香溪初望昭君里，险水又经崆岭滩。艘艓顺流飞鸟过，峰峦当路怒猊蟠。欲探何处闻猿峡，一为停舟着意看。"题在《长江万里图 · 武汉》七律为："武昌夏口大江流，廿二年前忆旧游。几度探幽攀古阁，也曾寻醉踏芳洲。孤心郁勃凭双剑，共济安危托一舟。楚客江篱无限感，秋风斜日更添愁。"

5月，获国民政府颁发"甲种一等干城奖章"。

10月，著作《兵学辞典粹编初续》出版，为《兵学辞典粹编》内容的补充。

1942年，49岁

1月22日，被授予国民革命军陆军中将。

年底，广西镇边（今那坡）县政府要求就地处决所谓“越南籍日本间谍”胡志明，吴石与陈宝仓即示押解柳州长官部。在多方营救下，越共领袖胡志明脱险。

在柳州帮助胡志明组建越南民族同盟会，柳州成为越南人民军武装的基地。

11月，专著《新战术论》由兵学研究会出版。

12月，创办军事期刊《国防研究》，研究抗敌新战法。在《国防研究》上发表了《新国防论》《新战术论》《今次大战各国战时经济概述》等文章。

1943年，50岁

1月，在《国防研究》上发表《倭国最近行政改革之全豹》一文。

3月，在《国防研究》上发表《论倭第八十一届议会》一文。

9月14日（中秋节），逢吴石五十华诞，好友何遂作《百字令》一词奉赠。词曰：前身谓汝，恰中秋，明月人间能几。收拾乾坤归腕底，吾辈固应如是。多少英雄，古今人物，去去长江水。蓬莱清浅，望中澄澈无际。

相与高唱分题，清谈据坐，莫问今何世。且尽平原旬日饮，侧身羽书闻喜。荡涤倭氛，廓清禹域，方快平生意。老松仙鹤，一声横笛吹起。

1944年，51岁

参加桂柳战役。日军仓皇从南宁撤退，恰司令长官张发奎不在，吴石当机立断，派兵迅速追击，敌人未及进行破坏，地方赖以保护，大获全胜。

4月中旬至5月下旬，率部沿中越边境开展巡视。

5月，继《兵学辞典粹编》《兵学辞典粹编初续》，《兵学辞典粹编第三编》问世。

8月，日军攻陷衡阳，大举进攻桂林。吴石以兵力不足退守怀远，凭借地理优势，仅用一团兵力，战车数辆，重炮三四门，同日军相持7日。他还亲自部署了桂柳大会战和中越边境保卫战，抗击日寇南下大军和从越南北上侵犯中越边境的日军，以固守反击战术与敌作殊死搏斗，使广西龙州至靖西岳圩中越边境广大地区不被染指。

11月，发生六寨惨案，险些丧生。

1945年，52岁

4月，兼任第16集团军副总司令。

5月，出任国民政府行政院军政部主任参事。

秋，在桂林应诗家林北丽之邀，吴石题诗贺其三十初度："四海滔滔者，斯人气独奇。不（甘）求甘淡泊，自得固融洽。世俗那径眼，冲怀祗寄诗。智符原在握，底事苦伤时。"

10月10日，国民政府授予吴石"忠勤勋章"。

1946年，53岁

1月上旬，与好友何遂、陈孝威同游重庆北温泉之缙云山。在汉藏教理院，与何遂诗画合璧，在何遂指画《狮子峰下缙云寺》上题诗："旧境重寻笑独勤，任他春已尽三分；笋舆十里松阴路，斜风细雨上缙云。"

5月，国民政府由重庆迁回南京。6月5日，任国民政府国防部第五局（即史料局，1947年4月12日，更名为史政局）中将局长。

11月12日，国民政府授予吴石"宝鼎勋章"。

目睹国民党政府腐败无能，独裁专政，极为愤懑，常以宴会名义，与挚友刘斐、何遂、刘通等共聚一堂，议论国事。

1947年，54岁

2月28日，台湾人民举行武装起义，反抗国民党的反动统治。3月17日至4月2日，吴石随国防部长白崇禧赴台湾，对"二·二八"事件的处理进行"宣慰视察"。行前，白崇禧向蒋介石提议吴石出任台湾警备总司令部司令，未获蒋介石首肯。

4月，经何遂介绍，与中共中央上海局书记刘晓、副书记刘长胜及负责统战、军运的张执一会面，确定工作关系。之后，由张执一多次与吴石见面，进行工作联系。

9月，致电林森县拟回乡参加“国大代表”竞选。10月，回福州参加竞选。11月致电林森公选所，以书面证明放弃竞选。

1948年，55岁

6月，福州地区遭受600年来的最大洪灾。闻讯后，吴石等在南京的闽籍人士极为关心，发起组织赈灾活动。

7月，吴石为福建才女的刘蘅诗集《蕙愔阁集》作序。

9月，兼任国防部军官学术研究会战史系主任。

10月，撰写《孙子纪念亭碑记》。

12月，受中共委托，劝说国民党第二舰队司令林遵反正。

秋，由陈铭枢、吴艺五介绍，在上海加入三民主义同志联合会。

1949年，56岁

2月6日，被任命为福州绥靖公署副主任。2月13日抵榕。

2月初，中情部负责人李克农指示上海情报系统，迅速安排东南地区的工作，并提出“重点在台、闽。”5月初，上海情报组织派谢筱迺去福州，联系吴石，建立福建情报小组。

4月，中国共产党代表团与南京政府派出的和平谈判代表团在北平（今北京）举行谈判。吴石在南京，受中共委托，规劝李宗仁接受中共八项和谈条件。向中共提供《国防部全国军备部署图》《沪宁沿线军事部署图》等核心情报。

4月30日，与何遂离沪赴广州，约定赴台湾开展策反情报工作。

5月17日，吴石飞抵福州后，同中共中央情报部福建特派员谢筱迺接上关系，向中共提供重要情报。其中有：蒋介石在京、沪、杭解放后的“全国作战部署”，特别是台湾及东南的部署及国民党军队的军事动向情报；国民党军在福建省的战斗序列、在福建整编后的主官姓名、福建“绥署”的兵力统计等情报。

6月，蒋介石密令福州绥靖公署主任朱绍良在福州外围构筑一道半永久性防御工事。经吴石等出面做朱的工作，使此事拖延至福州解放，福州城区免遭战争劫难。

6月下旬，吴石乘机飞抵广州，接洽重要公务。

7月下旬，吴石抵香港，向中共华南分局提供了国民政府军事委员会编制的两份绝密材料。一是在长江以南川、滇、湘、黔、粤、闽六省的国民党军队建制和兵力总表；一是国民党军在西北各部队番号、驻军地点等，为解放军追歼国民党残敌提供了重要情报。

8月12日，在官邸密召其随从交代将298箱军事档案材料待福州解放后献给福州军管会。8月17日福州解放。

8月13日晨，乘军用专机离榕去台。

9月初，在吴石帮助下，在台执行任务的何遂安全离开台湾，取道香港回到大陆。受海峡阻隔，吴石与中共地下组织联系中断。

10月初，吴石赴港，与中共华东局在港负责人万景光接上关系，约定联系方式。吴石回台后多次派人向在港中共情报机构报送重要情报。

10月29日，出任“国防部”次长。

11月底，中共华东局情报部派出朱枫由港赴台，协助吴石工作。吴石提供国民党军事机关及部队主官名册、国民党东南区驻军番号和人员数，以及飞机、大炮、坦克的数量等重要情况。

1950年，57岁

1月29日，中共台湾省工委书记蔡孝乾被捕。后变节，中共台湾地下组织遭受严重破坏。

2月4日，朱枫在吴石帮助下搭乘空军飞机撤离台北，隐蔽于仍为国民党控制的浙江定海。2月18日，朱枫在定海被捕。

3月1日夜，吴石被捕。同案被囚的还有陈宝仓、聂曦等人。

6月10日下午，吴石在台北马场町刑场从容就义。有海外报章云吴石“临刑从容吟诗”，遗诗为：“天意茫茫未可窥，悠悠世事更难知。平生殚力唯忠善，如此收场亦太悲。五十七年一梦中，声名志业总成空。凭将一掬丹心在，泉下差堪对我翁。”

主要参考文献

一、吴石著作

1.《东游甲稿》，1930 年版。

2.《最新军事航空述要》，故宫印书局 1932 年版。

3. 松井茂著，吴石译：《警察学纲要》，商务印书馆 1935 年版。

4.《东游甲乙稿》，1935 年版。

5.《兵学辞典粹编》，兵学研究会 1936 年版、1937 年版。

6.《克罗则维茨〈战争论〉之研究》，兵学研究会 1937 年版。

7.《新战术论》，《国防研究》1942 年第 1 卷第 1 期、第 2 期。

8.《新国防论》，《国防研究》1942 年第 1 卷第 1 期。

9. 吴石主编：《国防研究》，1942 年第 1 卷第 1 期、第 2 期、第 4 期。

10. 吴石审定：《日军登陆作战》，国防部史政局 1947 年版。

11. 吴石审定：《抗战军人忠烈录》（第 1 辑），国防部史政局 1948 年版。

二、文献资料

1. 何振岱编：《觉庐诗存》，1938 年福州刻朱印本。

2. 欧阳英修，陈衍纂：《闽侯县志》，1933 年刊本。

3. ［日］村田勇夫：《鹿地亘访问记》，载上海《新闻日报》1950 年

8月14日。

4. 韩真：《民国福建军事史》，上海人民出版社1979年版。

5. 中国人民政治协商会议全国委员会文史资料研究委员会编：《革命史资料》（5），1981年版。

6. [美]埃德加·斯诺：《红色中国杂记》，群众出版社1983年版。

7. 中国人民解放军军事科学院战争理论研究部《孙子》注释小组编：《孙子兵法新注》，中华书局1984年版。

8. 陈碧笙、杨国桢：《陈嘉庚传》，福建人民出版社1985年版。

9. 陈小功：《抗日战争中的国民党战场》，解放军出版社1987年版。

10. 王序平、刘沉刚：《刘斐将军传略》，湖北人民出版社1987年版。

11. [日]小林清：《在华日人反战组织》，社会科学文献出版社1987年版。

12. 中国民主促进会中央宣传部编：《王绍鏊纪念集》，江苏教育出版社1987年版。

13. 杨国宇主编：《当代中国海军》，当代中国出版社1987年版。

14. 中共广东省委党史资料征集委员会、中共广东省委党史资料委员会编：《特支十年》，广东人民出版社1988年版。

15. 中共中央文献研究室编：《周恩来传（1898—1949）》，中央文献出版社1989年版。

16. 中共上海市委党史资料征集委员会主编：《解放战争时期的中共中央上海局》，学林出版社1989年版。

17.《中国现代史资料选辑（第6册）》，中国人民大学出版社1989年版。

18. 王定烈主编：《当代中国空军》，当代中国出版社1989年版。

19. 朱枫烈士纪念文集编写组编：《朱枫烈士纪念文集》，1991年版。

20. 陈民：《民国华侨名人传略》，中国华侨出版公司1991年版。

21. [美]莫济杰、陈福霖主编：《新桂系史》（第1卷），广西人民出版社1991年版。

22. 师哲：《在历史巨人身边——师哲回忆录》，中央文献出版社1991年版。

23. 开诚:《武汉会战·原国民党将领抗日战争亲历记》，中国文史出版社 1992 年版。

24.《毛泽东军事文集》第 5 卷，军事科学出版社、中央文献出版社 1993 年版。

25.《从延安到北京——解放战争重大战役和研究文章专题选集》，中央文献出版社 1993 年版。

26. 金冲及主编:《毛泽东传（1893—1949）》，中央文献出版社 1996 年版。

27. 民革中央党史编辑委员会编:《中国国民党革命委员会 50 年》，团结出版社 1999 年版。

28. 沈志华:《中苏同盟与朝鲜战争研究》，广西师范大学出版社 1999 年版。

29. 原福州郊区政协编:《吴石将军英魂略》（文集），1994 年版。

30. 刘建业、陆大钺主编:《迁都重庆的国民政府》，北京出版社 1994 年版。

31.《福州百科全书》，中国大百科全书出版社 1994 年版。

32. 何振岱:《我春室诗集》，1995 年福州何氏油印本。

33. 广东省政协文史资料研究委员会编:《深潜龙潭老将军——吴仲禧纪念文集》，中国文史出版社 2015 年版。

34. 中国人民解放军第三野战军战史南京军区《第三野战军史》编辑室编:《中国人民解放军第三野战军战史》，解放军出版社 1996 年版。

35. 季啸风、沈友益主编:《中华民国史史料外编——前日本末次研究所情报资料》，广西师范大学出版社 1996 年版。

36.《福州格致中学校志》，1996 年版。

37. 开诚:《李克农——中共隐蔽战线的卓越领导人》，中国友谊出版公司 1996 年版。

38.《福建省长乐市南阳柯氏族谱》，1997 年乙亥仲秋。

39. 中共南京市委党史工作办公室、中共南京市委宣传部编:《南京百年风云》，南京出版社 1997 年版。

40. 中共中央党史研究科研管理部编:《周恩来世纪行》，中共党史出版社 1998 年版。

41. 董寿琪:《虎丘》，古吴轩出版社 1998 年版。

42. 吴殿卿、袁永安、赵小平主编:《毛泽东与海军将领》，解放军文艺出版社 1999 年版。

43. 陶人欢、毛增滇编:《民革党员和新中国》,《上海文史资料选辑》第 94 辑，1999 年版。

44. 泰栋、亚平:《沙文汉与陈修良》，宁波出版社 1999 年版。

45. 孔立:《厦门史话》，宁波出版社 1999 年版。

46.《知情者说》第 1 辑，中国青年出版社 2000 年版。

47. 中共党史人物研究会编:《中共党史人物传》第 69 卷，中共文献出版社 2000 年版。

48.《话说周恩来》，中央文献出版社 2000 年版。

49.《吴石》，赖兆斌、吴杲:《福建革命烈士》(十二)，福建人民出版社 2000 年版。

50. 任牧辛、任方明、刘志强主编:《保定军事学堂纪实》，中国文史出版社 2000 年版。

51. 杨者圣:《和平将军张治中》，上海人民出版社 2000 年版。

52. 中共柳州市委党史研究室编:《新民主主义革命时期柳州市党史专题研究集》，中共党史出版社 2001 年版。

53. 福建省政协、泉州市政协、漳州市政协文史资料委员会编:《闽南民军》，福建人民出版社 2001 年版。

54. 孔繁政主编:《中国民主党派》，解放军文艺出版社 2001 年版。

55.《螺江志》《闽江金山志》《藤山志》，分别由陈润编纂、白花洲渔增修，林其蓉撰，蔡人奇撰、福州市地方志编纂委员会整理，海风出版社 2001 年版。

56. 罗礼太:《蒋桂矛盾与美国对华政策》，厦门大学出版社 2001 年版。

57.《福州晚报》编:《闽都家人》，2001 年版。

58. 张帆:《末代帝师陈宝琛评传》，福建教育出版社 2002 年版。

59. 陈瑞方：《抗日儒将陈宝仓》，团结出版社 2002 年版。

60. 文思编：《我所知道的杜聿明》，中国文史出版社 2003 年版。

61. 范硕：《叶剑英的非常之路》，人民出版社 2003 年版。

62. 曹剑浪：《国民党军简史》，解放军出版社 2004 年版。

63. 刘建萍：《诗人何振岱评传》，海潮摄影艺术出版社 2004 版。

64. 何池：《翁泽生传》，海风出版社 2004 年版。

65. 福州市政协文史资料委员会、福州市文物管理局编：《福州名人故居》，中国社会出版社 2004 年版。

66. 田钰主编：《台湾史纲要》，福建人民出版社 2005 年版。

67. 张帆、刘建萍主编：《“同光体”闽派诗歌评析》，海潮摄影艺术出版社 2005 年版。

68. 周继烈编：《林北丽诗文集》，京社出版 2005 年版。

69. 曾江、陈晓峰、林展飞编：《闽侯名人故居》，福建美术出版社 2005 年版。

70. 福州市档案馆编，李运启主编：《福州解放》，海风出版社 2005 年版。

71. 曾江编：《闽侯清廉人物谱》，福建美术出版社 2006 年版。

72. 何曦：《晴赏楼日记稿》，浙江文艺出版社 2006 年版。

73. 张作兴主编：《三坊七巷》，海潮摄影艺术出版社 2006 年版。

74. 冯亦同：《镇海的女儿——朱枫传》，远东出版社 2007 年版。

75. 林玉涵主编，钟兆云、易向农执笔：《父子侨领——庄希泉、庄炎林世纪传奇》，人民出版社 2007 年版。

76.《张治中回忆录》，华文出版社 2007 年版。

77.《粟裕传》编写组著：《粟裕传》，当代中国出版社 2007 年版。

78. [日] 井上桂子：《鹿地亘的反战思想与反战活动》，吉林大学出版社 2008 年版。

79.《上海民革专辑》(《上海文史资料选辑》总第 128 辑)，2008 年版。

80.《文史资料选辑》第 32 辑，1980 年版。

81. 中国人民政治协商会议福建省委员会、文史资料研究委员会编：《福建文史资料》第 6 辑，第 20 辑，第 34 辑。

82. 福州市政协文史委编:《福州文史资料选辑》第 5 辑。

83. 福州市民政局编:《福州英烈》第 7 辑，1993 年版。

84. 王光远编著:《蒋介石在台湾》，中国文史出版社 2008 年版。

85. 邵青:《民国时期孙子学研究》，军事科学出版社 2011 年版。

86.《何振岱日记》，福建人民出版社 2016 年版。

三、报刊资料

1.《伪高级官员数名遭杀害》，新华社上海分社《参考材料》第 37 号，1950 年 6 月 12 日。

2. 梁佐华:《他，牺牲在台湾》，《红岩春秋》1992 年第 2 期。

3. 刘人寿:《关于淮海战役前的最早又较全面的情报》，《浦江同舟》1997 年第 12 期。

4. 青石:《1950 年解放台湾计划搁浅的幕后》，《百年潮》1997 年第 1 期。

5. 房建昌:《蔡孝乾与台湾共产党》，《文史精华》1998 年第 10 期。

6. 徐宗懋:《战争后的战争》，《老照片》2001 年第 16 辑。

7. 刘琳、陈日增:《虎穴忠魂——我党高级情报官员吴石记略》，《福州晚报》2001 年 7 月 7 日。

8. 许翰如:《解放前夕谢筱迺在福州做地下工作》，《炎黄春秋》2001 年第 10 期，总第 115 期。

9. 许翰如:《忆谢筱迺》，《广东党史》2004 年 4 月。

10.《轰动一时的“吴石案”》，《参考消息》2005 年 10 月 11 日。

11. 孙克骥:《策动林遵起义琐记》，《红土地》2008 年第 10 期。

12. 纪敏:《罗青长讲述特赦国民党在押战犯内情》，《文史精华》2015 年第 9 期。

13. 孙潇潇:《“军统”逃台前后》，《文史精华》2017 年第 5 期（下）。

四、港台地区及海外资料

1.《蔡孝乾向大陆同胞的忏悔》,《中央日报》1950 年 6 月 1 日。

2.《国防部处决四叛逆》,《中央日报》1950 年 6 月 11 日。

3.《轰动台湾间谍案四要角同被处死，吴石临刑前从容吟诗》，香港《星岛日报》1950 年 6 月 12 日。

4. 李资生:《台湾大间谍案破获始末》,《新闻天地》，民国三十九年（1950 年）七月。

5. 裴可权:《台共叛乱及覆亡经过纪实》，台湾商务印书馆股份有限公司 1987 年版。

6. 鹿地亘资料调查刊行会编:《日本人民反战同盟资料》，不二出版 1994 年版。

7. 江南:《蒋经国传》，美国论坛社 1994 年版。

8. 台湾《名人传记》，1994 年 11 月第 65 卷第 5 期。

9. 谷正文:《特务档案——国共地下斗争纪实》，香港东西文化事业公司 1996 年版。

10. 谷正文:《国防部历年侦破匪叛乱案汇编》，1999 年版。

11. 徐宗懋:《台湾 50 年前的政治血案》,《凤凰周刊》2002 年 4 月。

12. 陈济民主编:《民国官府》，香港金陵书社出版公司 2002 年版。

13. 陈中:《百年守望——爱国奇才张圣才》，香港文学报社出版公司 2002 年版。

14. 徐宗懋:《追寻母亲朱谌之的遗骸》,《凤凰周刊》2005 年 4 月。

15. 徐宗懋:《追寻匪谍沧桑，探索国共和解》，香港《亚洲周刊》2005 年 10 月 16 日。

16. 吴孝桢主编:《章振乾百岁文集》，香港天马出版有限公司 2004 年版。

17. 何池:《民主革命时期中国共产党指导台湾革命研究》，台湾海峡学术出版社 2008 年版。

18. 何达主编:《何遂遗踪》，中国书局（香港）2008 年版。

19.《二二八事件责任归属研究报告》，总策划：李旺台、杨振隆，财团法人二二八事件纪念基金会，2006 年版。

后　记

为吴石将军立传，缘于对英雄的景仰，缘于对历史真相的守望。

自撰写《冷月无声——吴石传》以来，每逢中秋节，我都会当窗对月，叩问青天，而在天际间的英雄却无语。时至2008年中秋，凝望天空，却是浓云遮空，看不见一轮明月，我是多么盼望皓月的光华洒满周身！因为《冷月无声——吴石传》完成初稿，多年的艰辛终有成果。沉沉的黑夜掩盖许多我们不愿看到的东西，如哭泣、悲伤、失望……但确是了却情感的一个途径。在安静、黝黑中，每个人都在圆梦。次日，我的父亲因病告别了人间，让我深深陷入悲伤。这种失去亲人刻骨铭心之痛，让我再一次理解吴石将军子女及亲朋好友对于他难以释怀的怀念。

就在书稿即将杀青的时候，同住一座城市的冯岩君找到我，告诉我：吴石是福州人乃至中国人的骄傲，只可惜现在外面怎么写、怎么说吴石的都有。不去研究太可惜了。现在自己研究吴石是有些晚，但总比不去研究好。最好还要有大手笔的纪念活动。冯岩君诚恳而热情的一席话说出我深埋心里的想法，共同的追求让我们一见如故。按过去的说法，我与冯岩君都是标准的职业革命者。明知道情况，如果都不能为前辈做些什么，心里总会觉得有些缺憾。

吴石将军是1949年春渡江战役至1950年初国民党高层重要军事情报的主要提供者，是中共隐蔽战线上杰出的无名英雄。他绚烂的一生淹没于浩瀚的历史长河，因此他为民族独立与解放所作出的常人难以想象的重大贡献少有记录、少人问津。加上要追叙的都是几十年乃至上百年前的史事，相关联的人物达上百人，这些要考证清楚，考据确凿，更是困难重重，需要精诚所至，呕心沥血。诚如中国传记大家朱东润先生所说："一位有问题的传主，有时会给传记的作者以更大的兴趣。"因此，于我而言，描摹出活生生的吴石，是一种挑战，是一种超越，愈深入愈欲罢不能。多年来，在繁忙的工作之余，费尽周折、埋首整理，其中的烦恼和辛苦自不多言，也确有动摇放弃念头闪现的时候，但更多的是坚持。在采访何康、朱晓峰、蔡学仁、陈振涛等一批老地下党人时，他们当中有的已患上失忆症，刚做过的事一下子就记不清了，但一讲起曾经的岁月，哪怕细小的情节也无一丝模糊，宛如刚刚发生，真是刻骨铭心！他们对已逝战友的回忆往往动情至于老泪纵横。他们非常欣慰地告诉我：我现在能活着，不知比牺牲的同志幸福多少倍。他们对党的忠诚及对已逝战友的忠贞，让我经久不能忘怀。就我而言，写吴石的过程，是心灵碰撞信仰的过程。

书末附上本人整理校勘的吴石若干作品，期与读者分享；也期待引起更多人对吴石研究产生兴趣，为深化研究提供一些必要的帮助。

从开始搜集资料到完成书稿，跨越 8 个年头。其间，承蒙吴石家属和其生前友好以及许多领导同志的关心、支持。吴石之子吴韶成提供重要资料并审阅了全书，吴石将军的生前好友、国家农业部原部长何康给予指导，也得到李克农之子李力，罗青长之子罗援，朱枫烈士之女朱晓枫，吴石之女吴兰成，陈宝仓之女陈瑞方，吴仲禧之子吴敢群，李黎洲之子李勉庸，原吴石将军副官、福建黄埔同学会会长林强，吴石将军侄子、福州市物资局原副局长吴杲（2007 年病故）以及原北京大学分校中文系主任顾国瑞，福建省委党校林怡教授，福建省党史研究室原主任林玉涵，福建省文史研究馆馆长卢美松，福州市人大常委会原副主任吴又成，福州市党史办主任刘德宏，原福州郊区政协副主席陈子桑，晋安区政协原副主席施钦，厦门大学哲学系主任詹石窗等为成书给予的帮助。国家安全部门有关同志提供了有力的帮助。南京市文联原主席冯亦同，南京市党史研究室王平，上海市党史研究室王岚，福州市人民政府文化顾问黄启权，福州市文化局副局长杨勇，福建美术出版社卢为峰，福建省文史研究馆连天雄，闽江学院中文系教授刘建萍，历史系副教授郑新胜，福建省民革郑长青等诸位好友以及永泰县委办、党史办同志或提供史料，或收集照片，或研究文稿，为本书的出版作出奉献。台湾文史专家徐宗懋先生赐给珍贵历史照片；上海远东出版社伍启润先生给予鼓励。在此，一并致谢。

众所周知，由于两岸关系的特殊性，有关吴石的一些档案迄今尚未完全公开；也由于研究深度的问题，本书的内容还存在某些欠缺或局限在所难免，敬请读者谅解。唯愿本书的出版，能为研究吴石、宣传吴石，为携手海峡两岸推进祖国统一尽点绵薄之力。

有意思的是：2009年春，一部叫《潜伏》的电视剧在全国热播，其中剧中主人公、地下工作者余则成的原型引起热议。上网一看，网页上赫然显示“余则成的原型是吴石将军！”在网上键入“吴石将军”，符合选项的查询结果达数十万条，令人感慨。其实，余则成是虚构的，而吴石确是真实的。感谢电视剧《潜伏》、感谢网络，是影视、网络的能量，开始唤回沉睡的英名。当然，最应该感谢的是英雄。是英雄引领着时代，创造一个民族的今天和未来。吴石将军属于理解那一段历史的人们。他的精神属于中国人民，属于中华民族，属于全人类！

至今为止，我也无法考证吴石出生时是否有明月相伴。但我总觉得，吴石犹如空中的冷月，其光华、韵味历久弥深，入于人心。

这些感言权作后记。

作者

2011年春记于福州

岁月匆匆，一晃六年过去矣。吴石传奇的事迹为越来越多的人们所熟悉，甚为欣慰。这次再版，依新发掘的史料，在原有基础上做了些修订、增补，冀臻于完善。感谢我的家人！感谢吴江、宋静雯的悉心编辑！感谢所有为本书完善提供支持与帮助的朋友们！

2017年6月补记于福州

此次再版为第三版。本书出版13年来，受到读者青睐，本人深感欣慰、心怀感恩。历史的细节，在经过时间沉淀后往往可以看得更加清晰。随着愈来愈多历史档案的开放，古籍文献的数字化以及研究的深入，为本书的完善带来了契机。为给历史留下关于一个英雄的真实记录，也为纪念吴石殉难75周年，去年春至今，再次动笔，对原著进行了修订，以现有的呈现与读者见面。感谢吴江社长的垂爱、感谢责任编辑庄涵莉的付出！鸣谢吴石侄外孙施维平、何康之子何迪、福建省图书馆巫晓萍、武警山东省总队原少将司令员李苏鸣等友朋的帮助！

2025年3月于榕城寓所